LA LOI DES MÂLES

Maurice Druon est né à Paris en 1918. Etudes classiques. Lauréat du Concours général. Ecole des Sciences Politiques. Ecole de cavalerie de Saumur (1940).
Evadé de France pour rejoindre les Forces Françaises Libres, à Londres. Ecrit Le Chant des Partisans, *avec Joseph Kessel (1943). Correspondant de guerre. Prix Goncourt en 1948 pour son roman* Les Grandes Familles. *Reçoit en 1966 le Prix de Monaco pour l'ensemble de son œuvre de romancier, d'essayiste et de dramaturge. Elu la même année à l'Académie française.*

En juin 1316, l'Eglise et la France, l'une et l'autre sans chef, sont exposées, celle-ci à la guerre civile, celle-là au schisme. D'une part un conclave errant depuis deux ans ne parvient pas à élire un successeur au pape Clément V; d'autre part, le roi Louis X Hutin, ayant désorganisé l'Etat au cours d'un règne aussi nocif que bref, vient de mourir empoisonné, dix-huit mois après Philippe le Bel. Pour la première fois depuis trois cents ans, un roi capétien disparaît sans avoir un fils qui lui succède au trône.
La couronne ira-t-elle à la petite fille de cinq ans, fortement soupçonnée de bâtardise, qui est issue du premier mariage de Louis X avec Marguerite de Bourgogne, ou bien sera-t-elle hypothétiquement réservée à l'enfant dont la seconde épouse, Clémence de Hongrie, est enceinte? Ce quatrième volume du cycle des *Rois Maudits* fait revivre les luttes acharnées que, par les armes, la procédure, les tractations, vont se livrer trois parents du roi mort — son frère le comte de Poitiers, son oncle le comte de Valois, son cousin le duc de Bourgogne — afin de s'emparer de la régence.
C'est le premier, un prince de vingt-cinq ans, qui l'emportera, ayant réussi à la fois et en même temps, à faire élire un pape de son choix en murant les cardinaux dans une église de Lyon, à emprisonner son cousin Robert d'Artois qui a pris la tête d'une révolte dans le nord de la France, et à éliminer du pouvoir ses rivaux. Pour préparer son accession au trône il s'appuiera sur une prétendue loi salique, cette « loi des mâles » en vérité inventée pour l'occasion, qui constituera désormais le règlement de succession de la monarchie française. Un crime perpétré par Mahaut d'Artois contre le fils posthume de Louis X, et seulement à demi réussi, permet au comte de Poitiers devenu Philippe V, dit le Long, d'aller se faire sacrer à Reims, tandis que l'enfant qui aurait dû régner sous le nom de Jean Ier, et que chacun croit mort, est emporté dans un manoir d'Ile-de-France.
Tel est le canevas, fourni par l'histoire, de ces six mois de tragédie.

ŒUVRES DE MAURICE DRUON

Dans Le Livre de Poche :

LA FIN DES HOMMES

I. — Les Grandes Familles.
II. — La Chute des corps.
III. — Rendez-vous aux enfers.

La Volupté d'être.
Alexandre le Grand.
La Dernière brigade.
Le Bonheur des uns...

LES ROIS MAUDITS

I. — Le Roi de fer.
II. — La Reine étranglée.
III. — Les Poisons de la Couronne.
IV. — La Loi des Males.
V. — La Louve de France.
VI. — Le Lis et le Lion.
VII. — Quand un roi perd la France.

MAURICE DRUON
de l'Académie française

LES ROIS MAUDITS

IV

La Loi des mâles

ROMAN HISTORIQUE

Nouvelle Édition

LE LIVRE DE POCHE

« Il faut au Prince avoir l'entendement prêt à tourner selon les vents de fortune... et ne pas s'éloigner du bien, s'il le peut, mais savoir entrer au mal s'il y a nécessité. »

Machiavel.

Je tiens a renouveler ma vive reconnaissance a mes collaborateurs Pierre de Lacretelle, Georges Kessel, Christiane Grémillon, Madeleine Marignac, Edmonde Charles-Roux pour l'assistance précieuse qu'ils m'ont donnée pendant l'élaboration de ce volume ; je veux également remercier les services de la Bibliothèque Nationale, des Archives nationales, de la bibliothèque Méjane a Aix-en-Provence, et de la Bibliothèque de Florence, pour l'aide indispensable apportée a nos travaux.

M. D.

SOMMAIRE

Troisième partie

DE DEUIL EN SACRE

PROLOGUE

En *l'espace de trois siècles et quart, de l'élection de Hugues Capet à la mort de Philippe le Bel, onze rois seulement avaient gouverné la France, tous laissant un fils pour leur succéder au trône.*

Prodigieuse dynastie que celle des Capétiens ! Le destin jusque-là, semblait l'avoir marquée pour la durée. Sur les onze règnes, on n'en comptait que deux qui eussent couvert moins de quinze ans.

Cette extraordinaire continuité du pouvoir avait grandement contribué, et quelle qu'ait été la médiocrité de certains rois, à la formation de l'unité nationale.

Au lien féodal, lien purement personnel de vassal à suzerain, de plus faible à plus fort, se substituait progressivement cet autre lien, cet autre contrat qui unit les membres d'une vaste communauté humaine longtemps soumise aux mêmes vicissitudes et sous une même loi.

Si l'idée de nation n'était pas encore évidente, son principe, sa représentation existaient déjà dans la personne royale, source permanente d'autorité. Qui pensait « le roi » pensait aussi « la France ».

Reprenant les objectifs et les méthodes de Louis VI et de Philippe Auguste, ses plus remarquables devanciers, Philippe le Bel, pendant près de trente ans, s'était appliqué à charpenter, à maçonner cette unité naissante ; mais le ciment était encore frais.

Or, à peine le Roi de fer disparu, son fils Louis X le suivait au tombeau. Le peuple ne pouvait manquer, dans ces deux décès survenus coup sur coup, de voir le signe de la fatalité.

Le douzième roi avait régné dix-huit mois, six jours et dix heures, juste le temps suffisant à ce piètre monarque pour compromettre en grande partie l'œuvre de son père.

Durant son passage au trône, Louis X s'était surtout signalé en faisant assassiner sa première femme, Marguerite de Bourgogne, en envoyant à la pendaison le principal ministre de Philippe le Bel, Enguerrand de Marigny, et en réussissant à enliser une armée entière dans la boue des Flandres. Tandis qu'une famine décimait le peuple, deux provinces s'étaient révoltées, sous l'inspiration des barons. La haute noblesse reprenait le pas sur le pouvoir royal ; la réaction était toute-puissante et le Trésor à sec.

Louis X avait reçu la couronne alors que le monde était sans pape ; il partait avant qu'on soit parvenu à s'accorder sur le choix d'un pontife.

Et maintenant la France était sans roi.

Car, de son premier mariage, Louis ne laissait

qu'une fille de cinq ans, Jeanne de Navarre, fortement soupçonnée de bâtardise. Quant au fruit de son second mariage, il ne constituait pour l'heure qu'une fragile espérance ; la reine Clémence était enceinte, mais n'accoucherait que dans cinq mois.

Enfin, l'on disait ouvertement que le Hutin avait été empoisonné.

Que serait, dans de telles conditions, le treizième règne ?

Rien n'était prévu pour l'organisation de la régence. A Paris, le comte de Valois cherchait à se faire reconnaître régent. A Dijon, le duc de Bourgogne, frère de la reine étranglée et chef d'une puissante ligue baronniale, n'allait pas manquer de se poser en défenseur des droits de sa nièce, Jeanne de Navarre. A Lyon, le comte de Poitiers, premier frère du Hutin, se trouvait aux prises avec les intrigues des cardinaux et s'efforçait en vain d'obtenir une décision du conclave. Les Flamands n'attendaient que l'occasion de reprendre les armes, et les seigneurs d'Artois continuaient leur guerre civile.

En fallait-il autant pour rappeler à la mémoire populaire l'anathème lancé par le grand-maître des Templiers, deux ans auparavant, du haut de son bûcher ? Dans une époque prompte aux croyances, le peuple de France pouvait aisément se demander, en cette première semaine de juin 1316, si la race capétienne n'était pas désormais maudite.

PREMIÈRE PARTIE

PHILIPPE PORTES-CLOSES

I

LA REINE BLANCHE

Les reines portaient le deuil en blanc.

Blanche la guimpe de toile fine qui enserrait le cou, emprisonnait le menton jusqu'à la lèvre, et ne laissait apparaître que le centre du visage ; blanc le voile qui couvrait le front et les sourcils ; blanche la robe fermée aux poignets et tombant jusqu'aux pieds. C'était la tenue presque monacale que venait de revêtir, à vingt-trois ans et sans doute pour le reste de sa vie, Clémence de Hongrie, veuve de Louis X.

Nul désormais ne verrait plus ses admirables cheveux d'or, ni l'ovale parfait des joues, ni cet éclat, cette splendeur tranquille qui avaient rendu célèbre sa beauté. La reine Clémence avait déjà pris l'aspect de son tombeau.

Pourtant, sous les plis de sa robe, une nouvelle vie était en train de se former ; et Clémence était obsédée par la pensée que son époux ne connaîtrait jamais l'enfant qu'elle attendait.

« Si Louis, seulement, avait assez vécu pour le voir naître ! Cinq mois, seulement cinq mois de plus ! Comme il en aurait eu joie, surtout si c'est un fils... Ou bien que n'ai-je été pregnante dès le soir de nos noces !... »

Elle tourna la tête, avec lassitude, vers le comte de Valois qui, d'un pas de coq gras, marchait à travers la pièce.

« Mais pourquoi, mon oncle, pourquoi l'aurait-on méchamment empoisonné ? demanda-t-elle. Ne faisait-il pas tout le bien qu'il pouvait ? Pourquoi cherchez-vous toujours la perfidie des hommes là où ne se montre sans doute que la volonté de Dieu ?

— Vous êtes bien la seule à rendre à Dieu, en l'occasion, ce qui semble plutôt appartenir aux artifices du diable », répondit Charles de Valois.

Un chaperon à grande crête rabattu vers l'épaule, le nez fort, la joue large et colorée, l'estomac en avant, et habillé du même vêtement de velours noir orné de queues d'hermines et de fermaux d'argent qu'il avait arboré, dix-huit mois auparavant, pour l'enterrement de son frère Philippe le Bel, Mgr de Valois arrivait de Saint-Denis, où il avait assisté à l'inhumation de Louis. Cérémonie d'ailleurs qui n'était pas sans avoir posé quelques problèmes préalables ; pour la première fois, depuis qu'il existait un rituel des obsèques royales, les officiers de l'Hôtel, après avoir crié : « le Roi est mort ! », ne pouvaient ajouter « Vive le Roi ! » ; et l'on ne savait devant qui accomplir les gestes destinés au nouveau souverain.

« Eh bien ! vous casserez votre bâton devant moi, avait dit Valois au grand chambellan Mathieu de Trye. Je suis l'aîné de la famille et le mieux désigné. »

Mais son demi-frère, le comte d'Evreux, s'était élevé contre cette étrange prétention.

« Si vous entendez l'aînesse en un sens aussi large, ce n'est pas vous, Charles, qui la détenez, mais notre oncle Robert de Clermont, le fils de saint Louis. Oubliez-vous qu'il est encore vivant ?

— Vous savez bien que le pauvre homme est fol, et qu'on ne peut se fonder en rien sur cette tête perdue », avait répliqué Valois en haussant les épaules.

Finalement, à l'issue du repas servi dans l'abbaye, c'était devant une chaise vide que le grand chambellan avait brisé l'insigne de ses fonctions...

Clémence reprit :

« Louis ne faisait-il pas l'aumône aux infortunés ? Ne remettait-il pas, le plus possible, leurs peines aux prisonniers ? Je puis témoigner de la générosité de son âme, et de sa piété. De ses péchés anciens, il se repentait... »

Le moment était évidemment mal choisi pour mettre en doute les vertus dont la reine voulait orner la mémoire toute fraîche de son époux. Charles de Valois, néanmoins, ne put retenir un mouvement d'humeur.

« Je sais, ma nièce, je sais, que vous avez eu sur Louis une très pieuse influence, et qu'il s'est montré fort généreux... avec vous. Mais on ne gouverne pas seulement par des patenôtres, ni en couvrant de dons ceux-là qu'on aime. Et la repentance ne suffit pas à désarmer les haines qu'on a semées. »

Clémence pensa : « Voilà... Voilà celui qui s'empressait si fort autour de Louis, et qui déjà le renie. Quant à moi, on me reprochera bientôt les présents qu'il m'a faits. Je suis devenue l'étrangère... »

Trop faible, trop brisée par les nuits d'insomnie et les journées de larmes pour trouver la force de discuter, elle ajouta seulement :

« Je ne puis croire que Louis ait été haï à ce point qu'on l'ait voulu tuer.

— Eh bien, n'y croyez pas, ma nièce, s'écria Valois ; mais le fait est là ! La preuve nous est fournie par le chien qui lécha les toiles dans lesquelles les embaumeurs avaient déposé les entrailles, et qui est crevé l'heure d'après. »

Clémence serra les mains sur les bras de son siège pour ne pas chanceler devant la vision qu'on lui imposait. Son masque étroit et pathétique, les yeux clos, devint aussi pâle que la guimpe et le voile où il s'encadrait. Le cadavre, l'embaumement, les viscères arrachés, et ce chien qui rôdait, qui léchait les linges sanglants... Se pouvait-il qu'il s'agît de Louis, de l'homme qui avait dormi auprès d'elle, pendant dix mois ?

Mgr de Valois continuait de développer ses conclusions macabres. Quand donc se tairait-il, ce personnage agité, autoritaire, vaniteux qui, tantôt vêtu de bleu, tantôt d'écarlate, tantôt de noir, apparaissait, à chaque heure importante ou tragique, depuis qu'elle était en France, pour la chapitrer, l'assourdir de paroles et la faire agir contre son gré ? Dès le matin de ses noces... Et Clémence se rappela le jour de son mariage, à Saint-Lyé ; elle revit la route de Troyes, l'église de campagne, la chambre du petit château, hâtivement aménagée en logis nuptial... « Ai-je su goûter mon bonheur ?... Non, je ne pleurerai pas devant lui », se dit-elle.

« Quel est l'auteur de cet horrible forfait, poursuivait Valois, nous ne savons encore ; mais nous le découvrirons, ma nièce, je vous en fais promesse solennelle... à la condition bien sûr qu'on m'en reconnaisse les moyens. Nous autres rois... »

Valois ne perdait jamais l'occasion de rappeler qu'il avait porté deux couronnes, purement nominales, mais qui le plaçaient quand même sur pied d'égalité avec les princes souverains.

« ... nous autres rois avons des ennemis qui le sont moins de notre personne que des décisions de notre puissance. Les gens ne manquent pas qui pouvaient avoir intérêt à vous rendre veuve. D'abord, il y a les Templiers... dont on a eu grand tort de détruire l'Ordre, l'avais-je assez dit !... qui ont formé ligue secrète et juré la perte de notre maison. Mon frère est mort, son premier fils le suit ! En second lieu, il y a les cardinaux romains. Rappelez-vous que le cardinal Caëtani a tenté de faire envoûter Louis et votre beau-frère Philippe, dans l'intention déclarée de les envoyer tous deux les pieds outre. Caëtani a bien pu chercher à frapper par un autre moyen. Que voulez-vous ? On ne déloge pas le pape du trône de saint Pierre, comme mon frère l'a fait, sans semer d'inexpiables ressentiments. En tout cas, Louis est mort... Nous ne pouvons non plus écarter de nos soupçons nos parents de Bourgogne, qui ont mal accepté la réclusion infligée à Marguerite, et plus mal encore que vous l'ayez remplacée. Ils se sont, à ce sujet, répandus en vilenies... »

Clémence le regarda droit dans les yeux. Charles de Valois se troubla et rougit un peu. Il comprit que Clémence savait. Mais Clémence ne dit rien. Elle éviterait toujours d'aborder ce sujet. Elle se sentait chargée d'une culpabilité involontaire. Car cet époux dont elle vantait l'âme vertueuse avait tout de même, avec la complicité de Valois et de d'Artois, fait étouffer sa première femme, afin de pouvoir l'épouser, elle, la nièce du roi de Naples.

« Et puis il y a la comtesse Mahaut, votre voisine, qui n'est pas femme à reculer devant un crime, fût-ce le pire », se hâta d'enchaîner Valois.

« En quoi est-elle différente de vous ? pensa Clémence sans oser lui répondre. Il ne semble pas que, dans cette cour, on hésite beaucoup à tuer. »

« Or Louis, voici moins d'un mois, venait de lui confisquer le comté d'Artois, pour l'obliger à se soumettre. »

Un instant, Clémence se demanda si Valois, à désigner tant de coupables possibles, ne cherchait pas à brouiller les pistes, et s'il n'était pas luimême l'auteur du meurtre. Cette pensée, qui ne pouvait s'appuyer d'ailleurs sur rien de sensé, lui fit horreur. Non, elle s'interdisait de soupçonner personne ; elle voulait que Louis fût décédé de mort naturelle... Pourtant le regard de Clémence, inconsciemment, se porta, par la fenêtre ouverte, sur les frondaisons de la forêt de Vincennes, vers le sud, dans la direction du château de Conflans, résidence de la comtesse Mahaut... Quelques jours avant la mort de Louis, Mahaut, en compagnie de sa fille, Jeanne de Poitiers, était venue faire visite à Clémence. Une fort aimable visite. On avait admiré les tapisseries de la chambre...

« Rien n'est plus avilissant que d'imaginer un félon dans son entourage, pensait Clémence, et de commencer à chercher la trahison sur chaque visage... »

« C'est pourquoi, ma chère nièce, reprit Valois, il vous faut rentrer à Paris ainsi que je vous le demande. Vous savez combien je vous aime. Votre père était mon beau-frère. Entendez-moi comme vous l'entendriez, si Dieu nous l'avait conservé. La main qui a frappé Louis peut poursuivre sa vengeance sur vous et sur votre fruit. Je ne saurais vous laisser ainsi, au milieu de la forêt, livrée aux entreprises des méchants, et je n'aurai de paix que vous ne soyez établie au plus près de moi. »

Depuis une heure, Valois s'efforçait d'obtenir de Clémence qu'elle regagnât le palais de la Cité, parce qu'il avait décidé de s'y transporter lui-même. Ceci formait pièce du plan qu'il avait conçu pour s'imposer dans la fonction de régent. Qui commandait en maître au Palais prenait figure royale. Mais, à s'y installer seul, Valois courait le risque que ses adversaires l'accusassent de coup de force ou d'usurpation. Si, au contraire, il entrait dans la Cité derrière sa nièce Clémence, comme son plus proche parent et protecteur, personne ne pourrait validement s'y opposer et le Conseil des pairs se trouverait devant le fait accompli. Le ventre de la reine était, dans le moment présent, le meilleur gage de prestige et le plus efficace outil de gouvernement.

Clémence leva les yeux, comme pour demander assistance, vers un troisième personnage, un homme bedonnant, grisonnant, qui se tenait debout auprès d'elle, et, immobile, les mains croisées sur la garde d'une haute épée, suivait silencieusement l'entretien.

« Bouville, que dois-je faire ?... » murmura-t-elle.

L'ancien grand-chambellan de Philippe le Bel, nommé curateur au ventre aussitôt après la mort du Hutin, avait pris sa nouvelle mission plus qu'au sérieux, au tragique. Ce brave seigneur, serviteur exemplaire de la maison royale, avait constitué une garde de vingt-quatre gentilshommes soigneusement choisis, qui se relayaient par groupes de six à la porte de la reine. Lui-même s'était habillé en guerre, et il suait à grosses gouttes, par la chaleur de juin, sous sa cotte de mailles. Les murs, les cours, les abords de Vincennes, étaient truffés d'archers. Chaque valet de cuisine devait être en permanence escorté d'un sergent. Même les dames de parage étaient fouillées avant de pénétrer dans les appartements. Jamais vie humaine n'avait été plus étroitement protégée que celle qui sommeillait dans le sein de la reine de France.

Bouville partageait sa charge avec le vieux sire de Joinville. Mais le sénéchal héréditaire de Champagne, le compagnon de saint Louis, avait maintenant quatre-vingt-douze ans, ce qui faisait de lui, probablement, le doyen de la haute noblesse française. Il était à demi aveugle, et aspirait surtout à regagner, comme chaque été, son château de Wassy sur la Marne, où il vivait somptueusement du revenu des dotations à lui accordées par trois rois. En vérité, il somnolait la plus grande partie du temps, et toutes les tâches incombaient à Bouville.

Celui-ci, aux yeux de Clémence, représentait les souvenirs heureux. Ambassadeur d'abord venu pour demander sa main, puis pour la conduire de Naples jusqu'en France, il était son confident et sans doute le seul ami véritable qu'elle comptât à la cour.

Bouville comprit bien que Clémence ne voulait pas bouger de Vincennes.

« Monseigneur, dit-il à Valois, je puis mieux assurer la garde de la reine dans ce manoir étroitement clos de murailles que dans le grand palais de la Cité ouvert à tout venant. Et si c'est le voisinage de la comtesse Mahaut que vous redoutez, je puis vous apprendre, car on me tient informé de tous les mouvements d'alentour, que Madame Mahaut fait en ce moment charger ses chariots pour Paris. »

Valois ne laissait pas d'être assez agacé de l'autorité prise par Bouville depuis qu'il était curateur, et de son insistance à demeurer là, planté sur son épée, à côté de la reine.

« Messire Hugues, dit-il avec hauteur, vous avez charge de veiller au ventre, et non de décider de la résidence de la famille royale ni de défendre à vous seul tout le royaume. »

Sans se troubler, Bouville répondit :

« Dois-je aussi vous faire observer, Monseigneur, que la reine ne peut se montrer avant quarante jours écoulés depuis son deuil ?

— Je vous remercie ; mais je connais aussi bien que vous les usages, Bouville. Qui vous dit que la reine devra se montrer ? Nous la ferons cheminer en char fermé... Enfin, ma nièce, s'écria Valois, ne croirait-on pas que je veux vous envoyer au-delà des mers, et que Vincennes est à mille lieues de Paris !

— Comprenez-moi, mon oncle, répondit faiblement Clémence, ce séjour de Vincennes est le dernier don que j'ai reçu de Louis. Il m'a fait présent de cette maison quelques heures avant qu'il meure, là... Il me semble qu'il n'en est pas encore vraiment parti. Comprenez... C'est ici que nous avons eu... »

Mais Mgr de Valois ne pouvait rien entendre aux exigences du cœur ni aux imaginations de la douleur.

« Votre époux, pour lequel nous prions, ma chère nièce, appartient désormais au passé du royaume. Mais vous, vous en détenez l'avenir. En exposant votre vie, vous exposez celle de votre enfant. Louis, qui vous voit de là-haut, ne vous le pardonnerait pas. »

Il avait touché juste, et Clémence, sans rien dire, s'affaissa un peu sur son siège.

Mais Bouville déclara que rien ne se pouvait décider sans l'accord de messire de Joinville qu'il envoya chercher sur-le-champ. On attendit plusieurs minutes. Puis la porte s'ouvrit, et l'on attendit encore. Enfin, vêtu d'une longue robe de soie comme on en portait au temps de la croisade, tremblant sur ses membres, la peau tachée et pareille à une écorce d'arbre, la paupière larmoyante, la prunelle pâlie, le dernier compagnon de saint Louis apparut, traînant les semelles, et soutenu par un écuyer presque aussi chenu que lui. On l'assit avec tous les égards qu'on lui devait, et Valois entreprit de lui expliquer ses intentions concernant la reine. Le vieillard écoutait, hochant la tête avec componction, et visiblement satisfait d'avoir encore un rôle à jouer. Quand Valois eut achevé, le sénéchal s'abîma dans une méditation que chacun se garda de troubler ; on attendait l'oracle qui allait tomber de sa bouche. Et soudain Joinville demanda :

« Mais adoncques, où est le roi ? »

Valois prit une expression désolée. Tant de peine dépensée en vain, alors que le temps pressait ! Le sénéchal saisissait-il encore ce qu'on lui disait ?

« Voyons, le roi est mort, messire, et nous l'avons descendu en terre ce matin. Vous savez bien que vous avez été nommé curateur... »

Le sénéchal plissa le front et parut faire un grand effort de réflexion. Il perdait de plus en plus le souvenir de l'immédiat. Depuis longtemps déjà, il était sujet à cette sorte de défaillance ; ainsi, il ne s'était pas aperçu, en dictant à quatre-vingts ans passés ses fameux *Mémoires*, qu'il répétait presque textuellement vers la fin de la seconde partie ce qu'il avait conté dans la première...

« Ah !... notre jeune sire Louis, dit-il enfin. Il est mort... C'est à lui que j'avais présenté mon grand livre * [1]. Savez-vous que voici le... quatrième roi que je vois trépasser ? »

Il annonçait cela comme s'il se fût agi d'un exploit.

« Adoncques, si le roi est mort, la reine est régente », ajouta-t-il.

Mgr de Valois devint pourpre. Il avait cru, connaissant la décrépitude de l'un et la nature dévouée de l'autre, qu'il pourrait manœuvrer les deux curateurs à sa guise ; son calcul se retournait contre lui. L'extrême vieillesse et l'extrême scrupule semblaient se liguer pour lui créer des difficultés.

« La reine n'est pas régente, messire sénéchal, elle est grosse, s'écria-t-il. Voyez son état, et si elle est en mesure de satisfaire aux tâches du royaume !

— Vous savez que je ne vois mie », répondit le vieillard.

Le front dans la main, Clémence pensait seulement : « Mais quand finiront-ils ? Mais quand me laisseront-ils en paix ? »

Joinville commença d'expliquer dans quelles conditions, à la mort du roi Louis Huitième, la reine Blanche de Castille avait assumé la régence, pour la grande satisfaction de tous.

« Madame Blanche, cela se disait bien bas, n'était pas toute pureté comme l'image qu'on en a faite. Et il paraît que le comte Thibaut, dont mon père était bien compaing, la servit jusque dans son lit... »

---

* Les numéros dans le texte renvoient aux « Notes historiques », en fin de volume, où le lecteur trouvera également le « Répertoire biographique » des personnages.

Il fallut le laisser parler. Le sénéchal, s'il oubliait les événements de la veille, gardait une mémoire précise des médisances qui couraient dans sa prime jeunesse. Il avait trouvé un auditoire et il en profitait. Ses mains, agitées d'un tremblement sénile, raclaient sans relâche la soie de sa robe, sur ses genoux.

« Et même quand notre saint roi partit pour la croisade, où je fus avec lui...

— La reine résidait à Paris pendant ce temps, n'est-il pas vrai ? coupa Charles de Valois.

— Certes... certes... » fit le sénéchal.

Ce fut Clémence qui la première lâcha prise.

« Eh bien, soit ! mon oncle, dit-elle, je ferai votre volonté et rentrerai à la Cité.

— Ah ! Voilà enfin sage décision, qu'approuve sûrement messire de Joinville.

— Certes... certes...

— Je m'en vais prendre toutes mesures. Votre escorte sera commandée par mon fils Philippe et notre cousin Robert d'Artois...

— Grand merci, mon oncle, grand merci, dit Clémence. Mais maintenant, je demande en grâce qu'on me laisse prier. »

Une heure plus tard, en exécution des ordres du comte de Valois, le château de Vincennes était en plein bouleversement. On sortait les chariots des remises ; les fouets claquaient sur la croupe des gros chevaux du Perche. Des serviteurs passaient en courant ; les archers avaient abandonné leurs armes pour prêter la main aux hommes d'écurie. Alors que depuis le deuil tout le monde s'était senti tenu de parler à voix basse, chacun maintenant se découvrait une occasion de crier.

A l'intérieur du manoir, les tapissiers dépendaient les tentures à images, démontaient les meubles, transportaient les crédences, les dressoirs et les coffres. Les officiers de l'hôtel de la reine et les dames de parage s'affairaient aussi à leurs propres bagages. On comptait sur un premier train de vingt voitures et sans doute faudrait-il deux autres voyages pour en avoir fini.

Clémence de Hongrie, dans sa longue robe blanche, errait de pièce en pièce, toujours escortée par Bouville. Partout la poussière, la sueur, l'agitation et cet aspect de pillage dont s'accompagnent les déménagements. L'argentier, inventaire en main, surveillait l'expédition de la vaisselle et des objets précieux qui, rassemblés, couvraient tout le dallage d'une salle : plats de table, aiguières, et les douze hanaps de vermeil que Louis avait fait faire pour Clémence, et le grand reliquaire d'or contenant un fragment de la Vraie Croix, ouvrage si lourd que l'homme chargé de le déplacer ahanait dessous comme s'il montait au Calvaire.

Dans la chambre de la reine, la lingère Eudeline, qui avait été la première maîtresse du Hutin, présidait à l'emballage des vêtements.

« A quoi bon... à quoi bon emporter toutes ces robes, puisqu'elles ne me serviront plus de rien ! » dit Clémence.

Et les bijoux aussi, dont les écrins s'amassaient dans des coffres de fer, tous ces colliers, ces fermaux, ces bagues, ces pierres rares dont Louis l'avait comblée durant le bref temps de leurs noces, lui apparaissaient désormais comme des objets inutiles. Même les trois couronnes chargées d'émeraudes, de rubis et de perles, étaient trop hautes et trop ornées pour une veuve. Un simple cercle d'or à courtes fleurs de lis, posé par-dessus le voile, serait le seul joyau auquel elle aurait droit, maintenant.

« Je suis devenue une reine blanche, comme ma grand-mère Marie de Hongrie, et je dois me modeler sur elle. Mais ma grand-mère avait passé soixante ans et donné le jour à treize enfants... Mon époux ne verra même pas le sien... »

« Madame, demanda Eudeline, dois-je venir avec vous au Palais ? Nul ne m'a donné d'ordres... »

Clémence regarda cette belle femme blonde qui, oubliant toute jalousie, lui avait été de si grand secours durant ces derniers mois et surtout pendant l'agonie de Louis. « Il a eu une enfant d'elle, et cette enfant il l'a éloignée, il l'a enfermée au cloître... » Elle se sentait comme héritière de toutes les fautes commises par son époux avant qu'il la connût. Elle disposerait de toute sa vie pour payer à Dieu, par les larmes, la prière et l'aumône, le lourd prix de l'âme de Louis.

« Non, murmura-t-elle, non, Eudeline ; ne m'accompagne point. Il faut que quelqu'un qui l'ait aimé demeure ici. »

Et puis, écartant même Bouville, elle alla se réfugier dans la seule pièce calme, la seule qu'on eût respectée, la chambre où Louis était mort.

Il y faisait sombre derrière les rideaux tirés. Clémence vint s'agenouiller auprès du lit, posa les lèvres sur la couverture de brocart.

Soudain, elle entendit un grattement d'ongle contre une étoffe. Elle ressentit une angoisse qui eût pu lui prouver qu'elle avait encore envie de vivre. Elle demeura un moment immobile, retenant son souffle. Derrière elle le grattement continuait. Prudemment, elle tourna la tête. C'était le sénéchal de Joinville qui somnolait dans un siège à haut dossier, en attendant le départ.

II

UN CARDINAL
QUI NE CROYAIT PAS A L'ENFER

La nuit de juin commençait à pâlir ; déjà, du côté de l'est, une mince frange grise au pied du ciel annonçait l'aurore qui allait bientôt se lever sur la cité de Lyon.

C'était l'heure où les charrois se mettaient en marche dans les campagnes avoisinantes pour porter vers la ville les légumes et les fruits, l'heure où les chouettes se taisaient et où les passereaux ne chantaient pas encore. C'était aussi l'heure où, derrière les étroites fenêtres d'un des appartements d'honneur de l'abbaye d'Ainay, le cardinal Jacques Duèze songeait à la mort.

Le cardinal n'avait jamais eu grand besoin de dormir ; mais avec l'âge, ce besoin ne cessait de s'amenuiser. Trois heures de sommeil lui suffisaient amplement. Peu après minuit, il se levait et s'installait devant son écritoire. Homme d'intelligence rapide et de savoir prodigieux, rompu à toutes les disciplines de la pensée, il avait composé des traités de théologie, de droit, de médecine et d'alchimie qui faisaient autorité parmi les clercs et docteurs de son temps.

En cette époque où la grande espérance du pauvre comme celle du prince était la fabrication de l'or, on se référait beaucoup aux doctrines de Duèze sur les élixirs destinés à la transmutation des métaux.

Ainsi pouvait-on lire dans son ouvrage intitulé *L'Elixir des Philosophes,* de telles définitions qui donnaient à méditer :

« *Les choses dont on peut faire élixir sont trois : les sept métaux, les sept esprits, et les autres choses... Les sept métaux sont soleil, lune, cuivre, étain, plomb, fer et vif-argent ; les sept esprits sont argent vif, soufre, sel amoniac, orpiment, tutie, magnésie, marcassite ; et les autres choses sont vif-argent, sang d'homme, sang de cheveux et d'urine, et l'urine est de l'homme...* »

Ou encore de simples recettes, comme celle pour « épurger » l'urine d'enfant : « *Prends-la et mets-la en pot et la laisse reposer trois jours ou quatre ; puis la coule légèrement ; laisse encore reposer tant que l'ordure soit au fond. Et la cuis bien et l'écume tant qu'elle devienne de la tierce partie ; puis la distille par feutre et la garde en un pot bien étoupé, pour la corruption de l'air.* »

A soixante-douze ans, le cardinal découvrait encore des domaines profanes ou sacrés dans lesquels il ne s'était pas exprimé, et il complétait son œuvre pendant que ses semblables dormaient. Il usait à lui seul autant de cierges que toute une communauté de moines.

Au long de ses nuits, il travaillait aussi à l'énorme correspondance qu'il entretenait avec nombre de prélats, d'abbés, de juristes, de savants, de chanceliers et de princes souverains à travers l'Europe. Son secrétaire et ses copistes trouvaient au matin leur labeur préparé pour la journée entière.

Egalement, il se penchait souvent sur les cartes astrologiques de ses rivaux à la tiare, les comparait à son ciel personnel, et interrogeait les planètes afin de savoir qui deviendrait pape. D'après ses calculs, ses plus fortes chances personnelles se plaçaient entre le début d'août et le début de septembre de l'année présente. Or, on était déjà le 10 juin, et rien ne semblait se dessiner...

Puis venait le moment pénible d'avant l'aube. Comme habité du pressentiment que ce serait à cette heure-là qu'il lui faudrait un jour quitter le monde, le cardinal éprouvait alors une angoisse diffuse, un vague malaise tant du corps que de l'esprit. La fatigue aidant, il s'interrogeait sur ses actes accomplis. Ses souvenirs lui présentaient le développement d'une extraordinaire destinée... Issu d'une famille bourgeoise de Cahors, et ayant embrassé l'état ecclésiastique, il semblait à quarante-quatre ans, devenu archiprêtre, au sommet de la carrière à laquelle il pouvait raisonnablement prétendre. Or, sa fortune n'avait pas encore débuté. L'occasion s'étant offerte de partir pour Naples, en compagnie d'un de ses oncles qui allait y faire commerce, le voyage, le dépaysement, la découverte de l'Italie, avaient agi sur lui d'étrange sorte. Quelques jours après avoir débarqué, il entrait en relations avec le précepteur des enfants royaux, se faisait son disciple, et se lançait dans les études abstraites avec une passion, une agilité de compréhension, une souplesse de mémoire qu'eussent pu lui envier les adolescents les mieux doués. Il ignorait la faim, tout comme il ignorait la nécessité du sommeil. Bientôt docteur en droit canon, puis en droit civil, son nom avait commencé de se répandre. La cour de Naples recherchait les avis du clerc de Cahors.

Après l'appétit de savoir lui était venu l'appétit de puissance. Conseiller du roi Charles II le Boiteux — grand-père de la reine Clémence — puis secrétaire des conseils secrets et pourvu de nombreux bénéfices ecclésiastiques, dix ans après son arrivée il se trouvait nommé évêque de Fréjus, et un peu plus tard accédait à la fonction de chancelier du royaume de Naples, c'est-à-dire de premier ministre d'un Etat qui comprenait à la fois l'Italie méridionale et tout le comté de Provence.

Une si fabuleuse ascension, parmi les intrigues des cours, n'avait pu s'accomplir grâce seulement à des talents de juriste et de théologien. Un trait, connu d'assez peu de gens, car il relevait du secret à la fois d'Eglise et d'Etat, montrait bien l'astuce et l'aplomb dont Duèze était capable.

Quelques mois après la mort de Charles II, il avait été envoyé en mission à la cour papale, dans un moment où l'évêché d'Avignon, le plus important alors de toute la chrétienté puisque résidence du Saint-Siège, était vacant. Toujours chancelier, et donc détenteur des sceaux, il rédigea tranquillement une lettre par laquelle le nouveau roi de Naples, Robert, demandait pour lui, Jacques Duèze, le siège épiscopal d'Avignon. Ceci se passait en 1310. Clément V, soucieux de se ménager l'appui de Naples en une période où il rencontrait beaucoup de difficultés du côté de la France, accéda aussitôt à la requête. La supercherie se découvrit un peu plus tard, lorsque Clément, recevant la visite de Robert, pape et roi se témoignèrent leur mutuelle surprise, le premier de n'avoir pas reçu de plus chauds remerciements pour une si grande faveur accordée, le second de n'avoir pas été consulté sur une nomination qui le privait de son chancelier. Plutôt que de faire éclater un inutile scandale, ils choisirent d'accepter la chose de bonne grâce. Chacun s'en trouva bien. Maintenant Duèze était cardinal de curie, et l'on étudiait ses ouvrages dans toutes les universités.

Mais, si étonnante que soit une destinée, elle n'apparaît telle qu'à ceux qui la regardent de l'extérieur. Les jours vécus, qu'ils aient été emplis ou vides, agités ou tranquilles, sont tous également des jours enfuis, et la cendre du passé a le même poids dans toutes les mains.

Tant d'ardeur, d'ambition, d'énergie dépensées avaient-elles un sens lorsque tout devait, inéluctablement, basculer dans cet Au-delà dont les plus hautes intelligences et les plus difficiles sciences humaines n'arrivaient à saisir que d'indéchiffrables lambeaux ? Pourquoi vouloir devenir pape ? N'eût-il pas été plus sage de s'enfermer au fond d'un cloître, dans le détachement de tout ? Se dépouiller et de l'orgueil de la connaissance et de la vanité de dominer, acquérir l'humilité de la foi la plus simple... se préparer à disparaître... Or, même cette sorte de méditation prenait, chez le cardinal Duèze, le tour d'une spéculation abstraite, et son anxiété de mourir se transformait bientôt en débat théologique.

« Les docteurs nous assurent, pensait-il ce matin-là, que les âmes des justes après la mort jouissent immédiatement de la vision béatifique de Dieu, qui est leur récompense. Soit, soit... Mais les Ecritures nous disent aussi qu'à la fin du monde, quand les corps ressuscités auront rejoint leurs âmes, nous serons tous jugés en dernier Jugement. Il y a là une grande contradiction. Comment Dieu, totalement souverain, omniscient et parfait, aurait-il à évoquer deux fois le même cas devant son propre tribunal, et comment pourrait-il juger en appel de ses propres sentences ? Dieu n'est point susceptible d'erreur ; et imaginer un double arrêt de sa part, ce qui suppose révision, donc erreur, est une impiété et même une hérésie... Du reste, ne convient-il pas que l'âme n'entre en possession de la joie de son Seigneur qu'au moment où, réunie à son corps, elle sera elle-même parfaite en sa nature ? Donc... donc les docteurs se trompent. Donc il ne saurait y avoir ni béatitude proprement dite ni vision béatifique avant la fin des temps, et Dieu ne se laissera contempler qu'après le Jugement dernier. Mais jusque-là, où se trouvent alors les âmes des morts ? Est-ce que nous n'irions pas attendre *sub altare dei*, sous cet autel de Dieu dont parle saint Jean dans son Apocalypse ?... »

Les pas d'un cheval, bruit inaccoutumé à pareille heure, retentirent le long des murs de l'abbaye, sur les petits galets ronds qui pavaient les meilleures rues de Lyon. Le cardinal prêta l'oreille un instant, puis revint à son argumentation, qui procédait tout droit de sa formation juridique et dont les conséquences allaient le surprendre lui-même.

« ... Car si le paradis est vide, cela modifie singulièrement la situation de ceux que nous décrétons saints ou bienheureux... Mais ce qui est vrai pour les âmes des justes l'est forcément aussi pour l'âme des injustes. Dieu ne saurait punir les méchants avant d'avoir récompensé les bons. C'est à la fin du jour que l'ouvrier reçoit son salaire ; c'est à la fin du monde que le bon grain et l'ivraie seront définitivement séparés. Nulle âme n'habite actuellement en enfer, puisque aucune condamnation n'est encore prononcée. Autant dire que l'enfer présentement n'existe pas... »

Cette conclusion était plutôt rassurante pour quiconque songeait au trépas ; elle repoussait l'échéance du procès suprême sans fermer la perspective de la vie éternelle, et s'accordait assez bien avec le sentiment, commun à la plupart des hommes, que la mort est une chute dans un grand silence obscur, une inconscience indéfinie... une attente *sub altare dei*...

Certes, pareille doctrine, si elle venait à être professée, n'irait pas sans éveiller de violentes réactions, aussi bien parmi les docteurs de l'Eglise que dans la croyance populaire ; et le moment était mal choisi, pour un candidat au Saint-Siège, d'aller prêcher la vacuité du paradis et l'inexistence de l'enfer [2].

« Attendons la fin du conclave », se disait le cardinal.

Il fut interrompu par un frère tourier qui frappa à sa porte et lui annonça l'arrivée d'un chevaucheur de Paris.

« De qui vient-il ? » demanda le cardinal.

Duèze avait une voix étouffée, feutrée, totalement dépourvue de timbre bien que fort distincte.

« Du comte de Bouville, répondit le tourier. Il a dû marcher vite, car il a l'air bien las ; le temps que j'aille lui ouvrir, je l'ai trouvé à demi endormi, le front contre le vantail.

— Menez-le-moi céans. »

Et le cardinal qui, quelques minutes auparavant, méditait sur la vanité des ambitions de ce monde, pensa aussitôt : «Est-ce au sujet de l'élection ? La cour de France se rallierait-elle ouvertement à mon nom ? Va-t-on me proposer un marché ?... »

Il se sentait tout agité, plein de curiosité et d'espérance, et arpentait la chambre à pas courts et rapides. Duèze avait la taille d'un enfant de quinze ans, un museau de souris sous de forts sourcils blancs, une ossature fragile.

Derrière les vitres le ciel commençait à rosir ; on ne pouvait pas encore souffler les cierges, mais déjà le petit jour, dehors, dissolvait les ombres. La mauvaise heure était passée...

Le messager entra ; le cardinal, du premier coup d'œil, sut qu'il n'avait pas affaire à un chevaucheur de métier. D'abord un vrai chevaucheur eût aussitôt mis un genou en terre, et tendu la boîte contenant les plis, au lieu de rester debout en inclinant la tête et en disant : « Monseigneur... » Et puis la cour de France, pour acheminer son courrier, utilisait de forts cavaliers à carrure solide, bien aguerris, comme le grand Robin-Qui-Se-Maria, spécialement affecté au trajet entre Paris et Avignon, et non un tel jouvenceau à nez pointu, qui paraissait avoir peine à garder les paupières ouvertes et titubait de fatigue sur ses bottes.

« Voilà qui sent fort son déguisement, se dit Duèze. D'ailleurs, j'ai déjà vu ce visage en quelque endroit... »

De sa main courte et menue, il fit sauter les cachets de la lettre, et fut bientôt déçu. Il ne s'agissait pas de l'élection, mais d'une demande de protection pour le messager lui-même. Néanmoins, Duèze voulut reconnaître là un indice favorable ; lorsque Paris avait un service à obtenir des autorités ecclésiastiques, c'était à lui qu'on s'adressait.

« Ainsi, vous vous nommez Guccio Baglioni ? » dit-il quand il eut terminé sa lecture.

Le jeune homme sursauta.

« Oui, Monseigneur.

— Le comte de Bouville vous recommande à moi pour que je vous prenne sous ma garde, et vous dérobe aux poursuites de vos ennemis.

— Si vous acceptez de me faire cette grâce, Monseigneur.

— Il paraît que vous avez eu quelque mauvaise aventure qui vous a forcé de fuir sous cette livrée, continua le cardinal de sa voix rapide et sans résonance. Contez-moi cela. Bouville me dit que vous faisiez partie de son escorte lorsqu'il conduisit la reine Clémence en France. En effet, je me souviens, à présent. Je vous ai vu auprès de lui... Et vous êtes le neveu de messer Tolomei, le capitaine général des Lombards de Paris. Fort bien, fort bien. Contez-moi votre affaire. »

Il s'était assis et jouait machinalement avec un gros pupitre tournant sur lequel étaient posés les livres qui servaient à ses travaux. Il se trouvait maintenant détendu, tranquille, et tout prêt à se distraire l'esprit avec les petits problèmes d'autrui.

Guccio Baglioni avait parcouru cent vingt lieues en quatre jours et demi. Il ne sentait plus ses membres ; une brume dense lui emplissait la tête et il aurait donné n'importe quoi pour s'étendre là, à même le sol, et dormir... dormir...

Il parvint à se ressaisir ; sa sécurité, son amour, son avenir, tout exigeait qu'il surmontât, pour un moment encore, sa fatigue.

« Voici, Monseigneur ; j'ai épousé une fille de noblesse », répondit-il.

Il lui sembla que ces mots sortaient de la bouche d'un autre. Il aurait voulu commencer tout différemment. Il aurait voulu expliquer au cardinal qu'un malheur sans pareil venait de s'abattre sur lui, qu'il était l'homme le plus accablé, le plus déchiré de l'univers, qu'on menaçait sa vie, qu'il lui avait fallu s'éloigner, à jamais peut-être, de la femme sans laquelle il ne pouvait respirer, que cette femme allait être enfermée, que les événements avaient croulé sur eux depuis une semaine avec une telle violence, une telle soudaineté que le temps paraissait perdre ses dimensions habituelles, et que lui-même, Guccio, se sentait pareil à un caillou roulé par un torrent... Or, tout son drame, lorsqu'il fallait l'exprimer, se résumait à cette petite phrase : « Monseigneur, j'ai épousé une fille de noblesse... »

« Ah oui... fit le cardinal. Comment se nomme-t-elle ?

— Marie de Cressay.

— Cressay... je ne connais pas.

— Mais j'ai dû l'épouser secrètement, Monseigneur ; la famille était opposée.

— Parce que vous êtes un Lombard ? Bien sûr. Ils sont encore un peu arriérés, en France. En Italie certes... Alors, vous voulez obtenir l'annulation ? Bah... Si le mariage a été secret...

— Mais non, Monseigneur, je l'aime, elle m'aime, dit Guccio. Mais sa famille a découvert qu'elle était enceinte, et ses frères m'ont poursuivi pour me tuer.

— Ils peuvent le faire ; ils ont le droit coutumier pour eux. Vous vous êtes mis en situation de ravisseur... Qui vous a mariés ?

— Le frère Vicenzo, des Augustins.

— Fra Vicenzo... Je ne connais pas.

— Le pire, Monseigneur, est que ce moine est mort. Ainsi je ne peux même pas prouver que nous sommes vraiment mariés... Mais ne croyez pas que je sois lâche, Monseigneur. Je voulais me battre. Seulement, mon oncle s'est adressé à messire de Bouville...

— ... qui vous a sagement conseillé de prendre du champ.

— Mais Marie va être enfermée dans un couvent ! Pensez-vous, Monseigneur, que vous pourrez l'en faire sortir ? Pensez-vous que je la reverrai ?

— Ah ! une chose à la fois, mon cher fils, répondit le cardinal en continuant à faire tourner son pupitre. Un couvent ? Eh bien, où pourrait-elle être mieux pour l'instant ?... Espérez en l'infinie mansuétude de Dieu, dont nous avons tous si grand besoin... »

Guccio baissa la tête d'un air épuisé. Ses cheveux noirs étaient couverts de poussière.

« Votre oncle est-il en bons termes de commerce avec les Bardi ? poursuivit le cardinal.

— Certes, Monseigneur, certes... Les Bardi sont vos banquiers, je crois.

— Oui, ils sont mes banquiers. Mais je les trouve, ces temps-ci, moins... moins aisés de rapport que par le passé. Ils forment une si grosse compagnie ! Ils ont des comptoirs en tous lieux. Et pour la moindre demande, ils doivent en référer à Florence. Ils sont aussi lents qu'un tribunal d'Eglise... Votre oncle a-t-il beaucoup de prélats parmi ses pratiques ? »

L'esprit de Guccio n'était guère aux questions de banque. La brume s'épaississait sous son front ; ses paupières brûlaient.

« Non, nous avons surtout les grands barons. Le comte de Valois, le comte d'Artois... Nous serions hautement honorés, Monseigneur... dit-il avec une courtoisie machinale.

— Nous en parlerons plus tard. Pour l'instant vous voici à l'abri dans ce couvent. Vous passerez pour un homme à mon service ; peut-être vous fera-t-on revêtir une robe de clerc... Je verrai cela avec mon chapelain. Vous pouvez vous dépouiller de cette livrée, et aller dormir en paix, ce dont vous montrez avoir grand besoin. »

Guccio salua, bredouilla quelques mots de gratitude et fit un mouvement vers la porte. Puis s'arrêtant, il dit :

« Je ne puis encore me dépouiller, Monseigneur ; je dois délivrer un autre message.

— A qui ? demanda Duèze aussitôt soupçonneux.

— Au comte de Poitiers.

— Confiez-moi la lettre ; je la ferai porter tout à l'heure par un frère.

— C'est que, Monseigneur, messire de Bouville m'a enjoint...

— Savez-vous si ce message a trait au conclave ?

— Nullement, Monseigneur. C'est au sujet de la mort du roi. »

Le cardinal sauta de son siège.

« Le roi Louis est mort ? Mais que ne le disiez-vous plus tôt !

— On ne le sait point encore ici ? Je pensais que vous en étiez averti, Monseigneur. »

En vérité il ne pensait rien. Ses malheurs, sa fatigue, lui avaient fait oublier cet événement capital. Ayant galopé droit devant lui depuis Paris, changeant de chevaux dans les monastères indiqués comme relais, mangeant à la hâte, parlant le moins possible, il avait devancé sans le savoir les chevaucheurs officiels.

« De quoi est-il trépassé ?

— C'est ce que messire de Bouville veut justement faire savoir au comte de Poitiers.

— Crime ? chuchota Duèze.

— Le roi, selon le comte de Bouville, aurait été empoisonné. »

Le cardinal réfléchit un instant.

« Voilà qui peut changer bien des choses, murmura-t-il. Un régent a-t-il été désigné ?

— Je ne sais pas, Monseigneur. Quand je suis parti, on nommait beaucoup le comte de Valois...

— C'est bien, mon cher fils, allez vous reposer.

— Mais, Monseigneur... et le comte de Poitiers ? »

Les lèvres effilées du prélat dessinèrent un rapide sourire, qui pouvait passer pour une expression de bienveillance.

« Il ne serait guère prudent de vous montrer par la ville, et de surcroît vous tombez de lassitude, dit-il. Donnez-moi ce pli ; pour vous éviter tout reproche, j'irai le remettre moi-même. »

Quelques minutes plus tard, escorté d'un valet et suivi d'un secrétaire, le cardinal de curie sortait de l'abbaye d'Ainay, entre Rhône et Saône, et s'engageait dans les ruelles sombres, souvent rétrécies par des tas d'immondices. Maigre, fluet, il avançait d'un pas sautillant, portant presque en courant ses soixante-douze ans. Le bas de sa robe pourpre semblait danser entre les murs.

Les cloches des vingt églises et des quarante-deux couvents de Lyon sonnaient les premiers offices. Les distances étaient courtes dans cette ville aux maisons tassées, qui comptait quelque vingt mille habitants dont la moitié étaient adonnés au commerce de la religion et l'autre moitié à la religion du commerce. Le cardinal fut bientôt arrivé à la demeure du consul Varay chez lequel logeait le comte de Poitiers.

III

LES PORTES DE LYON

LE comte de Poitiers venait d'achever sa toilette lorsque son chambellan lui annonça la visite du cardinal.

Très long, très maigre, le nez proéminent, les cheveux rabattus sur le front en mèches courtes et retombant en rouleaux le long des joues, la peau fraîche comme on peut l'avoir à vingt-cinq ans, le jeune prince, vêtu d'une robe d'appartement de camocas sombre [3], vint accueillir Mgr Duèze et baisa son anneau avec déférence.

Il eût été difficile de rencontrer plus grand contraste, plus ironique dissemblance, qu'entre ces deux personnages, dont l'un faisait songer à un vieux furet sorti de son terrier, et l'autre à un héron traversant hautainement les marais.

« En dépit de l'heure matinale, Monseigneur, dit le cardinal, je n'ai pas voulu différer de vous porter mes prières dans le deuil qui vous atteint.

— Le deuil ? » dit Philippe de Poitiers avec un léger sursaut.

Sa première pensée fut pour sa femme Jeanne qu'il avait laissée à Paris, et qui était enceinte de huit mois.

« Je vois alors que j'ai bien agi en venant vous avertir, reprit Duèze. Le roi, votre frère, est mort depuis cinq jours. »

Rien ne bougea dans l'attitude de Philippe ; à peine une inspiration plus forte souleva-t-elle sa poitrine. Rien ne passa sur son visage, ni la surprise, ni l'émotion, ni même l'impatience d'avoir plus de détails.

« Je vous sais gré de votre empressement, Monseigneur, répondit-il. Mais comment êtes-vous au fait d'une telle nouvelle... avant moi ?

— Par messire de Bouville, dont le messager a couru avec grand-hâte, afin que je vous remette cette lettre, en secret. »

Le comte de Poitiers décacheta le pli et le lut en l'approchant de son nez, car il était fort myope. Là encore il ne trahit rien de ses sentiments ; simplement, quand il eut achevé sa lecture, il replia la lettre et la glissa sous sa robe. Puis il demeura silencieux.

Le cardinal se taisait aussi, affectant de respecter la douleur du prince, encore que celui-ci ne donnât pas de grandes marques d'affliction.

« Dieu le sauve des peines de l'enfer, dit enfin le comte de Poitiers, pour répondre à l'attitude dévote du prélat.

— Oh... l'enfer... murmura Duèze. Enfin, prions Dieu ! Je songe aussi à l'infortunée reine Clémence, que j'ai vue grandir quand j'étais auprès du roi de Naples. Une si douce, une si parfaite princesse...

— Oui, c'est profonde pitié pour ma belle-sœur », dit Poitiers.

Et en même temps il pensait : « Louis n'a laissé aucune volonté relativement à la régence. Déjà, à ce que m'écrit Bouville, notre oncle Valois se prévaut de droits illusoires... »

« Qu'allez-vous faire, Monseigneur ? Allez-vous céans regagner Paris ? demanda le cardinal.

— Je ne sais, je ne sais encore, répondit Poitiers. J'attends d'être plus amplement informé. Je me tiendrai à la disposition du royaume. »

Bouville, dans sa lettre, ne lui cachait pas qu'il souhaitait son retour. Et comme premier frère du roi mort, et comme pair, sa place était manifestement à Paris, au moment qu'on y débattait de la régence. Un autre eût déjà donné l'ordre de seller les chevaux.

Mais Philippe de Poitiers éprouvait du regret et même de la répugnance à l'idée de quitter Lyon sans avoir achevé les tâches entreprises. D'abord il voulait conclure le contrat de fiançailles entre sa troisième fille, Isabelle, âgée de moins de cinq ans, et le « dauphiniet » de Viennois, le petit Guigues, qui en avait six. Il venait de négocier ce mariage, à Vienne même, avec le dauphin Jean II de la Tour du Pin et la dauphine Béatrice, sœur de la reine Clémence. Bonne alliance, qui permettrait à la couronne de France de contrebalancer dans cette région l'influence des Anjou-Sicile. Date était prise à quelques jours de là pour l'échange solennel des signatures.

Et surtout, il y avait l'élection papale. Depuis plusieurs semaines, Philippe de Poitiers sillonnait la Provence, le Viennois et le Lyonnais, pour voir l'un après l'autre les vingt-quatre cardinaux dispersés, leur assurant que l'agression de Carpentras ne se reproduirait pas, qu'il ne leur serait fait nulle violence, laissant entendre à beaucoup qu'ils pouvaient avoir leur chance, plaidant pour le prestige de la foi, la dignité de l'Eglise et l'intérêt des Etats [4]. Enfin, à force de paroles, de promesses et parfois d'argent, il avait réussi à les rassembler à Lyon, ville longtemps placée sous autorité ecclésiastique, et très récemment passée, dans les dernières années de Philippe le Bel, sous le pouvoir direct du roi de France.

Le comte de Poitiers se sentait près de toucher au but. Mais, s'il s'éloignait, toutes les difficultés n'allaient-elles pas renaître, les haines personnelles se rallumer, l'emprise de la noblesse romaine ou celle du roi de Naples supplanter celle de la France, les divers partis recommencer à s'accuser mutuellement de trahison et d'hérésie ? Et ne verrait-on pas, au bout de tant de dissensions, la papauté repartir pour Rome ? « Ce que mon père voulait tellement éviter... se disait Philippe de Poitiers. Son œuvre, déjà si fort gâtée par Louis et par notre oncle Valois, va-t-elle être tout entière détruite ? »

Pendant quelques instants, le cardinal Duèze eut l'impression que le jeune homme avait oublié sa présence. Et soudain Poitiers lui demanda :

« Le parti gascon songe-t-il à maintenir la candidature du cardinal de Pélagrue ? Et pensez-vous que vos pieux collègues soient enfin disposés à siéger ?... Assoyez-vous donc ici, Monseigneur, et dites-moi bien votre sentiment. Où en sommes-nous ? »

Le cardinal avait approché beaucoup de souverains et d'hommes de gouvernement depuis un tiers de siècle qu'il participait aux affaires des royaumes. Mais il n'en avait guère rencontré qui montrassent pareille maîtrise d'eux-mêmes. Voilà un prince de vingt-cinq ans auquel il venait d'annoncer que son frère était décédé, que le trône était vacant, et dont l'esprit demeurait assez dispos pour se soucier des embrouilles d'un conclave. Cela méritait considération.

Assis côte à côte, près d'une fenêtre, sur un coffre recouvert de damas, les pieds du cardinal touchant à peine le sol et la cheville maigre du comte de Poitiers battant lentement l'air, les deux hommes eurent une longue conversation.

En réalité, selon l'exposé que fit Duèze, on butait toujours, depuis deux ans qu'était mort Clément V, sur les mêmes difficultés que Duèze, naguère, dans un champ aux abords d'Avignon, avait exposées à Bouville.

Le parti des dix cardinaux gascons qu'on appelait aussi le parti français, restait le plus nombreux, mais il était insuffisant pour constituer à lui seul la majorité requise des deux tiers du Sacré Collège, soit seize voix. Les Gascons, se considérant dépositaires de la pensée du pape défunt auquel ils devaient tous le cardinalat, tenaient fermement pour le siège d'Avignon et se montraient remarquables d'unité contre les deux autres partis. Mais entre eux, il y avait compétition sourde ; à côté des ambitions d'Arnaud de Pélagrue grandissaient celles d'Arnaud de Fougères et d'Arnaud Nouvel. Feignant de se soutenir, ils se tiraient sournoisement dans les jambes.

« La guerre des trois Arnaud, dit Duèze de sa voix chuchotante. Voyons maintenant le parti des Italiens. »

Ceux-là n'étaient que huit, mais divisés en trois factions. La gifle d'Anagni séparait à jamais le redoutable cardinal Caëtani, neveu du pape Boniface VIII, des deux cardinaux Colonna. Entre ces adversaires, les autres Italiens flottaient. Stefaneschi, par hostilité à la politique de Philippe le Bel, tenait pour Caëtani, dont il était d'ailleurs parent ; Napoléon Orsini louvoyait. Les huit ne retrouvaient de cohésion que sur un seul point : le retour de la papauté dans la Ville éternelle. Mais là, leur détermination était farouche.

« Vous savez bien, Monseigneur, poursuivit Duèze, qu'un moment on a risqué le schisme ; et qu'on le risque encore... Nos Italiens refusaient de se réunir en France, et ils faisaient savoir, voici peu, que si l'on élisait un pape gascon ils ne le reconnaîtraient pas et nommeraient le leur à Rome.

— Il n'y aura pas de schisme, dit calmement le comte de Poitiers.

— Grâce à vous, Monseigneur, grâce à vous, je me plais à le reconnaître, et je le dis partout. Allant de ville en ville porter la bonne parole, si vous n'avez pas encore trouvé le pasteur, vous avez déjà rassemblé le troupeau.

— Coûteuses brebis, Monseigneur ! Savez-vous que j'étais parti de Paris avec seize mille livres, et qu'il m'a fallu l'autre semaine m'en faire envoyer autant ? Jason auprès de moi était petit seigneur. J'aimerais bien que toutes ces toisons d'or ne me fuient pas dans les doigts », dit le comte de Poitiers en plissant légèrement les paupières.

Duèze, qui par voie détournée avait fortement bénéficié de ces largesses, ne releva pas directement l'allusion, mais répondit :

« Je crois que Napoléon Orsini et Alberti de Prato, et peut-être même Guillaume de Longis, qui fut avant moi chancelier du roi de Naples, se détacheraient assez aisément... Eviter le schisme valait bien ce prix. »

Poitiers pensa : « Il a utilisé l'argent que nous lui avons donné pour se faire trois voix chez les Italiens. C'est habile. »

Quant à Caëtani, bien qu'il continuât de jouer l'irréductible, sa position n'était plus aussi forte depuis que s'étaient découvertes ses pratiques de sorcellerie et sa tentative d'envoûter le roi de France et le comte de Poitiers lui-même. L'ancien templier Evrard, un demi-fou, dont Caëtani s'était servi pour ses œuvres démoniaques, avait un peu trop parlé avant d'aller se livrer aux gens du roi...

« Je tiens cette affaire en réserve, dit le comte de Poitiers. Le parfum du bûcher pourrait, le moment venu, donner un peu de souplesse à Mgr Caëtani. »

A la pensée de voir griller un autre cardinal, un très léger, très furtif sourire passa sur les lèvres étroites du vieux prélat.

« Par malchance, reprit Poitiers, cet Evrard s'est pendu dans la prison où je l'avais fait jeter, avant qu'on le questionnât vraiment.

— Pendu ? Vous me surprenez, Monseigneur. Des gens à moi, et qui le connaissent bien, m'ont affirmé l'avoir rencontré, voici moins de deux semaines, rôdant à nouveau autour de Valence. Il faudrait qu'il eût ressuscité...

— Ou bien qu'on eût accroché quelqu'un d'autre aux barreaux de sa geôle.

— Le Temple est encore puissant, dit le cardinal.

— Hélas ! fit le comte de Poitiers qui nota mentalement d'envoyer un de ses officiers enquêter du côté de Valence.

— Il semble, enchaîna Duèze, que Francesco Caëtani se soit tout à fait détourné des affaires de Dieu pour ne plus s'occuper que de celles de Satan. Ne serait-ce pas lui qui, ayant manqué son envoûte, aurait fait atteindre le roi votre frère par le poison ? »

Le comte de Poitiers écarta les mains, d'un geste d'ignorance.

« Chaque fois qu'un roi meurt, on affirme qu'il a été enherbé, répondit-il. On l'a dit de mon aïeul Louis Huitième ; on l'a dit même de mon père, que Dieu garde... Mon frère Louis était d'assez pauvre santé. Mais enfin la chose vaut qu'on y pense.

— Reste enfin, reprit Duèze, le troisième parti, qu'on nomme provençal, à cause du plus remuant d'entre nous, le cardinal de Mandagout... »

Ce dernier parti comptait six cardinaux, d'origine diverse ; des prélats méridionaux, comme les deux Bérenger Frédol, y voisinaient avec des Normands, et avec un Quercynois qui n'était autre que Duèze lui-même.

L'or distribué par Philippe de Poitiers les avait rendus assez réceptifs aux arguments de la politique française.

« Nous sommes les plus petits, nous sommes les plus faibles, dit Duèze, mais nous sommes l'appoint indispensable à toute majorité. Et puisque Gascons et Italiens se refusent mutuellement un pape qui pourrait venir de leurs rangs, alors Monseigneur...

— Alors, il faudra prendre un pape chez vous ; n'est-ce pas votre sentiment ?

— Je le crois, je le crois fermement. Je l'avais dit dès la mort de Clément. On ne m'a pas écouté ; on a cru sans doute que je prêchais pour moi, car mon nom en effet avait été prononcé, sans que je le veuille. Mais la cour de France ne m'a jamais fait grande confiance.

— C'est que, Monseigneur, vous étiez un peu trop ouvertement soutenu par la cour de Naples.

— Et si je n'avais été soutenu par personne, Monseigneur, qui donc eût pris garde à moi ? Je n'ai d'autre ambition, croyez-le, que de voir un peu d'ordre remis dans les affaires de la Chrétienté, qui sont bien mauvaises ; la tâche sera pesante pour le prochain successeur de saint Pierre. »

Le comte de Poitiers joignit ses longues mains devant son visage et réfléchit quelques secondes.

« Pensez-vous, Monseigneur, demanda-t-il, que les Italiens, contre la satisfaction de n'avoir pas un pape gascon, accepteraient que le Saint-Siège restât en Avignon, et que les Gascons, pour la certitude d'Avignon, pourraient renoncer à leur candidat et se rallier à votre tiers parti ? »

Ce qui signifiait en clair : « Si vous, Monseigneur Duèze, étiez élu avec mon appui, vous engagez-vous formellement à conserver la résidence actuelle de la papauté ? »

Duèze comprit parfaitement.

« Ce serait, Monseigneur, répondit-il, la solution de sagesse.

— Je retiens votre précieux avis », dit Philippe de Poitiers en se levant pour mettre fin à l'audience.

Il raccompagna le cardinal.

L'instant où deux hommes que tout en apparence sépare, l'âge, l'aspect, l'expérience, les fonctions, se reconnaissent de trempe égale et devinent qu'il peut naître entre eux une collaboration et une amitié, cet instant-là dépend plus des conjonctions mystérieuses du destin que des paroles échangées.

Au moment où Philippe s'inclinait pour baiser l'anneau du cardinal, celui-ci murmura :

« Vous feriez, Monseigneur, un parfait régent. »

Philippe se releva. « Savait-il donc que, pendant tout ce temps, je ne songeais qu'à cela ? » pensa-t-il. Et il répondit :

« Ne feriez-vous pas vous-même, Monseigneur, un pape excellent ? »

Et ils ne purent s'empêcher de se sourire discrètement, le vieillard avec une sorte d'affection paternelle, le jeune homme avec une amicale déférence.

« Je vous saurais gré, ajouta Philippe, de conserver secrète la grave nouvelle que vous m'avez apportée, jusqu'à ce qu'elle ait été publiquement confirmée.

— Ainsi agirai-je, Monseigneur, pour vous servir. »

Resté seul, le comte de Poitiers ne prit que quelques secondes de réflexion. Il appela son chambellan.

« Adam Héron, aucun chevaucheur n'est arrivé de Paris ? demanda-t-il.

— Non, Monseigneur.

— Alors, faites clore toutes les portes de Lyon. »

IV

SÉCHONS NOS LARMES

Ce matin-là, la population lyonnaise fut privée de légumes. Les charrois des maraîchers avaient été retenus hors des murs, et les ménagères clabaudaient devant les marchés vides. Le pont qui franchissait la Saône était barré par la troupe. Si l'on ne pouvait pas entrer dans Lyon, on ne pouvait non plus en sortir. Marchands italiens, voyageurs, moines ambulants, renforcés par les badauds et les désœuvrés, s'aggloméraient autour des portes et réclamaient des explications. La garde, invariablement, répondait à toute demande : « Ordre du comte de Poitiers ! » avec cet air distant, important, que prennent les agents de l'autorité lorsqu'ils ont à appliquer une mesure dont ils ignorent eux-mêmes la raison.

« Mais j'ai ma fille malade à Fourvière...

— Ma grange de Saint-Just a brûlé hier à la vesprée...

— Le bailli de Villefranche va me faire saisir si je ne lui porte point mes tailles ce jourd'hui !... criaient les gens.

— Ordre du comte de Poitiers ! »

Et quand la presse devenait un peu forte, les sergents royaux commençaient à lever leurs masses.

En ville circulaient d'étranges rumeurs.

Les uns assuraient qu'il allait y avoir la guerre. Mais avec qui ? Nul ne pouvait le dire. D'autres affirmaient qu'une émeute sanglante s'était produite pendant la nuit, près du couvent des Augustins, entre les hommes du roi et les gens des cardinaux italiens. On avait entendu passer des chevaux. On citait même le nombre des morts. Mais du côté des Augustins, tout était calme.

L'archevêque, Pierre de Savoie, était très inquiet, se demandant quel coup de force s'apprêtait, pour le contraindre probablement d'abandonner, au profit de l'archevêque de Sens, le primatiat des Gaules, seule prérogative qu'il ait pu conserver lors du rattachement de Lyon à la couronne en 1312 [5]. Il avait envoyé l'un de ses chanoines aux nouvelles ; mais le chanoine s'était heurté, chez le comte de Poitiers, à un écuyer très courtois et muet. Et l'archevêque s'attendait à recevoir un ultimatum.

Chez les cardinaux, logés dans les divers établissements religieux, l'angoisse n'était pas moindre et tournait même à l'affolement. Ils gardaient en mémoire l'affaire de Carpentras. Mais, cette fois, comment fuir? Des émissaires couraient des Augustins aux Cordeliers et des Jacobins aux

Chartreux. Le cardinal Caëtani avait dépêché son homme à tout faire, l'abbé Pierre, chez Napoléon Orsini, chez Alberti de Prato, chez Flisco, le seul Espagnol, afin de dire à ces prélats :

« Voyez ! Vous vous êtes laissé séduire par le comte de Poitiers. Il nous avait juré de ne point nous molester, et que nous n'aurions même pas à entrer en clôture pour voter ; que nous serions tout à fait libres. Et maintenant il nous enferme dans Lyon. »

Duèze lui-même reçut la visite de deux de ses collègues provençaux, le cardinal de Mandagout et Bérenger Frédol l'aîné. Mais Duèze feignit de sortir de ses travaux savants et de n'être au courant de rien. Pendant ce temps, dans une cellule proche de son appartement, Guccio Baglioni dormait comme une pierre, hors d'état de songer seulement qu'il pouvait être à l'origine d'une pareille panique.

Depuis une heure, le consul Varay et trois de ses collègues, venus pour exiger des explications au nom du « syndical » de la ville, piétinaient dans l'antichambre du comte de Poitiers.

Celui-ci siégeait à huis clos avec les membres de son entourage et les grands officiers qui faisaient partie de sa mission.

Enfin les tentures s'écartèrent et le comte de Poitiers parut, suivi de ses conseillers. Tous avaient la mine grave.

« Ah ! messire Varay, vous vous trouvez bien, et vous tous, messires consuls, dit le comte de Poitiers. Nous allons pouvoir vous remettre céans le message que nous nous apprêtions à vous faire tenir. Messire Miles, veuillez lire. »

Miles de Noyers, qui avait été conseiller au Parlement et maréchal de l'ost sous Philippe le Bel, déploya un parchemin et lut :

« *A tous les baillis, sénéchaux et conseils des bonnes villes. Nous vous faisons savoir la grande déploration que nous avons de la mort de notre frère bien-aimé, le roi notre Sire Louis Dixième, que Dieu vient d'enlever à l'affection de ses sujets. Mais la nature humaine est faite ainsi que nul ne peut dépasser le terme qui lui est assigné. Aussi avons-nous décidé de sécher nos larmes, de prier avec vous le Christ pour son âme, et de nous montrer empressé au gouvernement du royaume de France et du royaume de Navarre afin que leurs droits ne dépérissent pas, et que les sujets de ces deux royaumes vivent heureux sous le bouclier de la justice et de la paix.*

» *Le régent des deux royaumes, par la grâce de Dieu.* »

PHILIPPE.

Le premier émoi passé, messire Varay vint aussitôt baiser la main du comte de Poitiers, et les autres consuls l'imitèrent sans hésitation.

Le roi était mort. La nouvelle en soi était assez stupéfiante pour que nul ne songeât, au moins pour quelques minutes, à se poser de questions. En l'absence d'un héritier majeur, il semblait parfaitement normal que le plus âgé des frères du souverain assurât le pouvoir. Les consuls ne doutèrent pas un instant que la décision n'eût été prise à Paris par la Chambre des Pairs.

« Veuillez faire crier ce message par la ville,

ordonna Philippe de Poitiers ; après quoi les portes seront aussitôt ouvertes. »

Puis il ajouta :

« Messire Varay, vous êtes puissant au négoce des draps ; je vous saurais gré de me fournir de vingt manteaux noirs, à déposer dans mon antichambre, pour en couvrir les gens qui viendront me présenter leur douloir. »

Et il congédia les consuls.

Les deux premiers actes de sa prise de pouvoir se trouvaient accomplis. Il s'était fait proclamer régent par son entourage, qui devenait du même coup son Conseil de gouvernement. Il allait être reconnu par la ville de Lyon où il résidait. Il avait hâte maintenant d'étendre cette reconnaissance à l'ensemble du royaume et de placer Paris devant un état de fait. Le succès résidait dans la vitesse.

Déjà les copistes reproduisaient à multiples exemplaires la proclamation, et les chevaucheurs sellaient leurs chevaux pour aller la répandre dans toutes les provinces.

Aussitôt les portes de Lyon rouvertes, ces chevaucheurs s'élancèrent, se croisant avec trois courriers retenus depuis le matin en deçà de la Saône. L'un des courriers acheminait une lettre du comte de Valois, par laquelle ce dernier se posait en régent désigné et demandait à Philippe une ratification de bonne forme afin que la désignation devînt effective. « Je suis assuré que vous voudrez aider à ma tâche, pour le bien du royaume, et me donnerez au plus tôt votre agrément, en bon et bien-aimé neveu comme vous l'êtes. »

Le second message venait du duc de Bourgogne, qui réclamait lui aussi la régence au nom de sa nièce, la petite Jeanne de Navarre.

Enfin le comte d'Evreux avertissait Philippe de Poitiers que les pairs n'avaient pas été réunis selon les us et coutumes, et que la hâte de Charles de Valois à se saisir du gouvernement ne s'appuyait sur aucun texte ni aucune assemblée régulière.

Le comte de Poitiers, au reçu de ces nouvelles, se remit à siéger avec son entourage. Dans ce Conseil ne figuraient pratiquement que des hommes hostiles à la politique suivie depuis dix-huit mois par le Hutin et le comte de Valois ; Philippe de Poitiers, connaissant leur mérite et leurs capacités, avait choisi de se les adjoindre dans les difficiles négociations qu'il devait mener avec l'Eglise. Tel était le connétable, Gaucher de Châtillon, qui ne pardonnait pas la ridicule campagne de « l'ost boueux » qu'il avait dû conduire en Flandres l'été précédent. Tel était Miles de Noyers, proche parent de Gaucher. Tel encore Raoul de Presles, légiste de Philippe le Bel, que Valois avait fait arrêter en même temps qu'Enguerrand de Marigny et qui devait sa libération et son retour en grâce au comte de Poitiers.

Aucun d'eux ne considérait d'un bon œil les ambitions de Valois ni ne souhaitait non plus que le duc de Bourgogne se mêlât des affaires de la couronne. Ils admiraient la rapidité avec laquelle le jeune prince avait agi, et ils plaçaient en lui leurs espoirs.

Poitiers écrivit à Eudes de Bourgogne et à Charles de Valois, sans mentionner leurs lettres et comme s'il ne les avait pas reçues, afin de les informer qu'il se considérait régent par droit naturel et qu'il réunirait l'assemblée des pairs, afin de sanctionner cette situation, aussitôt qu'il lui serait possible.

En même temps, il désignait des commissaires pour aller dans les principaux centres du royaume prendre possession du commandement en son nom. Ainsi partirent, dans la journée, plusieurs de ses chevaliers, comme Regnault de Lor, Thomas de Marfontaine et Guillaume Courteheuse. Il garda auprès de lui Anseau de Joinville, le fils du vieux sénéchal, et Henry de Sully.

Tandis que le glas sonnait à tous les clochers, Philippe de Poitiers conféra seul à seul avec Gaucher de Châtillon. Par droit, le connétable de France siégeait à toutes les assemblées de gouvernement, Chambre des Pairs, Grand Conseil, Conseil étroit. Philippe demanda donc à Gaucher de se rendre à Paris pour le représenter et s'opposer jusqu'à sa propre arrivée aux entreprises de Charles de Valois ; le connétable, d'autre part, s'assurerait d'avoir bien en main les troupes à solde de la capitale, et particulièrement le corps des arbalétriers.

Car le nouveau régent, à la surprise d'abord, puis à l'approbation de ses conseillers, avait résolu de demeurer provisoirement à Lyon.

« Nous ne devons pas nous détourner des tâches en cours, déclara-t-il. Le plus important pour le royaume est d'avoir un pape, et nous serons d'autant plus forts quand nous l'aurons fait. »

Et il pressa la signature du contrat de fiançailles entre sa fille et le dauphiniet. L'affaire, à première vue, n'avait aucun rapport avec l'élection pontificale. Mais pour Philippe l'alliance avec le dauphin de Viennois, qui régnait sur tous les territoires au sud de Lyon, était une pièce de son jeu. Les cardinaux, s'il leur prenait désir de lui échapper, ne pourraient pas se réfugier de ce côté-là ; il leur coupait la route d'Italie. En outre, ces fiançailles consolidaient sa position de régent ; le dauphin se rangeait dans son camp.

Le contrat, en raison du deuil, fut signé sans fêtes, dans les jours qui suivirent.

Parallèlement, Philippe de Poitiers s'aboucha avec le plus puissant baron de la région, le comte de Forez, beau-frère d'ailleurs du dauphin, et qui, par ses possessions, commandait la rive droite du Rhône.

Jean de Forez avait fait les campagnes de Flandres, représenté plusieurs fois Philippe le Bel à la cour papale, et très utilement travaillé pour le rattachement de Lyon à la France. Le comte de Poitiers, du moment qu'il reprenait la politique paternelle, savait pouvoir compter sur lui.

Le 16 juin, le comte de Forez accomplit un geste hautement spectaculaire. Il prêta hommage solennel à Philippe, comme au seigneur de tous les seigneurs de France, le reconnaissant ainsi détenteur de l'autorité royale.

Le lendemain, le comte Bermond de La Voulte, dont le fief de Pierregourde se trouvait dans la sénéchaussée de Lyon, plaça ses mains dans les mains du comte de Poitiers et lui fit serment dans les mêmes conditions.

Au comte de Forez, Poitiers demanda de tenir

prêts, discrètement, sept cents hommes d'armes. Les cardinaux, désormais, ne bougeraient plus de la ville.

Mais de là à obtenir une élection, il y avait encore loin. Les tractations piétinaient. Les Italiens, sentant que le régent était pressé de regagner Paris, raidissaient leurs positions. « Il se lassera le premier », disaient-ils. Peu leur importait l'état d'anarchie tragique où sombraient les affaires de l'Eglise.

Philippe de Poitiers eut plusieurs entrevues avec le cardinal Duèze qui lui semblait l'esprit le plus vif du conclave, le plus imaginatif, et, décidément, le plus souhaitable administrateur de la Chrétienté dans le difficile moment où l'on se trouvait.

« L'hérésie refleurit un peu partout, disait le cardinal de sa voix fêlée. Et comment en serait-il autrement, avec l'exemple que nous donnons ? Le démon profite de nos discordes pour semer son ivraie. Mais c'est dans le diocèse de Toulouse surtout qu'elle pousse dru. Vieille terre de rébellion et de mauvais rêves ! Il conviendrait que le prochain pape cassât ce trop gros diocèse, malaisé à gouverner, en cinq évêchés, chacun remis en main ferme.

— Ceci, répondait le comte de Poitiers, amènerait à créer nombre de bénéfices dont notre Trésor aurait à percevoir les annates.

— Mais bien sûr, Monseigneur. »

Les *annates* étaient une taxe royale portant sur les bénéfices ecclésiastiques nouveaux et qui consistait en la perception des revenus de la première année. Or, l'absence de pape empêchait de procéder à ces créations de bénéfices. Et le Trésor s'en ressentait d'autant plus durement que le clergé en général, profitant de ce qu'il n'avait pas de chef, inventait toutes sortes de prétextes à ne pas acquitter les arrérages d'impôts.

En fait, lorsque Philippe de Poitiers et Jacques Duèze envisageaient l'avenir, l'un comme régent, l'autre comme éventuel pontife, leurs premiers soucis concernaient les finances.

A la mort de Philippe le Bel, la trésorerie française était gênée, mais non obérée ; en dix-huit mois, par l'expédition de Flandre, la sédition d'Artois, les privilèges consentis aux ligues baronniales, Louis X et Valois avaient réussi à endetter le royaume pour plusieurs années.

Le trésor pontifical, après deux ans de conclave errant, ne montrait pas un meilleur état ; et si les cardinaux se vendaient si cher aux princes de ce monde, c'est qu'ils n'avaient plus, pour nombre d'entre eux, d'autres moyens de subsistance que le négoce de leur voix.

« Les amendes, Monseigneur, les amendes, conseilla Duèze au jeune régent. Frappez d'amendes ceux qui auront méfait, et plus ils seront riches, plus fortement les frappez. Si celui qui manque à la loi possède vingt livres, exigez qu'il en verse une. Mais s'il en possède mille, prenez-lui-en cinq cents, et s'il est riche de cent mille, ôtez-lui tout. Vous y trouverez trois avantages : d'abord le rapport sera plus gros ; ensuite le malfaiteur, privé de sa puissance, n'en pourra plus faire abus ; enfin les pauvres, qui sont le grand nombre, seront de votre côté et auront confiance en votre justice. »

Philippe de Poitiers sourit.

« Ce que vous préconisez là fort sagement, Monseigneur, peut convenir à la justice royale qui agit par bras temporel, répondit-il. Mais pour restaurer les finances de l'Eglise, je ne vois guère...

— Les amendes, les amendes, répéta Duèze. Mettons impôt sur les péchés ; ce sera source intarissable. L'homme est pécheur par nature, mais plus disposé à faire pénitence de cœur qu'à faire pénitence de bourse. Il éprouvera plus vivement le regret de ses fautes et hésitera davantage à retomber dans ses errements si une taxe accompagne nos absolutions. Qui tient à s'amender doit acquitter amende. »

« Est-ce une plaisanterie ? » pensa Poitiers qui n'était pas complètement accoutumé à l'inventive syllogistique du cardinal.

« Et quels péchés voudriez-vous taxer, Monseigneur ? demanda-t-il.

— D'abord ceux qui se commettent dans le clergé. Commençons par nous réformer nous-mêmes avant d'entreprendre de réformer autrui. Notre sainte Mère est trop tolérante aux manquements et abus. Ainsi l'on sait que clergie ou prêtrise ne peuvent être conférées à des hommes estropiés ou difformes. Or, je voyais l'autre jour un certain prêtre Pierre, qui est auprès du cardinal Caëtani, et qui a deux pouces à la main gauche. »

« Petite perfidie envers notre vieil ennemi », se dit Poitiers.

« En vérité, poursuivit Duèze, les boiteux, manchots, eunuques qui cachent leur disgrâce sous un froc et touchent bénéfices d'Eglise, sont légion. Allons-nous les chasser de notre sein, ce qui, sans effacer leur faute, n'aurait pour résultat que de les réduire à misère et désespoir, et sans doute les pousserait à rejoindre les hérétiques de Toulouse ou autres confréries de spirituels ? Permettons-leur plutôt de se racheter ; or, qui dit rachat dit paiement. »

Le vieux prélat était parfaitement sérieux. Son imagination, au cours de ses dernières nuits de veille, avait échafaudé tout un système fort précis, sur lequel il préparait un mémoire et qu'il soumettrait, disait-il modestement, au prochain pape.

Il s'agissait de l'institution d'une Sainte Pénitencerie, sorte de chancellerie du péché qui délivrerait des bulles d'absolution moyennant des taxes d'enregistrement perçues au profit du Saint-Siège. Les prêtres estropiés pourraient obtenir quittance à raison de quelques livres par doigt manquant, le double pour un œil perdu, autant pour l'absence d'une ou deux génitoires. Celui qui se serait amputé lui-même de sa virilité devrait payer un prix plus fort. Des malfaçons ou accidents physiques, Duèze passait aux irrégularités morales. Les bâtards qui avaient caché leur situation de naissance en recevant les ordres, les clercs qui avaient pris la tonsure bien qu'étant mariés, ceux qui se mariaient secrètement après l'ordination, ceux qui vivaient non mariés en ménage de femme, ceux qui étaient bigames, ou incestueux, ou sodomites, tous étaient imposés proportionnellement à leur faute. Les nonnes qui auraient paillardé avec plusieurs hommes au-dedans comme au-dehors de leur couvent seraient soumises à une réhabilitation particulièrement coûteuse [6].

« Si l'institution de cette pénitencerie, déclara Duèze, ne fait pas rentrer deux cent mille livres la première année, je veux bien... »

Il allait dire « je veux bien être brûlé » mais s'arrêta à temps.

Poitiers pensait : « Au moins, s'il est élu, je n'aurai pas de souci pour les finances papales. »

Mais, malgré toutes les manœuvres de Duèze et malgré l'appui que Poitiers leur donnait, le conclave continuait à marquer le pas.

Or, les nouvelles de Paris étaient mauvaises. Gaucher de Châtillon, faisant front avec le comte d'Evreux et Mahaut d'Artois, s'efforçait de limiter les ambitions de Charles de Valois. Celui-ci, néanmoins, habitait au palais de la Cité, où il gardait la reine Clémence sous sa tutelle ; il administrait les affaires à sa guise, et expédiait dans les provinces des instructions contraires à celles que Poitiers envoyait de Lyon. D'autre part, le duc de Bourgogne, soutenu par les vassaux de son immense duché, était arrivé à Paris le 16 juin, onze jours après la mort de Louis X, pour y faire reconnaître ses droits. La France avait donc trois régents. Cette situation ne pouvait durer longtemps, et Gaucher engageait instamment Philippe à regagner Paris.

Le 27 juin, après un conseil restreint auquel assistèrent les comtes de Forez et de La Voulte, le jeune prince décida de se mettre en route, et commanda de rassembler le train de bagages de son escorte. En même temps, s'avisant qu'aucun service solennel n'avait encore été célébré pour le repos de l'âme de son frère, il ordonna que de grandes messes fussent dites le lendemain, avant son départ, en chaque paroisse de la ville. Tous les gens de haut et de bas clergé étaient tenus d'y assister, pour s'associer aux prières du régent.

Les cardinaux, surtout les cardinaux italiens, exultaient. Philippe de Poitiers quittait Lyon sans les avoir fléchis.

« Il déguise sa fuite sous les pompes du deuil, disait Caëtani, mais il s'en va quand même, ce maudit ! Avant un mois, je vous l'affirme, nous serons de retour à Rome. »

V

LES PORTES DU CONCLAVE

LES cardinaux sont personnages d'importance et qui ne sauraient être confondus avec le menu fretin du clergé. Le comte de Poitiers leur fit réserver, pour le service funèbre à la mémoire de Louis X, l'église du couvent des Frères Prêcheurs, dite église des Jacobins, la plus belle, la plus vaste, après la primatiale Saint-Jean, et aussi la mieux fortifiée [7]. Les cardinaux ne virent dans ce choix qu'un convenable hommage rendu à leur dignité. Aucun ne manqua la cérémonie.

Bien qu'ils ne fussent que vingt-quatre, l'église était pleine, car chaque cardinal avait voulu arriver pompeusement escorté de toute sa maison, chapelain, secrétaire, trésorier, clercs, damoiseaux, valets, porteurs de traîne et de flambeaux ; une foule d'un demi-millier de personnes, au total, se tenait entre les lourds piliers blancs.

Rarement messe funéraire fut suivie avec si peu de recueillement. Pour la première fois depuis bien des mois les cardinaux, qui vivaient par coteries en des résidences séparées, se retrouvaient tous ensemble. Certains ne s'étaient pas rencontrés depuis près de deux ans. Ils s'observaient les uns les autres, s'étudiaient, s'épiaient.

« Avez-vous vu ? chuchotait-on. Orsini vient de saluer Frédol le cadet... Stefaneschi s'est entretenu tout un moment avec Mandagout ; se rapprocherait-il des Provençaux ?... Oh ! Duèze a bien petite mine ; le voilà fort envieilli... »

En effet, Jacques Duèze, dont la légère et sautillante démarche surprenait habituellement chez un homme d'un tel âge, avançait ce jour-là d'un pas lent, traînant, et répondait vaguement aux saluts, d'un air de lassitude et d'épuisement.

Guccio Baglioni, en tenue de damoiseau, faisait partie de sa suite. Il était censé ne parler qu'italien et venir directement de Sienne.

« Peut-être aurais-je mieux fait, se disait Guccio, de m'aller placer sous la protection du comte de Poitiers. Car aujourd'hui sans doute, je repartirais avec lui pour Paris, et je pourrais m'enquérir de Marie dont je suis sans nouvelles depuis tant de jours. Tandis que me voici dépendre en tout de ce vieux renard, à qui j'ai promis que mon oncle lui consentirait un prêt, et qui ne fera rien pour mon sort avant que l'argent ne soit arrivé. Or, mon oncle ne me répond pas. Et l'on dit que Paris est tout bouleversé... Marie, Marie, ma belle Marie !... Ne va-t-elle pas se croire abandonnée de moi ? Peut-être me hait-elle à présent ? Qu'en ont-ils fait ? »

Il imaginait Marie séquestrée par ses frères, à Cressay, ou dans quelque couvent pour filles repenties. « Si une semaine s'écoule encore ainsi, je m'enfuirai à Paris. »

Ayant gagné sa place, dans les stalles du chœur, Duèze, tassé sur lui-même, surveillait discrètement ses voisins et parfois tournait un visage accablé vers le fond de l'église. A deux stalles de Duèze, Francesco Caëtani, la face maigre tranchée d'un long nez busqué, et les cheveux s'envolant comme des flammes blanches autour de sa calotte rouge, ne cachait pas sa joie ; et ses regards, qui allaient du catafalque aux gens de sa suite, étaient des regards de victoire. « Voici, Messeigneurs, paraissait-il dire à la ronde, ce qui survient quand on s'attire la colère des Caëtani, qui étaient déjà puissants du temps de Jules César. Le Ciel veille à nous venger. »

Les Colonna, au lourd menton rond partagé d'une fossette verticale, et semblables à deux guerriers déguisés en prélats, le toisaient avec une hostilité manifeste.

Dans l'ordonnance de la cérémonie, le comte de Poitiers n'avait pas lésiné sur le nombre des chantres. Ils étaient une bonne centaine soutenus par les orgues dont quatre hommes maniaient à pleins bras les soufflets. Une musique tonnante, royale, roulait sous les voûtes, saturait l'air de vibrations, enveloppait la foule. Les petits clercs pouvaient impunément bavarder entre eux, et les damoiseaux ricaner en se moquant de leurs maîtres. Il était impossible d'entendre ce qui se disait à trois pas, et moins encore ce qui se passait aux portes.

Le service s'acheva ; les orgues et les chantres se turent ; les vantaux du grand portail s'ouvrirent. Mais aucune lumière ne pénétra dans l'église.

Il y eut un instant de saisissement, comme si quelque miracle avait, pendant la cérémonie, obscurci le soleil ; et puis les cardinaux comprirent, et des clameurs furieuses s'élevèrent. Un mur tout frais bouchait le portail ; le comte de Poitiers avait fait, pendant la messe, maçonner les issues. Les cardinaux étaient prisonniers.

Un mouvement panique brassa l'assistance ; prélats, chanoines, prêtres, valets, toute dignité ou révérence oubliées, se mêlèrent, se bousculèrent, coururent et refluèrent comme rats pris en nasse. Des damoiseaux, grimpant sur les épaules les uns des autres, s'étaient hissés aux vitraux et annonçaient :

« L'église est cernée par des hommes d'armes ! »

Les cardinaux criaient :

« Qu'allons-nous faire ? Le régent nous a joués.

— Voilà pourquoi il nous gratifiait de si forte musique !

— C'est atteinte portée à l'Eglise.

— Il faut l'excommunier.

— Il est bien temps ! On va nous massacrer. »

Déjà, les deux Colonna et les gens de leur parti s'étaient armés de lourds chandeliers de bronze, de bancs et de bâtons de procession, décidés à vendre chèrement leur existence, tandis qu'autour du baptistère, quelques cardinaux des divers partis se prenaient de bec.

« *Colpa vostra, colpa vostra...* C'est votre faute, c'est votre faute, criait un Italien désignant les Français. Si vous aviez refusé comme nous de venir à Lyon !... Nous savions bien qu'il nous y serait fait un mauvais coup.

— Si vous aviez élu l'un des nôtres, nous ne serions pas là à cette heure, répliquait un Gascon. La faute est à vous, mauvais chrétiens ! »

Une seule porte n'était pas entièrement murée ; on y avait laissé passage pour un homme. Mais cette étroite ouverture se hérissait d'un buisson de piques tenues par des gantelets de fer. Les piques se relevèrent, et le comte de Forez, en armure, suivi de Bermond de La Voulte et de quelques autres cuirasses, pénétra dans l'église. Une explosion d'injures l'accueillit.

Les bras croisés sur la garde de son épée, le comte de Forez attendit que l'agitation se fût calmée. C'était un homme puissant, courageux, insensible aux menaces comme aux supplications. L'exemple de désunion, de vénalité, d'intrigue, que les cardinaux donnaient depuis deux ans le heurtait profondément, et il approuvait pleinement le comte de Poitiers de vouloir mettre terme à ce scandale. Son rude visage creusé de rides apparaissait par l'ouverture du heaume.

Quand les cardinaux et leurs gens se furent bien égosillés, sa voix s'éleva, nette, martelée, se propageant par-dessus les têtes jusqu'au fond de la nef.

« Messeigneurs, je suis ici d'ordre du régent de France, pour vous notifier de bien vouloir désormais vous adonner uniquement à l'élection d'un pape, et de même vous faire connaître que vous ne sortirez pas avant que ce pape soit élu. Chacun des cardinaux ne gardera auprès de lui qu'un chapelain et deux damoiseaux ou clercs de son choix, pour son service. Tous autres se peuvent retirer. »

Cette proclamation souleva une indignation unanime.

« C'est félonie ! s'écria le cardinal de Pélagrue. Le comte de Poitiers nous avait fait serment que nous n'aurions même pas à entrer en clôture et c'est à ce prix que nous avons accepté de le rejoindre à Lyon.

— Le comte de Poitiers, répondit Jean de Forez, engageait alors la parole du roi de France. Mais le roi de France n'est plus, et c'est la parole du régent qu'aujourd'hui je vous porte. »

La fureur, à présent, unissait les représentants des trois partis dont les invectives se mêlaient, en provençal, en italien et en français. Le cardinal Duèze s'était effondré dans un confessionnal, la main sur le cœur, comme si son vieil âge ne pouvait supporter un tel coup, et il feignait de s'associer aux protestations par des murmures inaudibles. Le cardinal d'Albano, Arnaud d'Auch, celui-là même qui était venu naguère à Paris prononcer la condamnation des Templiers, s'avança vers le comte de Forez et lui déclara d'un ton menaçant :

« Messire, un pape ne se peut élire en de telles conditions, car vous violez la constitution de Grégoire X qui oblige le conclave à se réunir en la ville où le pape est mort.

— Vous vous y trouviez, Monseigneur, voici deux ans, et vous êtes égaillés sans avoir élu de pape, ce qui contrevenait à la constitution. Mais si vous souhaitez d'aventure être reconduits à Carpentras, nous vous y ferons mener sous bonne escorte, en chars fermés.

— Nous ne devons point siéger sous menace de la force !

— C'est pourquoi sept cents hommes d'armes, Monseigneur, sont dehors, à votre garde, fournis par les autorités de la ville afin d'assurer votre protection et votre isolement... ainsi qu'il est prescrit par la constitution. Le sire de La Voulte, que voici, et qui est de Lyon, est chargé d'y veiller. Messire le régent vous fait savoir également que si, au troisième jour, vous n'êtes pas parvenus à vous mettre d'accord, vous ne recevrez à manger qu'un seul plat de la journée et, à partir du neuvième, n'aurez plus que le pain et l'eau... comme cela est dit également dans la constitution de Grégoire. Et qu'enfin, si la lumière ne vous vient point par le jeûne, il fera détruire la toiture, pour vous mettre mieux à même de la recevoir du Ciel. »

Bérenger Frédol l'aîné intervint :

« Messire, c'est vous charger d'homicide que nous soumettre à un tel traitement, car il en est parmi nous qui ne le sauront supporter. Voyez Mgr Duèze déjà tout écroulé et qui aurait besoin de soins.

— Ah ! certes, ah ! certes, dit faiblement Duèze, je ne le pourrai supporter.

— Nous voyons bien que nous avons affaire à des bêtes puantes et féroces, cria Caëtani ; mais sachez, messire, qu'au lieu de faire un pape, nous allons vous excommunier, vous et votre parjure.

— Si vous tenez séance d'excommunication, Monseigneur Caëtani, répondit calmement le comte de Forez, le régent pourrait alors fournir au conclave le nom de certains envoûteurs et sorciers qu'il conviendrait de placer en tête de fournée.

— Je ne vois point, dit Caëtani battant aussitôt en retraite, je ne vois point ce que la sorcellerie vient faire en ceci, puisque c'est du pape que nous devons nous occuper.

— Eh ! Monseigneur, nous nous entendons bien ; veuillez donc renvoyer les gens qui vous sont inutiles, car il ne saurait y avoir assez de vivres pour en nourrir autant. »

Les cardinaux comprirent que toute résistance serait vaine et que cette cuirasse, qui leur transmettait d'une voix tranchante les ordres du comte de Poitiers, ne fléchirait pas. Déjà, derrière Jean de Forez, les hommes d'armes commençaient à entrer un par un, pique en main, et à se déployer dans le fond de l'église.

« Nous jouerons de ruse si nous ne pouvons jouer de force, dit à mi-voix Caëtani aux Italiens. Feignons de nous soumettre, puisque pour l'heure nous ne pouvons rien d'autre. »

Chacun choisit dans sa suite ses trois meilleurs serviteurs, ceux qu'il pensait les plus fidèles, ou les plus habiles, ou les plus aptes à lui apporter service de corps dans les difficiles conditions matérielles où tous allaient se trouver. Caëtani garda auprès de lui le clerc Andrieu, le frère Bost et le prêtre Pierre, c'est-à-dire les hommes qui avaient trempé dans l'envoûtement de Louis X ; il préférait les voir enfermés avec lui que risquant de parler pour argent ou sous la torture. Les Colonna retinrent à leurs côtés quatre damoiseaux qui avaient des poings d'assommeurs de bœufs.

Porte-torches, porte-traînes, clercs et chanoines

qui n'étaient pas désignés sortaient, un par un, devant la haie des hommes d'armes. Leurs maîtres, au passage, leur soufflaient des recommandations :

« Faites avertir mon frère l'évêque... Ecrivez en mon nom à mon cousin... Partez sur-le-champ pour Rome... »

Au moment où Guccio Baglioni se disposait à prendre la file des sortants, Jacques Duèze étendit sa maigre main hors du confessionnal où il gisait effondré, et saisit le jeune Italien par la cotte, en murmurant :

« Restez, petit, restez auprès de moi. Je suis sûr que vous me serez secourable. »

Duèze savait que les puissances d'argent ne sont, en aucune circonstance, négligeables, et il pensait avoir intérêt à conserver auprès de lui un représentant des banques lombardes.

Une heure plus tard, il ne demeurait dans l'église des Jacobins que quatre-vingt-seize hommes, destinés à y rester aussi longtemps que vingt-quatre d'entre eux ne se seraient mis d'accord pour en choisir un seul. Les gens d'armes, avant de se retirer, jetèrent des brassées de paille pour former la couche, à même la pierre, des plus hauts prélats de ce monde, et ils apportèrent quelques bassins ainsi que de grandes jarres pleines d'eau. Puis les maçons, sous l'œil du comte de Forez, achevèrent de murer la dernière issue, ne laissant d'autre ouverture qu'une petite baie carrée, une lucarne suffisante pour le passage des plats, insuffisante pour le passage d'un homme. Tout autour de l'église les soldats avaient repris leur faction, disposés de trois toises en trois toises, sur deux rangs, un rang adossé au mur et regardant vers la ville, un rang tourné vers l'église et regardant les vitraux.

Vers midi, le comte de Poitiers se mit en route pour Paris. Il emmenait dans sa suite le dauphin de Viennois et le petit dauphiniet, lequel vivrait désormais à la cour de France afin de s'y familiariser avec sa fiancée de cinq ans.

A cette heure-là, les cardinaux reçurent leur premier repas ; comme c'était jour maigre, ils n'eurent pas de viande.

VI

DE NEAUPHLE A SAINT-MARCEL

UN matin du début de juillet, bien avant l'aube, Jean de Cressay entra dans la chambre de sa sœur. Le jeune homme tenait une chandelle qui fumait ; il s'était lavé la barbe et portait sa meilleure cotte de cheval.

« Lève-toi, Marie, dit-il. Tu pars ce matin. Pierre et moi, nous allons te conduire. »

La jeune fille se dressa sur son lit.

« Partir... Comment cela ? C'est ce matin que je dois partir ? »

L'esprit embrumé de sommeil, elle regardait son frère, de ses grands yeux bleu sombre, fixement, sans comprendre. Machinalement, elle ramena par-dessus son épaule ses longs cheveux épais et soyeux où passaient des reflets dorés.

Jean de Cressay contemplait sans plaisir la

beauté de sa sœur, comme si cette beauté eût été l'image même du péché.

« Fais un paquet de tes hardes, car tu ne reviendras pas ici de sitôt.

— Mais où me conduisez-vous ? demanda Marie.

— Tu le verras.

— Mais hier... Pourquoi ne m'en avoir rien dit hier ?

— Pour te donner le temps de nous jouer encore un tour de ta façon ?... Allons, hâte-toi ; je veux être en chemin avant que nos serfs nous voient. Tu nous as couverts d'assez de honte ; point n'est besoin qu'ils jasent davantage. »

Marie ne répondit pas. Depuis un mois, sa famille ne la traitait pas d'autre manière, ni ne s'adressait à elle sur un autre ton. Elle se leva, un peu alourdie par sa grossesse dont le poids, si modéré qu'il fût encore, la surprenait toujours au saut du lit. A la lueur de la chandelle laissée par Jean, elle se prépara, se passa de l'eau sur le visage et la poitrine, noua rapidement ses cheveux ; elle s'aperçut que ses mains tremblaient. Où l'emmenait-on ? Dans quel couvent ? Elle mit à son cou le reliquaire d'or que Guccio lui avait donné et qui venait, lui avait-il dit, de la reine Clémence. « Jusqu'à ce jour, ces reliques m'ont bien peu protégée, pensa-t-elle. Les ai-je mal priées ? » Elle plia ensemble une robe de dessus, quelques robes de dessous, un surcot et des toiles pour se laver.

« Tu te couvriras de ta cape à grand chaperon, lui lança Jean qui rentra un instant dans la chambre.

— Mais je vais périr de chaleur ! dit Marie. C'est une vêture d'hiver.

— Notre mère veut que tu chemines le visage caché. Obéis et hâte-toi. »

Dans la cour, le second frère, Pierre, sellait lui-même les deux chevaux.

Marie savait bien que ce jour devait arriver ; dans un sens, quelque angoisse qu'elle eût au cœur, elle ne souffrait pas tellement ; elle en était presque à souhaiter ce départ. La tristesse d'un couvent lui paraissait chose plus supportable que les griefs et les reproches journellement ressassés. Au moins y serait-elle seule avec son malheur. Elle n'aurait plus à subir les fureurs de sa mère, alitée depuis que le drame avait éclaté, et qui maudissait sa fille chaque fois que celle-ci lui portait une tisane. La grosse châtelaine était alors prise d'étouffements, et l'on devait appeler d'urgence le barbier de Neauphle pour qu'il lui tirât une pinte de sang noir. Cela faisait six fois en moins de deux semaines que l'on saignait dame Eliabel, et il ne paraissait pas que ce traitement accélérât son retour à la santé.

Marie était traitée par ses deux frères, par Jean surtout, comme une criminelle. Ah ! certes ! plutôt le cloître, mille fois. Mais au fond d'une clôture pourrait-elle jamais avoir des nouvelles de Guccio ? C'était là son obsession, sa véritable crainte du sort qui l'attendait. Ses méchants frères lui affirmaient que Guccio avait fui à l'étranger.

« Ils ne veulent point me l'avouer, se disait-elle, mais ils l'ont fait mettre en cachot. Il n'est pas possible qu'il m'ait abandonnée ! Ou bien alors, il est revenu dans le pays, pour me sauver ; et c'est pourquoi mes frères mettent tant de hâte à m'emmener, et après cela, ils vont le tuer. Ah ! que ne me suis-je sauvée avec lui ! »

Son imagination lui représentait toutes les formes possibles de catastrophes. Elle en venait par instants à souhaiter que Guccio se fût réellement enfui, la laissant à son mauvais sort. Privée d'aucun conseil et même d'aucune compassion, elle n'avait d'autre compagnie que celle de son enfant à naître ; or cette existence-là ne lui était que de petit secours, sinon pour le courage qu'elle lui inspirait.

A l'instant de partir, Marie de Cressay demanda si elle pouvait dire adieu à sa mère. Pierre entra dans la chambre de dame Eliabel. Aux cris poussés par la veuve, à qui les saignées n'avaient pas encore ôté toute la voix, Marie comprit l'inutile de sa démarche.

« Elle m'a répondu qu'elle n'avait plus de fille », dit Pierre de Cressay en revenant.

Et Marie pensa une fois de plus : « J'aurais mieux fait de m'enfuir avec Guccio. Tout cela est ma faute ; je devais le suivre. »

Les deux frères enfourchèrent leurs montures et Jean de Cressay prit sa sœur en croupe, parce que son cheval était le meilleur, ou plutôt le moins mauvais des deux. Pierre chevauchait le bidet cornard sur lequel, le mois précédent, les deux frères avaient fait une si belle entrée dans la capitale.

Marie jeta un dernier regard au petit manoir dont les toits, sous la demi-lueur d'une aube encore mal assurée, s'estompaient comme dans la grisaille, déjà, du souvenir. Tous les instants de sa vie, depuis qu'elle avait ouvert les yeux, étaient inscrits entre ces murs et dans ce paysage : ses jeux de petite fille, la surprenante découverte de soi-même et du monde que chaque être fait à son tour, journée après journée... l'infinie diversité des herbes dans un champ, l'étrange forme des fleurs et la poudre merveilleuse qu'elles portent dans leur cœur, la douceur du duvet au ventre des petits canards, les jeux du soleil sur l'aile des libellules... Elle laissait là toutes les heures passées à se regarder grandir, à s'écouter rêver, toutes les époques de son visage qu'elle avait si souvent miré dans l'eau transparente de la Mauldre, et ce grand éblouissement de vivre qu'elle ressentait parfois, couchée à plat dos au milieu de la prairie, en cherchant des présages dans la forme des nuages et en imaginant Dieu présent dans le fond du ciel...

« Abaisse ton chaperon », lui ordonna son frère Jean.

Dès la rivière franchie, il fit prendre à son cheval une allure rapide, et celui de Pierre, aussitôt, se mit à corner.

« Jean, n'allons-nous pas un peu vite ? dit Pierre en désignant Marie d'un mouvement de tête.

— Bah ! la mauvaise graine est toujours solidement plantée », répondit l'aîné comme s'il souhaitait méchamment un accident.

Mais ses espoirs furent déçus. Marie était une fille robuste et faite pour la maternité. Elle parcourut les dix lieues de Neauphle à Paris sans donner signe de malaise. Simplement, elle avait les reins moulus, elle étouffait de chaleur ; mais elle ne se plaignait pas. De Paris elle ne vit, pardessous son capuchon, que le sol des rues et le bas des maisons. Que de jambes ! que de souliers ! Ce qui la surprenait, c'était le bruit, l'immense bourdonnement de la ville, les voix des crieurs, des vendeurs de toutes denrées, les bruits des métiers. En certains endroits, la foule était si dense que les montures avaient peine à se frayer passage. Des passants heurtaient du coude ou de l'épaule les pieds de Marie. Enfin, les chevaux s'arrêtèrent. On fit descendre la jeune fille qui se sentait lasse et poussiéreuse. Seulement alors, elle fut autorisée à relever sa chape.

« Où sommes-nous ? demanda-t-elle en contemplant avec surprise la cour d'une belle demeure.

— Chez l'oncle de ton Lombard », répondit Jean de Cressay.

Quelques instants plus tard, un œil fermé, l'autre ouvert, messer Tolomei regardait les trois enfants du sire de Cressay assis en rang devant lui, Jean le barbu, Pierre le glabre, et leur sœur à côté, un peu en retrait, tête baissée.

« Comprenez, messer Tolomei, disait Jean, que vous nous avez fait une promesse...

— Certes, certes, répondait Tolomei, et je vais la tenir, mes amis, n'en doutez pas.

— Mais comprenez qu'il faut la tenir vite. Comprenez qu'après le bruit fait autour de cette honte, notre sœur ne peut davantage demeurer avec nous. Comprenez que nous n'osons plus paraître dans les maisons d'alentour, que nos serfs eux-mêmes se moquent de nous, et que ce sera bien pire encore quand le péché de notre sœur va s'arrondir. »

Tolomei avait une réponse sur le bout des lèvres : « Mais, mes garçons, c'est vous qui avez causé tout ce bruit ! Nul ne vous obligeait de vous lancer comme des furieux contre Guccio, en ameutant tout le bourg de Neauphle mieux que par crieur public. »

« Et puis notre mère ne se remet point de ce malheur ; elle a maudit sa fille, et de la voir auprès d'elle lui fait recroître la colère au point que nous craignons qu'elle n'en crève... Comprenez... »

« C'est la manie des sots que de vous sommer de comprendre... Bah ! Quand il aura la langue sèche, il s'arrêtera !... Mais ce que je comprends fort bien, moi, se disait le banquier, c'est que mon Guccio se soit mis folie en tête pour cette belle fille. Je lui donnais tort jusque-là, mais depuis qu'elle est entrée j'ai changé d'avis ; et si mon âge permettait que pareille chose m'arrivât encore, je me serais sans doute conduit plus follement que lui. Les beaux yeux, les beaux cheveux, la belle peau... un vrai fruit de printemps ! Et comme elle semble supporter son malheur avec courage ! Car après tout, les deux autres crient, tempêtent, font les importants ; mais c'est bien pour elle, la pauvre enfant, que la peine est la plus grande ! Elle a sûrement une bonne âme. Quelle pitié pour elle d'être née sous le toit de ces deux niais, et comme j'aurais aimé que Guccio pût l'épouser au grand jour, qu'elle vécût ici, et que ma vieillesse se réjouît à la contempler. »

Il ne la quittait pas du regard. Marie levait les yeux sur lui, les rabaissait aussitôt, les relevait, inquiète de cette observation insistante.

« Comprenez, messer, que votre neveu...

— Oh ! celui-là, je le renie, je l'ai déshérité !

S'il n'avait fui pour l'Italie, je crois que je l'aurais tué de mes doigts. Si je pouvais seulement savoir où il se cache... », dit Tolomei en se prenant le front d'un air accablé.

A l'abri du petit auvent de ses mains, et ne se laissant voir que de la jeune fille, il cligna de sa grosse paupière habituellement affaissée. Marie sut alors qu'elle avait un allié ; elle ne put retenir un soupir. Guccio était vivant, Guccio était en lieu sûr, et Tolomei savait où. Que lui importait le cloître maintenant !

Elle n'écoutait plus le discours de son frère Jean. Elle aurait pu d'ailleurs le réciter par cœur. Pierre de Cressay lui-même se taisait, avec un air de vague lassitude. Il se reprochait, sans oser l'avouer, d'avoir cédé lui aussi à une colère absurde. Et il laissait son aîné parler de l'honneur du sang et des lois de chevalerie, pour justifier leur énorme sottise.

Car lorsque les frères Cressay, sortant de leur pauvre petit manoir délabré et de leur cour qui sentait le fumier hiver comme été, voyaient la demeure princière de Tolomei, lorsqu'ils respiraient cet air de richesse, d'abondance, qui flottait dans toute la maison, force leur était de reconnaître que leur sœur, s'ils avaient consenti à ce mariage, n'eût pas été des plus mal loties. Mais si le cadet éprouvait, au fond, quelque remords à l'égard de sa sœur, l'aîné, d'esprit buté, et animé d'un assez bas sentiment de jalousie, pensait : « Pourquoi aurait-elle droit par péché, à tant de richesses alors que nous peinons dans une vie misérable ? »

Marie, elle non plus, n'était pas insensible au

luxe qui l'entourait, l'éblouissait, et ne faisait qu'aviver ses regrets.

« Si seulement Guccio avait pu être un petit peu noble, songeait-elle, ou bien si nous, nous ne l'avions pas été ! Qu'est-ce que cela veut dire, la chevalerie ? Est-ce là une bonne chose, qui peut faire tant souffrir ? Et la richesse n'est-elle pas aussi une sorte de noblesse ? »

« Ne vous inquiétez de rien, mes amis, dit enfin Tolomei et reposez-vous en tout sur moi. C'est le devoir des oncles de réparer les fautes de leurs mauvais neveux. J'ai obtenu, grâce à mes hautes amitiés, que votre sœur soit accueillie au couvent des filles Saint-Marcel. N'êtes-vous pas satisfaits ? »

Les deux frères Cressay se regardèrent et hochèrent la tête d'un air approbateur. Le couvent des Clarisses du faubourg Saint-Marcel jouissait d'une grande réputation. N'y entraient que des filles de haut lignage. Parfois même s'y dissimulaient, sous le voile, des bâtardises royales. La hargne de Jean de Cressay tomba d'un seul coup, apaisée par la vanité de caste. Il n'était pas de lieu où un déshonneur se pût racheter avec plus d'honneur. Et quand les petits barons des alentours de Neauphle demanderaient aux Cressay où se trouvait Marie, il ne leur serait pas désagréable de répondre, d'un air détaché : « Elle est au couvent des filles Saint-Marcel. »

Mais Tolomei avait dû payer ou promettre gros pour qu'elle y soit admise...

« C'est fort bonne chose, fort bonne, dit Jean. D'ailleurs, l'abbesse est un peu, je crois, notre parente ; notre mère nous l'a plus d'une fois citée en exemple.

— Ainsi, tout est au mieux, reprit Tolomei. Je vais conduire votre sœur au comte de Bouville, l'ancien grand chambellan... »

Les deux frères s'inclinèrent à nouveau sur leur siège pour marquer leur considération.

« ... par qui j'ai obtenu cette faveur ; et ce soir, je vous le promets, elle sera confiée à l'abbesse, précisément. Vous pouvez donc repartir avec le calme au cœur ; je vous ferai tenir des nouvelles. »

Les deux frères n'en demandèrent pas davantage. Ils se débarrassaient de leur sœur, et estimaient avoir assez fait en s'en déchargeant aux soins d'autrui.

« Dieu t'inspire le repentir », dit Jean à Marie, en guise d'adieu.

Il mit beaucoup plus de chaleur à prendre congé de Tolomei.

« Dieu te garde, Marie », dit Pierre, avec émotion.

Il eut un mouvement pour embrasser sa sœur, mais sous le regard sévère de l'aîné, il n'acheva pas son geste.

Et Marie se retrouva seule avec ce gros banquier au teint sombre, à la bouche charnue, à l'œil clos, qui, si étrange que cela lui parût, était son oncle.

Les deux chevaux sortirent de la cour et l'on entendit diminuer les reniflements du bidet cornard, dernière rumeur de Cressay qui s'éloignait de Marie.

« Maintenant, allons à table, mon enfant. Le temps qu'on dîne, on ne pleure pas », dit Tolomei.

Il aida la jeune fille à enlever la cape sous laquelle elle suffoquait ; et Marie eut un regard surpris, reconnaissant, car c'était la première marque d'attention ou simplement de courtoisie qu'on avait pour elle depuis des semaines.

« Tiens, une étoffe qui vient de chez moi », se dit Tolomei en voyant la robe dont elle était vêtue.

Le Lombard était négociant en épices d'Orient, en même temps que banquier ; aussi les ragoûts où il plongeait les doigts avec élégance, les viandes qu'il détachait de l'os délicatement, par petits morceaux, étaient imprégnés de senteurs exotiques, apéritives. Mais Marie ne montrait guère d'appétit et se servit à peine des plats du premier service.

« Il est à Lyon, lui dit alors Tolomei en soulevant sa paupière gauche. Il n'en peut bouger pour l'heure, mais il pense à vous et vous garde toute sa foi.

— Serait-il en prison ? demanda Marie.

— Non, pas précisément. Il est enfermé, mais nullement pour de pénibles raisons ; et il partage sa captivité avec de si hauts personnages que nous n'avons rien à craindre pour son salut. Tout m'incite à croire qu'il sortira de l'église où il se tient plus important qu'il n'y est entré.

— L'église ? Pourquoi dans une église ?

— Je ne puis vous en dire davantage. »

Marie n'insista pas. Guccio reclus dans une église en compagnie de gens si importants qu'on ne pouvait les lui nommer... ce mystère la dépassait. Mais ce qui touchait Guccio était toujours empreint de mystère. La première fois qu'elle l'avait vu, n'arrivait-il pas d'une mission secrète auprès de la reine d'Angleterre ? N'était-il pas revenu à Cressay pour cacher des documents, puis les reprendre ? Et n'avait-il pas eu à courir par deux fois jusqu'à Naples pour le service de la reine Clémence ? N'avait-il pas reçu de celle-ci le reliquaire de saint Jean qu'elle-même, à présent, portait au cou ? Si Guccio était enfermé à cette heure, ce devait être encore pour la cause de quelque reine. Et Marie s'émerveillait que, parmi tant de si puissantes princesses, il continuât de la préférer, elle, pauvre damoiselle de campagne. Guccio vivait, Guccio l'aimait ; il lui suffisait de le savoir pour retrouver de l'agrément à exister ; et elle mordit au plat avec tout l'appétit d'une fille de dix-huit ans qui avait voyagé depuis l'aube.

Tolomei, s'il pouvait s'adresser avec aisance aux plus hauts barons, aux pairs du royaume, aux légistes, aux archevêques, avait depuis longtemps perdu l'habitude de parler aux femmes, surtout à une femme si jeune. Ils échangèrent peu de propos. Le vieux banquier regardait avec ravissement cette nièce qui lui tombait du ciel et qui, d'instant en instant, lui plaisait davantage.

« Quelle pitié, pensait-il, de l'aller mettre au couvent ! Si Guccio ne s'était fait retenir dans le conclave, j'enverrais bien cette belle enfant à Lyon ; mais qu'y deviendrait-elle, seule et sans appui ? Or, les cardinaux à ce qu'on dit, ne se montrent pas près de céder... Ou bien la garder ici en attendant le retour de mon neveu ? Voilà qui me sourirait. Mais non, je ne le puis ; j'ai demandé à Bouville d'agir en sa faveur ; quelle figure aurais-je maintenant, à négliger la peine qu'il s'est donnée ? Et si l'abbesse en plus est cousine des Cressay, et qu'il vienne à ces nigauds l'idée de lui demander nouvelles... Allons ! Que la tête ne me tourne pas, à moi aussi ! Elle ira au couvent... »

« ... mais pas pour toute la vie, dit-il en continuant à haute voix. Il n'est pas question de vous faire prendre le voile. Acceptez sans trop de plainte ces quelques mois parmi les nonnes. Je vous promets, quand votre enfant sera né, d'arranger vos affaires pour que vous viviez heureuse avec mon neveu. »

Marie lui saisit la main et y posa ses lèvres. Il en fut gêné ; la bonté n'était pas dans sa nature, et son métier l'avait peu habitué aux expressions de gratitude.

« Il me faut maintenant vous remettre aux soins du comte de Bouville, dit-il. Je vais vous conduire à lui. »

De la rue des Lombards au palais de la Cité, la route n'était pas longue. Marie la parcourut, au côté de Tolomei, dans un état de surprise émerveillée. Elle n'avait jamais vu de grande ville ; le mouvement de la foule sous le soleil de juillet, la beauté des maisons, le nombre et la profusion des boutiques, le scintillement des étalages, tout le spectacle la transportait dans une sorte de féerie. « Le bonheur, le bonheur, se disait-elle, que de vivre ici, et quel homme aimable est l'oncle de Guccio, et quelle bénédiction qu'il veuille bien nous protéger ! Oh ! oui, comme je subirai sans me plaindre le temps du couvent ! » Ils passèrent le Pont-au-Change et entrèrent dans la Galerie mercière encombrée de ses éventaires.

Tolomei ne put s'empêcher, pour le plaisir de s'entendre encore remercier, d'acheter une aumônière de ceinture, brodée de petites perles, qu'il offrit à Marie.

« C'est de la part de Guccio. Il faut bien que je le remplace ! »

Ils s'engagèrent ensuite dans le grand escalier du Palais. Ainsi, d'avoir fauté avec un jeune Lombard valait à Marie de Cressay de pénétrer dans la demeure des rois.

Il régnait à l'intérieur du Palais cette agitation, cet affairement réel ou simulé qu'on remarquait en tous lieux où se trouvait le comte de Valois. Ayant franchi galeries et salles en enfilades où se pressaient, se croisaient, s'interpellaient chambellans, secrétaires, officiers et solliciteurs, Tolomei et la jeune fille parvinrent dans une partie un peu retirée, derrière la Sainte-Chapelle, et qui donnait sur la Seine et l'île aux Juifs. Une garde de gentilshommes en cotte d'armes leur barra le passage. Nul ne pouvait pénétrer dans les appartements réservés à la reine Clémence sans l'autorisation des curateurs. Tandis qu'on allait chercher le comte de Bouville, Tolomei et Marie attendirent dans l'embrasure d'une fenêtre.

« C'est là, voyez-vous, qu'on a brûlé les Templiers », dit Tolomei en désignant l'île.

Le gros Bouville arriva, toujours équipé en guerre, la bedaine roulant sous l'étoffe d'acier, et le pas décidé comme s'il allait commander un assaut. Il fit écarter la garde. Tolomei et Marie pénétrèrent une première pièce où un vieillard desséché, vêtu d'une robe de soie, et la peau tavelée comme un parchemin, dormait, assis dans une cathèdre. C'était le sénéchal de Joinville. Deux écuyers, auprès de lui, jouaient silencieusement aux échecs. Puis les visiteurs passèrent dans le logement du comte de Bouville.

« Madame Clémence reprend-elle un peu ? demanda Tolomei à Bouville.

— Elle pleure moins, répondit le curateur, ou plutôt elle montre moins ses pleurs, comme s'ils lui coulaient tout droit dans la gorge. Mais elle reste durement ébaubie. Et puis la chaleur d'ici ne lui vaut rien dans son état, et elle a souvent des défaillances et des tournements de tête. »

« Ainsi, la reine de France est à côté, pensait Marie avec une intense curiosité. Peut-être vais-je lui être présentée ? Oserai-je lui parler de Guccio ? »

Elle assista ensuite à une longue conversation, à laquelle elle ne comprit que peu, entre le banquier et l'ancien grand chambellan. A certains noms prononcés, ils baissaient la voix, et Marie se défendait d'écouter leurs chuchotements.

Le comte de Poitiers, arrivant de Lyon, était annoncé pour le lendemain. Bouville, qui avait souhaité si fort ce retour, ne savait plus maintenant s'il devait s'en féliciter. Car Mgr de Valois avait décidé de se porter immédiatement à la rencontre de Philippe, en compagnie du comte de La Marche ; et Bouville montra à Tolomei, par une fenêtre qui donnait sur les cours, les préparatifs de ce départ. De son côté, le duc de Bourgogne, arrivé de Dijon, faisait monter la garde par ses propres gentilshommes autour de sa nièce, la petite Jeanne de Navarre. Un mauvais vent de révolte soufflait sur la ville, et cette rivalité de régents pouvait aboutir aux pires calamités. De l'avis de Bouville, on aurait dû nommer la reine Clémence régente, et l'entourer d'un Conseil de la couronne composé de Valois, de Poitiers et d'Eudes de Bourgogne.

Si intéressé qu'il fût par les événements, Tolomei, à plusieurs reprises, tenta de ramener Bouville à l'objet précis de sa démarche.

« Certes, certes, nous allons bien veiller sur cette damoiselle », répondait Bouville qui revenait aussitôt à ses inquiétudes politiques.

Tolomei avait-il des nouvelles de Lyon ? Le chambellan avait pris familièrement le banquier par l'épaule et lui parlait presque joue à joue. Comment ? Guccio, mué en conclaviste, était enfermé avec Duèze ? Ah ! l'habile garçon ! Tolomei pensait-il pouvoir communiquer avec son neveu ? Si jamais il en recevait des nouvelles, ou avait moyen de lui en transmettre, qu'il le fît savoir ; ce truchement pourrait être fort précieux. Quant à Marie...

« Mais oui, mais oui, dit le curateur. Mme de Bouville, qui est personne de tête, et fort agissante, a tout arrangé à votre convenance. Soyez sans alarme. »

Il appela son épouse, petite femme maigre, autoritaire, au visage marqué de rides verticales, et dont les mains sèches ne restaient jamais en repos. Marie, qui s'était sentie jusque-là en parfaite sécurité, éprouva aussitôt de la crainte et de l'anxiété.

« Ah ! c'est vous dont il faut abriter le péché, dit Mme de Bouville en l'examinant d'un œil sans bienveillance. Vous êtes attendue au couvent des Clarisses. L'abbesse montrait peu d'empressement, et moins encore quand je lui ai dit votre nom, car elle est, par je ne sais quel lien, de votre famille, et votre conduite ne lui plaît guère. Mais enfin, la faveur dont jouit messire Hugues, mon époux, a pesé son poids. J'ai crié un peu ; le logis vous sera donné. Je vous y conduirai avant la nuit. »

Elle parlait vite et il n'était pas facile de l'interrompre. Quand elle reprit son souffle, Marie lui répondit avec beaucoup de déférence, mais aussi beaucoup de dignité dans le ton :

« Madame, je ne suis point en état de péché, car j'ai bien été mariée devant Dieu.

— Allons, allons, répliqua Mme de Bouville, ne faites pas regretter les bontés qu'on a pour vous. Remerciez donc ceux qui s'emploient à vous aider, plutôt que de jouer la faraude. »

Ce fut Tolomei qui remercia, au nom de Marie. Lorsque celle-ci vit le banquier sur le point de partir, un grand désarroi la jeta dans les bras de celui-ci, comme s'il avait été son père.

« Faites-moi savoir le sort de Guccio, lui murmura-t-elle à l'oreille, et faites-lui savoir que je me languis de lui. »

Tolomei s'en alla, et les Bouville disparurent également. Pour tout l'après-midi, Marie demeura dans leur antichambre, n'osant bouger et n'ayant d'autre distraction que d'assister, assise dans l'ébrasement d'une fenêtre ouverte, au départ de Mgr de Valois et de son escorte. Le spectacle, pour un moment, la sortit de son chagrin. Elle n'avait jamais vu si beaux chevaux, si beaux harnais, si beaux vêtements, et en si grand nombre. Elle pensait aux paysans de Cressay vêtus de loques, les jambes entourées de bandes de toile, et se disait qu'il était bien étrange que des êtres qui avaient tous une tête et deux bras, et tous créés par Dieu à son image, pussent être de races si différentes, si l'on en jugeait par le costume.

De jeunes écuyers, voyant cette fille de grande beauté occupée à les regarder, lui adressèrent des sourires et même lui envoyèrent des baisers. Soudain ils s'empressèrent autour d'un personnage tout brodé d'argent qui semblait en imposer fort et prenait des airs de souverain ; puis la troupe s'ébranla, et la chaleur de l'après-midi s'appesantit sur les cours et les jardins du Palais.

Vers la fin du jour, Mme de Bouville vint chercher Marie. Accompagnées de quelques valets et montées sur des mules sellées de bâts « à la planchette » où l'on s'asseyait de côté, les pieds posés sur une petite planche, les deux femmes traversèrent Paris. Elles virent des attroupements un peu partout, et même aperçurent la fin d'une rixe qui avait éclaté sur le seuil d'une taverne entre des partisans du comte de Valois et des gens du duc de Bourgogne. Les sergents du guet, à coups de masse, rétablissaient l'ordre.

« La ville est chaude, dit Mme de Bouville. Je ne serais point surprise si la journée de demain nous amenait l'émeute. »

Par le mont Sainte-Geneviève et la porte Saint-Marcel, elles sortirent de Paris. Le crépuscule tombait sur les faubourgs.

« Du temps que j'étais jeune, dit Mme de Bouville, on ne voyait guère ici plus de vingt maisons. Mais les gens ne savent plus où se loger en ville, et construisent sans cesse sur les champs. »

Le couvent des Clarisses était entouré d'un haut mur blanc qui enfermait les bâtiments, les jardins et les vergers. On distinguait, auprès d'une porte basse, un tour ménagé dans l'épaisseur de la pierre.

Une femme, qui marchait le long de la muraille, la tête couverte, s'approcha du tour et y déposa rapidement un paquet entortillé de linges ; puis elle fit tourner le tambour de bois, tira la cloche et, voyant qu'on approchait, s'enfuit en courant.

« Qu'a-t-elle fait ? demanda Marie.

— Elle vient d'abandonner là un enfant sans père, répondit Mme de Bouville en regardant Marie d'un air sévère. C'est ainsi qu'on les recueille. Allons, marchez. »

Marie pressa sa mule. Elle pensa qu'elle aurait pu, elle aussi, être forcée un jour proche de déposer son enfant dans un tour, et considéra que son sort était encore bien enviable.

« Je vous fais merci, Madame, de prendre si grand soin de moi, murmura-t-elle les larmes aux yeux.

— Ah ! enfin vous prononcez une bonne parole », répondit Mme de Bouville.

VII

LES PORTES DU PALAIS

Le même soir, le comte de Poitiers se trouvait au château de Fontainebleau, où il devait coucher ; c'était sa dernière étape avant Paris. Il achevait de souper, en compagnie du dauphin de Viennois, du comte de Savoie et des membres de sa nombreuse escorte, lorsqu'on vint lui annoncer l'arrivée des comtes de Valois, de La Marche et de Saint-Pol.

« Qu'ils entrent, qu'ils entrent tout aussitôt », dit Philippe de Poitiers.

Mais il n'eut pas le moindre mouvement pour aller au-devant de son oncle. Et quand celui-ci, le pas martial, le menton haut et les vêtements poudreux, apparut, Philippe se contenta de se lever et d'attendre. Valois, un peu décontenancé, resta quelques secondes sur le pas de la porte, regarda l'assistance. Philippe s'obstinant à demeurer immobile, il dut se décider à avancer. Chacun se taisait, les observant. Quand Valois fut assez près, le comte de Poitiers le prit alors aux épaules et le baisa sur les deux joues, ce qui pouvait passer pour un geste de bon neveu mais qui, venant d'un homme qui n'avait pas bougé de sa place, paraissait plutôt un geste de roi.

Cette attitude irrita non seulement Valois, mais également Charles de La Marche qui pensa : « N'avons-nous fait tout ce chemin que pour recevoir tel accueil ? Après tout, je suis égal à mon frère ; pourquoi se permet-il de nous traiter de si haut ? »

Une expression amère, jalouse, déformait un peu son beau visage aux traits réguliers, mais sans intelligence.

Philippe lui tendit les bras ; La Marche ne put faire autrement que d'accepter une brève accolade. Mais aussitôt, il dit, désignant Valois, et d'un ton qui se voulait d'autorité :

« Philippe, voyez ici notre oncle, le plus aîné de la couronne. Nous vous louons que vous vous accordiez à lui et qu'il ait le gouvernement du royaume. Car trop serait ce royaume en péril d'être remis à l'attente d'un enfant qui est encore à naître, et ne saurait donc royaume gouverner. »

La phrase avait une ambiguïté et une ampoule qui ne pouvaient être du cru de Charles de La Marche. Celui-ci répétait évidemment des paroles serinées. La fin de la déclaration fit sourciller Philippe. Le mot de régent n'avait pas été prononcé. Valois ne visait-il pas, au-delà de la régence, la couronne elle-même ?

« Notre cousin Saint-Pol est avec nous, reprit Charles de La Marche, pour vous dire que c'est aussi le conseil des barons. »

Philippe se passa la main, lentement, sur la joue.

« Je vous sais gré, mon frère, de votre avis, répondit-il froidement, et d'avoir fait tant de route pour me le porter. Aussi je pense que vous êtes las comme je le suis moi-même, et les bonnes décisions ne se prennent point dans la lassitude. Je propose donc que nous allions dormir pour en décider demain, l'esprit frais et en petit Conseil. La bonne nuit, Messeigneurs... Raoul, Anseau, Adam, m'accompagnez, je vous prie. »

Et il sortit de la salle, sans avoir offert le vivre à ses visiteurs, et sans même se soucier de la manière dont ils allaient s'accommoder pour dormir.

Suivi d'Adam Héron, de Raoul de Presles et d'Anseau de Joinville, il se dirigea vers la chambre royale. Le lit, jamais plus utilisé depuis que le Roi de fer y avait rendu l'âme, était prêt, les draps mis. Philippe tenait beaucoup à occuper cette chambre ; il tenait surtout à ce que nul autre ne l'occupât.

Adam Héron se disposait à le déshabiller.

« Je crois que je ne me dévêtirai pas, dit Philippe de Poitiers. Adam, vous allez dépêcher aussitôt un bachelier vers messire Gaucher de Châtillon pour qu'il soit à m'attendre à Paris, dès le petit matin, à la porte d'Enfer. Et puis mandez-moi mon barbier tout à l'heure, car je veux parvenir avec le visage frais... Et aussi ordonnez qu'on tienne vingt chevaux prêts à partir vers la minuit. Que l'on selle sans bruit, lorsque mon oncle sera couché... Pour vous, Anseau, ajouta-t-il en se tournant vers le fils du sénéchal de Joinville, je vous charge d'avertir de mon départ le comte de Savoie et le dauphin afin qu'ils ne soient point surpris et ne croient pas que je me défie d'eux. Restez ici jusqu'au matin en leur compagnie, et quand mon oncle se réveillera, qu'on l'entoure beaucoup et qu'on le ralentisse. Faites-lui perdre du temps en route. »

Demeuré seul avec Raoul de Presles, le comte de Poitiers sembla s'enfoncer dans une méditation silencieuse que le légiste se garda de troubler.

« Raoul, dit-il enfin, vous avez œuvré jour après jour pour mon père, et l'avez connu du plus près. En cette occasion, comment aurait-il agi ?

— Il eût fait comme vous, Monseigneur, je m'en porte garant, et ne vous le dis point par flatterie, mais parce que je le pense bien. J'ai trop aimé notre Sire Philippe, et enduré trop de souffrances depuis qu'il n'est plus, pour servir aujourd'hui un prince qui ne me le rappellerait en tous points.

— Hélas ! hélas ! Raoul, je suis peu de chose auprès de lui. Il pouvait suivre son faucon en l'air, sans jamais le perdre des yeux, et moi j'ai la vue courte. Il tordait sans peine un fer à cheval entre ses doigts. Il ne m'a légué ni sa force aux armes, ni cette apparence de visage qui enseignait à chacun qu'il était roi. »

En parlant, il regardait obstinément le lit.

A Lyon il s'était senti régent, avec une parfaite certitude. Mais, à mesure qu'il se rapprochait de la capitale, cette assurance, sans qu'il en laissât rien paraître, l'abandonnait un peu. Raoul de Presles, comme s'il répondait aux questions non formulées, dit :

« Il n'y a point de précédent à la situation où nous sommes, Monseigneur. Nous en avons assez débattu depuis des jours. Dans l'affaiblissement présent du royaume, le pouvoir sera à celui qui aura l'autorité de le prendre. Si vous y parvenez, la France ne souffrira pas. »

Peu après il se retira, et Philippe s'allongea, les yeux fixés sur la petite lampe suspendue entre les courtines. Le comte de Poitiers n'éprouvait aucune gêne, aucun malaise, à reposer sur cette couche qui avait eu un cadavre pour dernier usager. Au contraire, il y puisait de la force ; il avait l'impression de se couler dans la forme paternelle, d'en reprendre la place et les dimensions sur la terre. « Père, revenez en moi », priait-il ; et il demeurait immobile, les mains croisées sur la poitrine, offrant son corps à la réincarnation d'une âme depuis vingt mois enfuie.

Il entendit des pas dans le couloir, des voix, et son chambellan répondre, à quelqu'un sans doute de la suite de Charles de Valois, que le comte de Poitiers reposait. Le silence tomba sur le château. Un peu plus tard, le barbier arriva avec son attirail. Tandis qu'on le rasait, Philippe de Poitiers se rappela, prononcées dans cette même chambre, devant la famille et la cour, les dernières recommandations de son père à Louis, qui en avait tenu si peu compte : « Pesez, Louis, ce que c'est que d'être le roi de France. Et sachez au plus tôt l'état de votre royaume. »

Vers minuit, Adam Héron vint l'avertir que les chevaux étaient prêts. Quand le comte de Poitiers sortit de la chambre, il avait le sentiment que vingt mois étaient abolis, et qu'il reprenait les choses là où elles se trouvaient à la mort de son père, comme s'il en recueillait directement la succession.

Une lune propice éclairait la route. La nuit de juillet, tout étoilée, ressemblait au manteau de la Sainte Vierge. La forêt exhalait ses parfums de mousse, d'humus et de fougère ; elle vivait du frémissement secret des animaux. Philippe de Poitiers montait un excellent cheval dont il goûtait l'allure puissante. L'air frais fouettait ses joues rendues sensibles par les rasoirs du barbier. « Ce serait pitié, songeait-il, que de laisser si bon pays en de mauvaises mains. »

La petite troupe surgit de la forêt, traversa au galop Ponthierry et s'arrêta, comme le jour apparaissait, au creux d'Essonnes, pour faire souffler les chevaux et prendre quelque nourriture. Philippe dévora ce repas, assis sur une borne. Il semblait heureux. Il n'avait que vingt-cinq ans, son expédition revêtait un air de conquête, et il s'adressait avec une amitié joyeuse aux compagnons de son aventure. Cette gaieté, rare chez lui, acheva de les affermir.

Entre prime et tierce, il arrivait à la porte de Paris tandis que sonnaient les cloches aigrelettes des couvents d'alentour. Il trouva là Louis d'Evreux et Gaucher de Châtillon qui l'attendaient. Le connétable avait son visage des mauvais jours. Il invita aussitôt le comte de Poitiers à se rendre au Louvre.

« Et pourquoi n'irais-je pas tout droit au palais de la Cité ? demanda Philippe.

— Parce que nos seigneurs de Valois et de La Marche ont fait occuper le Palais par leurs hommes d'armes. Au Louvre, vous aurez les troupes royales, qui sont tout à mon obéissance, c'est-à-dire tout à vous, avec les arbalétriers de messire de Galard... Mais il faut agir promptement et résolument, ajouta le connétable, pour devancer le retour de nos deux Charles. Si vous m'en donnez l'ordre, Monseigneur, je fais enlever le Palais. »

Philippe savait que les minutes étaient précieuses. Il calculait qu'il avait, néanmoins, six à sept heures d'avance sur Valois.

« Je ne veux rien entreprendre dont je ne sache auparavant que cela sera vu de bonne façon par les bourgeois et le peuple de la ville », répondit-il.

Et dès qu'il fut entré au Louvre, il envoya mander, au Parloir aux Bourgeois, maître Coquatrix, maître Gentien, et quelques autres notables, ainsi que le prévôt Guillaume de La Madelaine qui avait succédé depuis mars au prévôt Ployebouche.

Philippe leur marqua en quelques paroles l'importance qu'il attachait à la bourgeoisie de Paris et aux hommes qui dirigeaient les arts de fabrique et le négoce. Les bourgeois se sentirent honorés, et surtout rassurés, par un tel langage qu'ils n'avaient plus entendu depuis la disparition de Philippe le Bel. Or, ce roi, dont ils se plaisaient à médire du temps qu'il les gouvernait, comme ils le regrettaient à présent !

Ce fut Geoffroy Coquatrix, commissaire sur les monnaies fausses, collecteur des subventions et subsides, trésorier des guerres, pourvoyeur des garnisons, visiteur des ports et passages du royaume, maître à la Chambre des comptes, qui répondit. Il tenait ses charges de Philippe le Bel, qui l'avait même doté d'un revenu à héritage, ainsi qu'on le faisait pour les grands serviteurs de la Couronne ; et il n'avait jamais rendu de comptes de son administration. Il craignait que Charles de Valois, hostile depuis toujours à la promotion des bourgeois aux grands postes, ne le destituât de ses fonctions pour le spolier de l'énorme fortune qu'il s'était acquise. Coquatrix assura le comte de Poitiers, en lui donnant dix fois du « messire régent », du dévouement de la population parisienne. Sa parole valait cher, car il était tout-puissant au Parloir, et assez riche pour payer, en cas de besoin, tous les truands de la ville et les envoyer à l'émeute.

La nouvelle du retour de Philippe de Poitiers s'était rapidement répandue. Les barons et chevaliers qui lui étaient favorables accoururent au Louvre. Mahaut d'Artois, personnellement prévenue, fut des premières à se présenter.

« En quel état est ma mie Jeanne ? dit Philippe à sa belle-mère, en lui ouvrant les bras.

— On attend sa délivrance d'un jour à l'autre.

— Je l'irai voir aussitôt mes travaux achevés. »

Puis il se concerta avec son oncle d'Evreux et le connétable.

« A présent, Gaucher, vous pouvez marcher contre le Palais. Tâchez, s'il se peut, d'en avoir fini pour midi. Mais faites en sorte d'éviter le sang autant qu'il sera possible. Agissez par effroi plutôt que par violence. Je déplorerais d'entrer au Palais en enjambant des morts. »

Gaucher alla prendre la tête des compagnies de gens d'armes qu'il avait réunies au Louvre et gagna la Cité. En même temps il envoyait le prévôt querir, dans le quartier du Temple, les meilleurs charpentiers et serruriers.

Les portes du Palais étaient fermées. Gaucher, ayant à son côté le grand maître des arbalétriers, demanda l'entrée. L'officier de garde, se montrant à une lucarne au-dessus de la porte principale, répondit qu'il ne pouvait ouvrir sans l'autorisation du comte de Valois ou du comte de La Marche.

« Il vous faut m'ouvrir quand même, répondit le connétable, car je veux entrer, et mettre le Palais en état de recevoir le régent, qui me suit.

— Nous ne pouvons. »

Gaucher de Châtillon se tassa un peu sur son cheval.

« Alors, nous ouvrirons par nous-mêmes », dit-il.

Et il fit signe d'approcher à maître Pierre du Temple, charpentier royal, escorté de ses ouvriers qui portaient des scies, des pinces et de gros leviers de fer. En même temps, les arbalétriers reçurent l'ordre d'armer. Ils retournèrent leurs arbalètes, et engagèrent le pied dans une sorte d'étrier de fer qui leur permettait de tenir l'arc appuyé au sol pendant qu'ils bandaient les cordes. Puis ils placèrent la flèche dans l'encoche, et se mirent en position de viser les créneaux et embrasures. Les archers et piquiers, joignant leurs boucliers, formaient une énorme carapace autour et au-dessus des charpentiers. Dans les rues adjacentes, badauds et gamins se massaient, à distance respectueuse, pour voir le siège. On leur offrait une belle distraction dont ils allaient pouvoir parler pendant des jours. « Aussi vrai que je suis là... J'ai vu le connétable tirer sa grande épée... Plus de deux mille, pour sûr, plus de deux mille qu'ils étaient ! »

Enfin, Gaucher, de la voix dont il commandait sur les champs de bataille, cria, par la ventaille levée de son heaume :

« Messires qui êtes dedans, voici les maîtres de charpente et de serrurerie qui vont faire sauter les portes. Voyez aussi les arbalétriers de messire de Galard qui cernent le Palais de toutes parts. Nul ne pourra réchapper. Je vous invite une dernière fois à nous bailler l'huis, car si vous ne vous rendez à discrétion, vous aurez tous la tête tranchée, si nobles que vous soyez. Le régent ne fera pas de quartier. »

Puis il abaissa sa visière, ce qui était preuve qu'il ne discuterait plus.

Il devait régner grande panique à l'intérieur car, à peine les ouvriers avaient-ils engagé les leviers sous les portes, celles-ci tournèrent d'elles-mêmes. La garnison du comte de Valois se rendait.

« Il était temps de vous soumettre à sagesse, dit le connétable en pénétrant dans la cour du Palais. Rentrez en vos demeures ou aux hôtels de vos maîtres ; ne vous attroupez pas, et il ne vous sera point fait de mal. »

Une heure plus tard, Philippe de Poitiers occupait les appartements royaux. Il décida aussitôt des mesures de sécurité. La cour du Palais, ordinairement ouverte à la foule, fut close, gardée militairement, et les visiteurs soigneusement filtrés. Les merciers, qui avaient privilège de vendre dans la grande galerie, furent invités à fermer boutique pour la journée.

Lorsque les comtes de Valois et de La Marche arrivèrent à Paris, ils comprirent leur partie perdue.

« Philippe nous a méchamment joués », dirent-ils.

Et ils se hâtèrent, n'ayant plus d'autre issue, d'aller au Palais négocier leur soumission. Ils y trouvèrent autour du comte de Poitiers, une nombreuse assistance de seigneurs, de notables et d'hommes d'Eglise, parmi lesquels l'évêque Marigny toujours prompt à se ranger du côté du pouvoir.

Constatant avec dépit la présence de Coquatrix, de Gentien et de plusieurs bourgeois, Valois dit à mi-voix à Charles de La Marche :

« Votre frère ne durera pas. Il est bien peu assuré de lui-même s'il se sent obligé de s'appuyer sur les hommes du commun. »

Néanmoins, il prit son meilleur air pour s'avancer vers Poitiers et le pria d'excuser l'incident des portes.

« Mes écuyers de garde ne savaient point. Ils avaient reçu consignes sévères... à cause de la reine Clémence... »

Il s'attendait à une solide rebuffade et la souhaitait presque afin de pouvoir entrer en conflit ouvert avec Philippe. Mais celui-ci ne lui offrit pas les avantages d'une brouille et lui répondit, du même ton :

« J'ai dû agir de la sorte, et à grand regret, mon oncle, pour prévenir les entreprises de notre cousin de Bourgogne à qui votre départ avait laissé la place libre. J'en avais reçu nouvelles dans la nuit, à Fontainebleau, et n'ai pas voulu vous éveiller. »

Valois, cherchant à atténuer sa défaite, feignit d'admettre l'explication, et s'efforça même de faire bon visage au connétable qu'il tenait pour l'auteur de toute la machination.

Charles de La Marche, moins habile à dissimuler, gardait les lèvres closes.

Le comte d'Evreux présenta alors la proposition dont il était convenu avec Philippe. Tandis que celui-ci, dans un coin de la salle, feignait de s'entretenir de questions de service avec le connétable et Miles de Noyers, Louis d'Evreux dit :

« Mes nobles seigneurs, et vous tous, messires, je conseille, pour le bien du royaume, et pour y éviter des troubles funestes, que notre bien-aimé neveu Philippe assure le gouvernement, de notre consentement à tous, et qu'il accomplisse les offices royaux au nom de son neveu à naître, si Dieu veut que la reine Clémence mette au monde un fils ; je conseille aussi qu'une assemblée de tous les hauts hommes du royaume se tienne sitôt qu'on la pourra réunir, avec les pairs et les barons, pour approuver notre décision et jurer fidélité au régent. »

C'était l'exacte riposte à la déclaration de Charles de La Marche, la veille, à Fontainebleau, en faveur de Valois. Mais la scène, cette fois, avait été réglée par de meilleurs artistes. Truffée d'hommes fidèles au comte de Poitiers, l'assistance approuva par acclamation. Aussitôt Louis d'Evreux vint mettre les mains dans celles de Philippe.

« Je vous jure fidélité, mon neveu », dit-il en ployant le genou.

Philippe le releva et, lui donnant l'accolade, lui dit à l'oreille :

« Tout se poursuit à merveille ; grand merci, mon oncle. »

Charles de Valois, furieux, grommelait :

« Le roi... Il se prend tout juste pour le roi. »

Mais Louis d'Evreux déjà se tournait vers lui, disant :

« Pardon, mon frère, d'être passé avant votre aînesse. »

Valois n'avait plus qu'à obéir. Il s'approcha, les mains tendues ; le comte de Poitiers les lui laissa en l'air.

« Vous me ferez la grâce, mon oncle, dit-il, de siéger à mon Conseil. »

Valois pâlit. La veille, il signait les ordonnances et les faisait sceller de son sceau. Aujourd'hui on lui offrait comme un grand honneur une place en un Conseil auquel il appartenait de droit.

« Vous me remettrez aussi les clefs du Trésor, ajouta Philippe en baissant la voix. Je sais bien qu'il n'y reste que poussières. Mais de ce peu, je suis désormais garant. »

Valois eut un mouvement de recul ; c'était sa dépossession complète qu'on exigeait de lui.

« Mon neveu, je ne puis, répondit-il. Il me faut faire mettre les comptes au net.

— Je me défends bien, mon oncle, de douter de leur netteté ! dit Philippe avec une ironie à peine perceptible. Gardez-moi de vous faire l'injure d'en demander l'examen. Remettez donc les clefs, et nous vous tiendrons quitte des comptes. »

Valois comprit la menace.

« Soit, mon neveu, ces clefs vous seront portées tout à l'heure. »

Philippe alors étendit les mains pour recevoir l'hommage de son plus puissant rival.

Le connétable de France s'approchait à son tour.

« A présent, Gaucher, lui souffla Philippe, il nous faut nous occuper du Bourguignon. »

VIII

LES VISITES DU COMTE DE POITIERS

Le comte de Poitiers ne se berçait pas d'illusions. Il venait de remporter un premier succès, spectaculaire, rapide ; mais il savait que ses adversaires n'allaient pas désarmer si aisément.

Aussitôt qu'il eut reçu de Mgr de Valois un serment de fidélité qui n'était que de bouche, Philippe traversa le Palais pour aller saluer sa belle-sœur Clémence. Il était accompagné d'Anseau de Joinville et de la comtesse Mahaut. Hugues de Bouville, en apercevant Philippe, fondit en larmes et tomba à genoux, lui baisant les mains. L'ancien chambellan s'était abstenu de paraître à la réunion de l'après-midi ; il n'avait pas quitté son poste ni lâché son épée pendant toutes ces dernières heures, et il était passé par de rudes transes pendant que le connétable assiégeait le Palais.

« Pardonnez-moi, Monseigneur, pardonnez-moi cette faiblesse ; c'est la joie de vous voir de retour... disait-il en mouillant de ses pleurs les doigts du régent.

— Faites donc, mon bon, faites donc », répondit Philippe.

Le vieux sire de Joinville ne reconnut pas le comte de Poitiers. Il ne reconnut pas davantage d'ailleurs son propre fils, et quand on lui eut répété par trois fois qui ils étaient, il les confondit et s'inclina cérémonieusement devant l'héritier de son nom.

Bouville ouvrit la porte de la chambre de la reine. Mais, comme Mahaut se disposait à suivre Philippe, le curateur, retrouvant son énergie, dit avec autorité :

« Vous seul, Monseigneur, vous seul ! »

Et il referma la porte au nez de la comtesse.

La reine Clémence était pâle, lasse et visiblement hors des préoccupations qui agitaient si fort la cour et la population de Paris. Elle ne put, en voyant le comte de Poitiers venir à elle les mains tendues, s'empêcher de penser : « Si ç'avait été lui à qui l'on m'eût mariée, je ne serais pas veuve aujourd'hui. Pourquoi Louis ? Pourquoi pas Philippe ? » Elle essayait d'interdire à sa pensée cette sorte de questions qui lui paraissaient autant de reproches au Créateur tout-puissant. Mais rien, même la piété, ne pouvait défendre une veuve de vingt-trois ans de se demander pour quelle raison les autres jeunes hommes, les autres maris, étaient vivants !

Philippe l'informa de sa prise de régence et l'assura de son entier dévouement.

« Oh ! oui, mon frère, oh ! oui, murmura-t-elle, aidez-moi ! »

Elle voulait dire, sans bien savoir comment s'exprimer : « Aidez-moi à vivre, aidez-moi à me sauver du désespoir, aidez-moi à mettre au monde cet enfant que je porte et qui est tout ce qui me rattache désormais à la terre. »

« Pourquoi notre oncle Valois, reprit-elle, m'a-t-il fait quitter presque de force ma maison de Vincennes ? Louis me l'avait donnée dans son dernier souffle.

— Vous souhaitez donc y retourner ? demanda Poitiers.

— C'est mon seul désir, mon frère ! Je m'y sentirais plus forte. Et mon enfant naîtrait au plus près de l'âme de son père, au lieu où elle a quitté le monde. »

Philippe ne prenait aucune décision, même secondaire, à la légère. Il regarda, à travers la fenêtre, la flèche de la Sainte-Chapelle, dont les lignes un peu incertaines et brouillées se dressaient devant ses yeux myopes.

« Si je lui donne cette satisfaction, pensait-il, elle m'en saura gré, me tiendra pour son défenseur et me laissera décider de toutes choses pour elle. D'autre part, mes adversaires l'atteindront moins aisément à Vincennes qu'ici et pourront moins l'utiliser contre moi. D'ailleurs, dans le douloir où elle est, elle ne saurait servir à personne. »

« Je veux, ma sœur, vous satisfaire en tout, répondit-il. Aussitôt que l'assemblée des hauts hommes m'aura confirmé dans ma charge, mon premier soin sera de vous reconduire à Vincennes. Nous sommes lundi, l'assemblée, que je fais presser, se tiendra sans doute vendredi. Pour le prochain dimanche, vous écouterez, je pense, la messe en votre maison.

— Je savais, Philippe, que vous étiez un bon frère. Votre retour est le premier apaisement que Dieu m'accorde. »

Au sortir de l'appartement de la reine, Philippe rejoignit sa belle-mère et Anseau de Joinville qui l'attendaient. Mahaut s'était prise de bec avec Bouville et arpentait, de son grand pas d'homme, les dalles d'une galerie, devant les écuyers de garde.

« Alors, comment est-elle ? demanda-t-elle à Philippe.

— Pieuse et résignée, et bien digne de donner à la France un roi », répondit le comte de Poitiers de manière que ses paroles pussent atteindre toutes les oreilles environnantes.

Puis, à mi-voix, il ajouta :

« Je ne crois pas, en l'état de faiblesse qu'elle montre, qu'elle conduise l'enfant jusqu'à terme.

— Ce serait bien le meilleur cadeau qu'elle pourrait nous faire, et les choses seraient plus faciles à régler, répondit Mahaut de la même façon. Et puis l'on en finirait de toute cette défiance et de cet appareil de guerre qui l'entoure. Depuis quand les pairs du royaume n'ont-ils plus accès auprès de la reine ? J'ai été veuve aussi, que diable, et l'on pouvait m'approcher pour les affaires de gouvernement ! »

Philippe, qui n'avait pas encore vu sa femme depuis son retour, accompagna Mahaut à l'hôtel d'Artois.

« Le temps de votre absence a fort pesé à ma fille, dit Mahaut. Mais vous allez la voir fraîche à ravir. Nul ne croirait qu'elle est à la veille de livrer son fruit. J'étais ainsi en mes grossesses, alerte jusqu'au dernier jour. »

Les retrouvailles du comte de Poitiers et de sa femme furent émues, bien que sans larmes. Jeanne, fort lourde, se déplaçait avec gêne, mais elle offrait tous les signes de la santé et du bonheur. La nuit était venue, et la lueur des chandelles, seyante au teint, estompait sur le visage de la jeune femme les marques de son état. Elle portait un collier de corail rouge, le corail étant réputé pour son action bénéfique sur les accouchements.

Ce fut en présence de Jeanne que Philippe eut la conscience véritable des succès remportés et qu'il s'accorda la satisfaction de soi-même. Entourant du bras l'épaule de son épouse, il lui dit :

« Je crois bien, ma douce amie, que je puis vous appeler désormais Madame la régente.

— Fasse Dieu, mon beau sire, que je vous donne un fils, répondit-elle en s'alanguissant un peu contre le corps maigre et robuste de son mari.

— Dieu mettrait le comble à ses grâces, lui murmura Philippe à l'oreille, en ne le faisant naître qu'après vendredi. »

Une discussion s'ouvrit bientôt entre Mahaut et Philippe. La comtesse d'Artois estimait que sa fille devait se transporter au Palais dans l'instant afin d'y partager le logis de son époux. Celui-ci était d'avis contraire et désirait que Jeanne restât à l'hôtel d'Artois. Il avançait plusieurs arguments, fort bons en soi, mais qui ne découvraient pas le fond de sa pensée, et qui d'ailleurs ne convainquirent pas Mahaut. Le Palais pouvait être dans les jours à venir le siège d'assemblées violentes et de tumultes nuisibles à une parturiente ; d'autre part, Philippe estimait plus séant d'attendre, pour installer Jeanne au Palais royal, que Clémence eût regagné Vincennes.

« Mais il se peut que demain Jeanne soit empêchée tout à fait de bouger, fit remarquer Mahaut. N'avez-vous donc point désir que votre enfant voie le jour au Palais ?

— C'est cela justement que je voudrais éviter.

— Là, vraiment, je ne vous comprends point, mon fils », dit Mahaut en haussant ses puissantes épaules.

Cette controverse lassait Philippe. Il n'avait pas dormi depuis trente-six heures, avait parcouru la nuit précédente quinze lieues à cheval, et vécu ensuite la journée la plus difficile, la plus mouvementée de sa vie. Il sentait sa barbe pousser et ses paupières, par instants, se fermer d'elles-mêmes. Mais il était décidé à ne pas céder. « Mon lit, pensait-il. Que l'on m'obéisse et que je gagne mon lit ! »

« Prenons donc l'avis de Jeanne. Que souhaitez-vous, ma mie ? » demanda-t-il.

Mahaut avait une intelligence d'homme, une volonté d'homme, et un souci constant d'affirmer le prestige de sa race. Jeanne, de nature toute différente et infiniment plus réservée, semblait jusque-là désignée par le destin à n'occuper que les secondes places, et cela dans les honneurs comme dans les drames. D'abord fiancée à Louis Hutin pour être donnée ensuite, par une sorte d'échange, au second fils de Philippe le Bel, elle avait donc pu se croire un moment promise à devenir reine et de Navarre et de France, avant de se voir supplantée par sa cousine Marguerite. Mêlée du plus près au scandale de la tour de Nesle, elle avait côtoyé l'adultère mais sans le commettre ; et dans le châtiment, la réclusion perpétuelle lui avait été épargnée. Or, tandis que Marguerite, assassinée dans sa prison, n'était plus que poussière, tandis que Blanche continuait de se morfondre, toujours incarcérée, elle, à présent, avait retrouvé son époux, sa famille et sa situation à la cour. Instruite à la prudence par son année de détention à Dourdan, elle entendait ne rien compromettre. Il ne lui importait pas particulièrement que son enfant naquît au Palais ; et désireuse surtout de complaire à son mari, dont elle devinait que l'insistance se fondait sur de solides raisons, elle répondit :

« C'est ici, ma mère, que je souhaite faire mes couches. Je m'y sentirai mieux. »

Philippe la remercia d'un sourire. Assis dans un grand siège à dossier droit, les jambes allongées et croisées, il s'enquit du nom des matrones et ventrières qui devaient assister Jeanne, voulant savoir d'où chacune venait, et si l'on pouvait leur accorder toute confiance. Il recommanda qu'on leur fît prêter serment, précaution qu'on ne prenait d'ordinaire que pour les accouchements royaux.

« Que voilà un bon époux qui prend grand soin de moi », pensait Jeanne en l'écoutant.

Philippe exigea aussi que, dès l'instant où la comtesse de Poitiers entrerait dans les douleurs, les portes de l'hôtel d'Artois fussent fermées. Nul n'en devait plus sortir à l'exception d'une seule personne chargée de lui porter la nouvelle de la naissance...

« ... vous, dit-il en désignant Béatrice d'Hirson qui assistait à l'entretien. Les ordres seront donnés à mon chambellan pour que vous puissiez me joindre à toute heure, même si je suis en Conseil. Et s'il se trouve compagnie autour de moi, vous ne me ferez l'annonce qu'à voix basse, sans en souffler mot à autrui... si c'est un fils. Je me fie à vous car je me rappelle que vous m'avez déjà bien servi.

— Et davantage encore que vous ne le pensez... Monseigneur... », répondit Béatrice en inclinant légèrement la tête.

Mahaut lança un regard furieux à Béatrice comme pour la rappeler à l'ordre. Cette fille, avec ses airs dolents, sa fausse naïveté, ses sournoises audaces, la faisait trembler. Mais Béatrice continuait de sourire. Le jeu des deux visages n'échappa pas à Jeanne. Entre sa mère et la demoiselle de parage, elle sentait une épaisseur de secrets qu'elle préférait ne pas chercher à percer.

Elle tourna les yeux vers son mari. Celui-ci ne s'était aperçu de rien. La nuque appuyée au dossier de son siège, il venait de s'endormir d'un coup, foudroyé par le sommeil des victoires. Sur son long visage, d'ordinaire sévère, paraissait une expression de douceur attentive qui permettait d'imaginer l'enfant qu'il avait été. Jeanne, émue, s'approcha d'un pas prudent et vint lui poser au front un baiser sans poids.

IX

L'ENFANT DU VENDREDI

Dès le lendemain, le comte de Poitiers se mit à la préparation de l'assemblée du vendredi. S'il en sortait vainqueur, nul ne serait plus en mesure, pour de longues années, de lui contester le pouvoir.

Il dépêcha messagers et chevaucheurs pour convoquer, comme on en était convenu, tous les hauts hommes du royaume — tous ceux, en fait, qui ne se trouvaient pas à plus de deux journées de cheval, ce qui offrait l'avantage, d'une part, de ne pas laisser la situation se détériorer, et d'autre part d'éliminer certains grands vassaux dont Philippe pouvait redouter l'hostilité, tels le comte de Flandre et le roi d'Angleterre.

En même temps, il confiait à Gaucher de Châtillon, à Miles de Noyers et à Raoul de Presles le soin de rédiger le règlement de régence qui serait soumis à l'assemblée. S'appuyant sur les décisions déjà acquises, on fixa les principes suivants : le comte de Poitiers administrerait la France et la Navarre, avec le titre provisoire de régent, gouverneur et gardien, et percevrait tous les revenus royaux. Si la reine Clémence mettait au monde un fils, celui-ci naturellement serait roi, et Philippe conserverait la régence jusqu'à la majorité de son neveu. Mais si Clémence accouchait d'une fille... Toutes les difficultés commençaient à cette hypothèse.

Car dans ce cas la couronne devait normalement revenir à la petite Jeanne de Navarre, fille de Marguerite et de Louis X. Mais était-elle vraiment la fille de Louis ? La cour tout entière, durant ces journées-là, se posait la question.

Sans la découverte, provoquée par Isabelle d'Angleterre et Robert d'Artois, des coupables amours de Marguerite, sans la publicité du scandale, du jugement, des condamnations, les droits de Jeanne de Navarre n'eussent pu être discutés. En l'absence d'héritier mâle, elle devenait reine de France. Mais il pesait sur elle de lourdes présomptions de bâtardise que Charles de Valois et Louis X lui-même s'étaient complu à étayer, à l'occasion du remariage, et dont les partisans de Philippe en la circonstance ne manquèrent pas de tirer parti.

« Elle est la fille de Philippe d'Aunay », disait-on ouvertement.

Ainsi l'affaire de la tour de Nesle, sans avoir jamais eu le caractère abominablement orgiaque et criminel que lui prêtait l'imagination populaire, posait, deux ans après qu'elle eut éclaté, et dans sa banale réalité d'adultère, un problème d'exceptionnelle gravité pour la dynastie française.

Quelqu'un proposa de décider que la couronne serait de toute manière attribuée à l'enfant de Clémence, fille ou garçon.

Philippe de Poitiers fit grise mine à cette suggestion. Certes, les soupçons qui entouraient Jeanne de Navarre étaient fortement fondés ; mais on n'en possédait aucune preuve absolue. En dépit des pressions exercées sur elle et des marchés mis en main, Marguerite n'avait jamais signé aucune déclaration qui conclût à l'illégitimité de Jeanne. La lettre datée de la veille de sa mort, et qui avait été utilisée au procès de Marigny, affirmait le contraire. Il était bien évident que ni la vieille Agnès de Bourgogne ni son fils Eudes IV, le duc actuel, n'accepteraient de souscrire à l'éviction de leur petite-fille et nièce. Le comte de Flandre ne manquerait de prendre leur parti et sans doute avec lui le comte de Champagne. On exposait la France au risque d'une guerre civile.

« Alors, dit Gaucher de Châtillon, décrétons tout bonnement que les filles sont écartées de la couronne. Il doit bien y avoir quelque coutume sur laquelle on puisse s'appuyer.

— Hélas ! répondit Miles de Noyers, j'ai déjà fait chercher, car votre idée m'était aussi venue, mais l'on ne trouve rien.

— Qu'on cherche davantage ! Mettez à ce soin vos amis, les maîtres de l'Université et du Parlement. Ces gens-là dénichent coutume pour tout, et dans le sens qu'on veut, s'ils s'en donnent la peine. Ils remontent à Clovis pour prouver qu'on vous doit fendre la tête, ou rôtir les pieds, ou trancher le meilleur.

— Il est vrai, dit Miles, que je n'avais pas fait rechercher si haut. Je ne pensais qu'aux coutumes établies depuis Hugues. Il faudrait aller voir plus anciennement. Mais nous n'avons guère le temps d'ici à vendredi. »

Obstiné, le connétable, balançant son menton carré et plissant ses paupières de tortue, poursuivit :

« En vérité ce serait folie que de laisser fille monter au trône ! Voyez-vous dame ou donzelle commander les armées, impure chaque mois, grosse chaque année ? Et tenir tête aux vassaux, alors qu'elles ne sont point même capables de faire taire les chaleurs de leur nature ? Non, moi je ne vois point cela, et je rendrais tout aussitôt mon épée. Messeigneurs, je vous le dis, la France est trop noble royaume pour tomber en quenouille et être remis à femelle. Les lis ne filent pas ! »

Cette dernière formule frappa fortement les esprits.

Philippe de Poitiers donna son accord à une rédaction assez tortueuse, qui remettait les décisions à de lointaines échéances.

« Faisons en sorte que les questions soient posées, mais sans préjuger des réponses, dit-il. Laissons une ouverture aux espérances de chacun puisque aussi bien tout dépend d'une chose à venir et encore inconnue. »

A supposer donc que la reine Clémence accouchât d'une fille, Philippe garderait la régence jusqu'à la majorité de sa nièce aînée, Jeanne. A cette date seulement serait réglée la succession, soit au profit des deux princesses qui se partageraient alors France et Navarre, soit au profit de l'une d'elles en faveur de qui serait maintenue la réunion des deux couronnes, soit au profit d'aucune si elles renonçaient à leurs droits, ou encore si l'assemblée des pairs, convoquée pour en débattre, estimait que femme ne pouvait régner sur le royaume de France. Dans ce cas, la couronne irait au plus proche parent mâle du dernier roi... c'est-à-dire à Philippe. Ainsi, la candidature de celui-ci était pour la première fois officiellement avancée, mais soumise à tant de préalables qu'elle n'apparaissait que comme une solution éventuelle de compromis et d'arbitrage.

Ce règlement, présenté individuellement aux principaux barons favorables à Philippe, reçut leur acquiescement.

Seule Mahaut témoigna une réticence, bien étrangement, devant un acte qui, en fait, laissait envisager l'accession de son gendre et de sa fille au trône de France. Quelque chose dans la rédaction la chagrinait.

« Ne pourriez-vous, dit-elle, déclarer simplement : « Si les deux filles renoncent... » sans demander aux pairs de décider si femelle doit régner ?

— Eh ! ma mère, répondit Philippe, autrement, elles ne renonceront point. Les pairs, dont vous faites partie, sont la seule assemblée de recours. A l'origine, ils étaient électeurs du roi, comme les cardinaux le sont du pape, ou les Palatins de l'Empereur, et c'est ainsi qu'ils choisirent Hugues notre ancêtre, qui était duc de France. Si à présent ils n'élisent plus, c'est que pendant trois cents ans nos rois ont toujours eu fils à asseoir au trône [8].

— C'est coutume qui vient de la chance ! répliqua Mahaut. Votre règlement, qui prévoit d'éloigner les femmes, va servir tout juste les prétentions de mon neveu Robert. Vous verrez qu'il ne manquera pas d'en user pour essayer de me dépouiller de mon comté. »

Elle ne songeait qu'à sa querelle successorale d'Artois, et plus du tout à la France.

« Coutume de royaume n'est pas coutume de fief, ma mère. Et vous garderez mieux votre comté avec votre beau-fils régent, ou peut-être roi, qu'avec arguments de légistes. »

Mahaut s'inclina, sans être convaincue.

« Voilà bien la gratitude des gendres, dit-elle un peu plus tard à Béatrice d'Hirson. On leur empoisonne un roi pour leur laisser la place, et aussitôt ils n'en font qu'à leur guise, sans tenir compte de rien !

— C'est que, Madame, il ne sait justement point ce qu'il vous doit, ni comment notre sire Louis est parti.

— Et il ne faut pas qu'il le sache, Seigneur ! s'écria Mahaut. C'était son frère, après tout, et mon Philippe a de curieux mouvements de justice. Tiens ta langue, de grâce, tiens ta langue ! »

Durant ces mêmes journées, Charles de Valois, aidé de Charles de La Marche et de Robert d'Artois, s'agitait fort, disant partout et faisant dire que c'était démence de confirmer le comte de Poitiers dans la régence, et plus encore de le désigner comme héritier présomptif.

Philippe et sa belle-mère avaient trop d'ennemis ; et la disparition de Louis X servait trop bien leurs intentions, maintenant avouées, pour que cette mort suspecte ne fût pas leur œuvre. Valois, lui, offrait d'autres garanties. Allié de toujours du roi de Naples, nul mieux que lui n'était à même de résoudre les problèmes regardant Clémence et la maison d'Anjou. Ayant servi la papauté romaine, il avait conservé la confiance des cardinaux italiens, sans lesquels, on le voyait bien, un pape ne se pouvait élire, et cela en dépit même des mauvais procédés qui consistaient à murer le conclave dans une église. Les anciens Templiers se rappelaient que Valois n'avait jamais approuvé la suppression de leur ordre ; les Flamands ne cachaient pas qu'ils aimeraient négocier avec lui.

Quand Philippe eut connaissance de cette campagne, il chargea ses familiers de répondre qu'il était bien étonnant, en vérité, de voir l'oncle du roi s'appuyer, pour réclamer le pouvoir, sur les cours étrangères ou sur les adversaires du royaume, et que si l'on voulait voir le pape à Rome, la France aux mains des Angevins, le Temple ressuscité, et les Flamands tout à fait émancipés, il fallait sans tarder offrir la régence au comte de Valois.

Enfin arriva le décisif vendredi où devait se tenir l'assemblée. A l'aurore, Béatrice d'Hirson se présenta au Palais et fut immédiatement introduite dans la chambre du comte de Poitiers. La demoiselle de parage était un peu essoufflée d'avoir couru depuis la rue Mauconseil. Philippe se dressa sur ses oreillers.

« Mâle ? demanda-t-il.

— Mâle, Monseigneur, et fort bien membré », répondit Béatrice en jouant des cils.

Philippe se vêtit à la hâte et se précipita à l'hôtel d'Artois.

« Les portes, les portes ! Que les portes restent closes ! dit-il dès qu'il fut entré. A-t-on bien veillé à mes ordres ? Personne, hormis Béatrice, n'est sorti ? Qu'il en soit ainsi pour tout le jour. »

Puis il s'élança dans l'escalier. Il avait perdu cette raideur et cette componction auxquelles d'ordinaire il se forçait un peu.

La « chambre de gésine », ainsi qu'il était d'usage dans les familles princières, avait été somptueusement décorée. De hautes tapisseries d'Arras, aux vives couleurs, recouvraient entièrement les murs, et le sol était jonché de fleurs, iris, roses et marguerites, que l'on écrasait en marchant. L'accouchée, pâle, les yeux brillants et le visage encore défait, reposait dans un grand lit entouré de courtines de soie, sous des draps blancs qui traînaient à terre de la longueur d'une aune. Dans les angles de la pièce se trouvaient deux couchettes, également pourvues de rideaux de soie, et destinées l'une à la ventrière assermentée et l'autre à la berceresse de garde.

Philippe se dirigea droit vers le berceau d'apparat, et se pencha fort bas pour bien voir ce fils qui venait de lui naître. Affreux et pourtant attendrissant, comme tout enfant dans ses premières heures, rougeaud, ridé, les yeux collés et la lèvre baveuse, avec une infime mèche de cheveux blonds pointant sur son crâne chauve, le bébé dormait, emmailloté jusqu'aux épaules dans des bandelettes croisées étroitement serrées.

« Ainsi le voilà donc, mon petit Louis-Philippe que je souhaitais tant et qui arrive à point si bien nommé [9]. »

Seulement alors, le comte de Poitiers s'approcha de sa femme, la baisa aux joues, et lui dit, d'un ton de profonde gratitude :

« Grand merci, ma mie, grand merci. Vous me donnez belle joie, et ceci efface à jamais de ma pensée nos dissentiments de jadis. »

Jeanne saisit la longue main de son mari, l'approcha de ses lèvres, s'y caressa le visage.

« Dieu nous a bénis, Philippe ; Dieu a béni nos retrouvailles de l'automne », murmurait-elle.

Elle portait toujours son collier de corail.

La comtesse Mahaut, les manches relevées sur des avant-bras pourvus d'un solide duvet, assistait à la scène en triomphatrice. Elle se frappa la panse d'un geste énergique.

« Eh! mon fils, s'écria-t-elle. Ne vous l'avais-je pas dit ? Ce sont bons ventres que ceux d'Artois et de Bourgogne. »

Philippe revint au berceau.

« Ne le pourrait-on délanger que je le voie mieux ? demanda-t-il.

— Monseigneur, répondit la ventrière, ce n'est point à conseiller. Les membres d'enfant sont moult tendres et doivent rester liés autant qu'il se peut, pour les enforcir et les empêcher de se tordre. Mais soyez sans crainte, Monseigneur, nous l'avons bien frotté de sel et de miel, et enveloppé de roses pilées pour lui ôter l'humeur glueuse, et il a eu tout le dedans de la bouche passé au miel avec le doigt, afin de lui donner

appétit et douceur. Soyez sûr qu'il est bien choyé.
— Et votre Jeanne aussi, mon fils, ajouta Mahaut. Je l'ai fait oindre de bon onguent mêlé de fiente de lièvre, pour lui resserrer le ventre selon les recettes de maître Arnaud.
— Mais, ma mère, dit l'accouchée, je croyais que c'était recette pour femme stérile ?
— Bah ! La fiente de lièvre est bonne pour tout », répliqua la comtesse.
Philippe continuait à contempler son héritier.
« Ne trouvez-vous point qu'il ressemble fort à mon père ? dit-il. Il en a le haut front.
— Peut-être bien, répondit Mahaut. A la vérité, je lui voyais plutôt les traits de feu mon brave Othon... Qu'il ait leur force d'âme et de corps, à tous deux, voilà ce que je lui souhaite.
— C'est surtout à vous, Philippe, qu'il ressemble », dit Jeanne doucement.
Le comte de Poitiers se redressa avec quelque fierté.
« A présent, dit-il, je pense que vous comprenez mieux mes ordres, ma mère, et pourquoi je vous demande de tenir vos portes fermées. Nul ne doit savoir encore que j'ai un fils. Car on dirait en ce cas que j'ai fabriqué le règlement de succession tout exprès pour lui assurer le trône après moi, si Clémence ne donne point de mâle ; et j'en connais quelques-uns, mon frère Charles le premier, qui regimberaient, à voir si tôt leurs espérances coupées. Si donc vous voulez garder à cet enfant sa chance de devenir roi, pas un mot à quiconque, tout à l'heure, dans l'assemblée.
— C'est vrai qu'il y a l'assemblée ! Ce gaillard-

là me le faisait oublier ! s'écria Mahaut en tendant la main vers le berceau. Il est grand temps de me parer et d'avaler un morceau pour être d'attaque. Je me sens toute creuse, à avoir été si tôt éveillée. Philippe, vous allez bien me faire raison. Béatrice, Béatrice ! »

Elle frappa dans ses paumes, et réclama un pâté de brochet, des œufs bouillis, du fromage blanc aux épices, de la confiture de noix, des pêches et du vin blanc de Château-Chalon.

« C'est vendredi ; il faut faire maigre », dit-elle.

Le soleil, apparaissant par-dessus les toits de la ville, inonda de lumière cette famille heureuse.

« Mange un peu. Du pâté de brochet, cela ne peut te peser », disait Mahaut à sa fille.

Philippe se leva bientôt, pour aller mettre la dernière main aux préparatifs de la réunion.

« Ma mie, on ne viendra point vous porter compliments aujourd'hui, dit-il à Jeanne en montrant les coussins disposés en demi-cercle autour du lit pour les visiteurs. Mais je gage que vous aurez grand monde demain. »

Au moment où il allait sortir, Mahaut le rattrapa par la manche.

« Mon fils, songez un peu à Blanche, qui est toujours à Château-Gaillard. C'est la sœur de votre épouse.

— J'y songerai, j'y songerai. Je verrai à lui faire sort meilleur. »

Et il s'éloigna, emportant à sa semelle un iris écrasé.

Mahaut referma la porte.

« Allons, les berceresses, s'écria-t-elle, chantonnez un peu ! »

X

L'ASSEMBLEE DES TROIS DYNASTIES

Du fond de ses appartements, la reine Clémence entendit les « hauts hommes » se rendre à l'assemblée ; le tumulte de leurs voix se répercutait sous les voûtes et dans les cours.

La réclusion de quarante jours, que les rites du deuil imposaient à la reine, venait de prendre fin la veille. Clémence, ingénument, avait cru la date de la réunion choisie tout exprès pour lui permettre d'y assister. Aussi s'était-elle préparée à cette réapparition solennelle avec intérêt, curiosité, impatience même, et comme si elle reprenait goût à vivre. Mais, à la dernière minute, un conseil de médecins, parmi lesquels les physiciens personnels du comte de Poitiers et de la comtesse Mahaut, lui avait interdit de s'exposer à une fatigue jugée dangereuse pour son état.

Cette décision, en vérité, satisfaisait les divers partis de la cour, car personne ne se souciait de faire valoir les droits de Clémence à la régence. Pourtant, puisque l'on cherchait avec tant d'opiniâtreté, dans les coutumes du royaume, des précédents dont s'inspirer, on ne pouvait manquer de se souvenir d'Anne de Kiev, veuve d'Henri Ier, partageant le gouvernement avec son beau-frère Beaudoin de Flandre « par cette qualité indélébile qui lui avait été conférée par le sacre » ; et l'exemple, plus proche encore, de la reine Blanche de Castille, était présent aux mémoires [10].

Mais le dauphin de Viennois, beau-frère de Clémence et le plus naturellement désigné pour la défendre, avait partie liée avec Philippe de Poitiers.

Mais Charles de Valois, bien qu'il se donnât comme le grand protecteur de sa nièce, ne songeait qu'à travailler pour lui-même.

Mais le duc Eudes de Bourgogne, qui était là, ainsi qu'il le déclarait, en représentant de la succession de sa sœur Marguerite, souhaitait en premier chef l'éviction de Clémence.

Restée trop peu de mois au trône pour s'y être fait connaître et y avoir pris ascendant sur les barons, la belle Angevine n'était déjà plus considérée que comme la survivante d'un règne bref, troublé, et à maints égards calamiteux.

« Elle n'a pas porté chance au royaume », disait-on.

Et si l'on tenait compte d'elle en tant que future mère, on lui marquait bien que comme reine elle avait cessé d'exister.

Enfermée dans l'aile du palais, elle entendit décroître les voix ; l'assemblée entrait en séance dans la salle du Grand Conseil dont on fermait les portes.

« Mon Dieu, mon Dieu, pensa-t-elle, pourquoi ne suis-je pas restée à Naples ! »

Et elle se mit à sangloter en songeant à son enfance, à la mer bleue, à ce peuple grouillant, bruyant, généreux, compatissant à la douleur, *son* peuple qui savait si bien aimer...

Pendant ce temps, Miles de Noyers lisait aux barons le règlement de succession.

Le comte de Poitiers avait pris soin de ne s'entourer d'aucun des attributs de la majesté royale. Son faudesteuil était au centre de l'estrade, mais il avait refusé qu'on le surmontât d'un dais. Lui-même était vêtu d'étoffe sombre et sans aucun ornement. Il semblait dire : « Messeigneurs, nous sommes ici en conseil de travail. » Simplement, trois sergents massiers se tenaient debout derrière son siège. Il assurait l'exercice de la souveraineté, sans pour autant s'en prétendre investi. Mais il avait soigneusement préparé la salle et fait à chacun assigner sa place par les chambellans, selon un cérémonial à la fois assez arbitraire et assez roide où les assistants retrouvaient les façons de Philippe le Bel.

A la droite de Philippe était assis Charles de Valois, et aussitôt après le connétable Gaucher de Châtillon, ceci pour surveiller l'ex-empereur de Constantinople et l'isoler de son clan. Philippe de Valois était relégué à six rangs de son père. A main gauche, Poitiers avait mis son oncle Louis d'Evreux, puis son frère Charles de La Marche, empêchant de la sorte celui-ci de pouvoir se concerter avec Valois en cours de séance et revenir sur la parole par eux donnée quatre jours plus tôt.

Mais l'attention du comte de Poitiers se tournait surtout vers son cousin le duc de Bourgogne, placé en retour d'estrade, et qu'il avait flanqué de la comtesse Mahaut, du dauphin de Viennois, du comte de Savoie et d'Anseau de Joinville.

Philippe savait que le jeune duc allait parler au nom de sa mère, la duchesse Agnès, à laquelle sa qualité de fille de saint Louis conférait, même absente, un grand prestige sur les seigneurs. Tout ce qui touchait au souvenir de Louis IX était objet de vénération ; et les rares survivants qui pouvaient témoigner de l'avoir vu ou servi, qui avaient recueilli sa parole ou reçu son affection, se trouvaient revêtus d'un caractère un peu sacré.

Il suffirait à Eudes de Bourgogne de dire : « Ma mère, fille de notre Sire saint Louis qui la bénit au front avant d'aller mourir en terre infidèle... » pour bouleverser l'assistance.

Aussi, afin de faire échec à cette manœuvre, Philippe de Poitiers avait fait surgir dans son jeu une pièce maîtresse et tout inattendue : Robert de Clermont, l'autre survivant des onze enfants du roi canonisé, le sixième et dernier fils. Voulait-on absolument la caution de saint Louis ? Eh bien, Poitiers la produisait !

Or, la présence de Robert de Clermont était d'autant plus marquante et impressionnante qu'il ne se montrait plus à la cour depuis bien longtemps ; sa dernière apparition remontait à près de cinq ans ; son existence était presque oubliée, et, lorsqu'on s'en souvenait, nul n'osait en parler qu'à voix basse.

En effet, le grand-oncle Robert était fou, depuis qu'à l'âge de vingt-quatre ans il avait reçu un coup de masse d'armes sur la tête. Folie frénétique, mais intermittente, avec de longues périodes d'accalmie qui avaient permis à Philippe le Bel de se servir de lui, parfois, pour des missions décoratives. Cet homme-là n'était pas dangereux par ce qu'il disait ; il parlait à peine. Il était dangereux par ce qu'il pouvait faire, car rien ne signalait jamais qu'une crise allait le saisir et le jeter, glaive en main, contre ses familiers. Il offrait alors le pénible spectacle d'un seigneur de soixante-deux ans, aussi majestueux d'aspect que noble de race, qui soudain fendait les meubles, tranchait les tentures, et poursuivait les femmes de service devenues ses adversaires en tournoi [11].

Le comte de Poitiers l'avait fait asseoir sur l'autre aile de l'estrade, en pendant au duc de Bourgogne, et à proximité d'une porte. Deux écuyers monumentaux se tenaient à courte distance, chargés de le ceinturer à la moindre alerte. Clermont laissait flotter un regard méprisant, ennuyé, absent, qui se fixait soudain sur un visage, avec l'inquiétude douloureuse des souvenirs irretrouvables, puis s'éteignait. On l'observait, et sa vue causait un vague malaise.

Tout auprès de ce fol siégeait son fils, Louis de Bourbon, lequel était boiteux, ce qui semblait l'avoir toujours gêné pour attaquer en bataille, mais non pas pour fuir, ainsi qu'il l'avait montré à Courtrai. Dégingandé, contrefait et couard, Bourbon, en revanche, n'était pas dépourvu de clairvoyance ; aussi venait-il de rallier, comme à son ordinaire, la protection du parti le plus fort.

De ces deux princes, l'un pris à la tête et l'autre aux jambes, descendrait la longue lignée des Bourbons.

Ainsi, en cette assemblée du 16 juillet 1316,

se trouvaient réunies les trois branches capétiennes qui allaient pour cinq siècles encore régner sur la France. Les trois dynasties pouvaient ce jour-là se contempler, en leur fin ou en leur souche : celle des Capétiens directs qui s'éteindrait bientôt par Philippe de Poitiers et Charles de La Marche ; celle des Valois, qui, avec le fils de Charles, prendrait la suite pour treize règnes ; celle enfin des Bourbons, qui n'apparaîtrait au trône qu'à l'extinction des Valois, lorsqu'il faudrait remonter une fois encore à la descendance de saint Louis pour désigner un roi. Chaque rupture de dynastie s'accompagnerait de guerres épuisantes, dévastatrices. Et chaque race se terminerait par trois frères...

La combinaison entre les actes des hommes et l'imprévu des destins ne cessera jamais d'étonner. Toute l'histoire de la monarchie française, pendant cinq siècles, avec ses grandeurs et ses drames, devait découler du règlement de succession que Miles de Noyers, ancien maréchal de l'ost et conseiller au Parlement, achevait de lire aux « hauts hommes du royaume » ce 16 juillet-là.

Alignés sur des bancs ou adossés aux murs, barons, prélats, grands officiers, docteurs, juristes et délégués des bourgeois de Paris avaient écouté attentivement. Philippe de Poitiers les regardait, plissant les yeux pour combattre sa myopie qui brouillait un peu les visages et estompait le contour des groupes.

« J'ai un fils ; j'ai un fils, se disait-il avec bonheur, et ils ne l'apprendront que demain. » Il se disposait à soutenir l'attaque du duc de Bourgogne. Or, l'assaut vint d'un autre côté.

Il y avait en cette assemblée un homme dont rien ne pouvait avoir raison, que la noblesse du sang n'impressionnait pas car il était du meilleur, qui ne s'inclinait pas devant la force car il était capable de renverser un bœuf, et sur lequel n'avait prise aucune combinaison autre que celles échafaudées par lui-même. Ce personnage était Robert d'Artois. Ce fut lui, aussitôt que Miles de Noyers eut terminé la lecture, qui se leva pour engager le combat, sans s'être concerté avec personne.

Comme chacun, ce jour-là, faisait étalage de sa famille, Robert d'Artois avait amené sa mère, Blanche de Bretagne, une toute petite femme au visage mince, aux cheveux blancs, aux membres frêles, et qui semblait constamment stupéfaite d'avoir donné le jour à une telle merveille de géant.

Coudes écartés, et les pouces passés dans sa ceinture d'argent, Robert d'Artois lança :

« Je m'ébaubis, Messeigneurs, qu'on nous vienne offrir un nouveau règlement de régence, de toutes pièces fabriqué pour le propos, alors qu'il en existe déjà un, dicté par notre dernier roi. »

Les yeux se tournèrent vers le comte de Poitiers, et certains des assistants se demandèrent avec inquiétude si l'on n'avait pas escamoté une partie du testament de Louis X.

« Je ne vois pas, mon cousin, dit Philippe de Poitiers, de quel règlement vous voulez parler. Vous étiez présent aux derniers moments de mon frère, avec bien d'autres seigneurs qui sont ici, et nul ne m'a jamais fait savoir qu'il eût exprimé aucune volonté à ce sujet.

— Aussi bien, mon cousin, répliqua Robert d'un ton narquois, quand je dis « notre dernier roi », je ne parle pas de votre frère Louis Dixième, que Dieu garde !... mais de votre père, notre bien-aimé Sire Philippe le Bel... que Dieu garde en même temps ! Or, le roi Philippe avait décidé, écrit et fait jurer à ses pairs, par serment, que s'il venait à mourir avant que son fils fût assez homme pour exercer le gouvernement, les offices royaux et la charge de régence seraient remis à son frère, Mgr Charles, comte de Valois. Adoncques, mon cousin, puisque aucun autre règlement n'a été fait depuis, c'est bien celui-là, il me semble, qu'il faudrait appliquer. »

Blanche de Bretagne opinait de la tête, souriait d'une bouche sans dents et promenait à la ronde ses yeux vifs et brillants, conviant du regard ses voisins à approuver l'intervention de son fils. Il n'était parole prononcée par ce braillard, procès soutenu par ce chicanier, violence ou truanderie commise par ce mauvais sujet, qu'elle n'approuvât, n'admirât, comme la révélation d'un prodige vivant. Elle reçut, donné par un signe de paupières, un remerciement muet du comte de Valois.

Philippe de Poitiers, un peu incliné sur l'accoudoir de son faudesteuil, agita lentement la main.

« J'admire, Robert, j'admire, dit-il, de vous voir si empressé aujourd'hui à suivre la volonté de mon père, alors que vous fûtes si peu obéissant à sa justice, en son vivant. Les bons sentiments vous viennent avec l'âge, mon cousin ! Soyez rassuré. C'est précisément la volonté du roi Philippe que nous nous sommes efforcés de respecter. N'est-il pas vrai, mon oncle ? » ajouta-t-il à l'adresse de Louis d'Evreux.

Louis d'Evreux, qui depuis six semaines s'opposait aux manœuvres de Valois et de Robert d'Artois, prit la parole.

« Le règlement sur lequel vous vous fondez, Robert, vaut pour le principe, mais non indéfiniment pour la personne. Que pareil accident, dans cinquante ou cent ans, survienne encore à la couronne, ce ne sera pas mon frère Charles qu'on ira chercher pour régenter le royaume... si longue vie que je lui souhaite. Notre sire Dieu n'a pas fait Charles éternel tout exprès. Le règlement, en établissant que la régence revient au frère le plus avancé en âge, désigne donc bien Philippe et c'est pourquoi, l'autre jour, nous lui avons prêté hommage. Ne remettez donc pas en question ce qui est tranché. »

On croyait Robert maté. C'était mal le connaître. Il baissa légèrement la tête, offrant aux rayons du soleil qui perçaient les vitraux ses cheveux de cuivre, coiffés en rouleaux sur sa large nuque. Son ombre s'étendait sur les dalles, comme une menace, jusqu'aux pieds du comte de Poitiers.

« Les volontés du roi Philippe, reprit-il, ne contenaient rien au sujet des filles royales, ni qu'elles eussent à renoncer à leurs droits, ni que la décision fût remise à l'assemblée des pairs. »

Un frémissement d'approbation agita aussitôt les rangs des seigneurs de Bourgogne et de Champagne, et le duc Eudes lui-même, sur l'estrade, s'écria :

« Voilà qui est bien dit, mon cousin, et c'est tout juste ce que j'allais clamer moi-même ! »

Blanche de Bretagne, à nouveau, lança autour

d'elle ses petits regards pétillants. Le connétable commençait à s'agiter sur son siège. On l'entendait grommeler, et ceux qui le connaissaient bien prévoyaient un éclat.

« Depuis quand, reprit le jeune duc en se levant, cette novelleté a-t-elle été introduite dans nos coutumes ? Depuis hier, je pense ! Depuis quand les filles, si les fils viennent à manquer, devraient-elles être privées des possessions et couronnes de leur père ? »

Le connétable à son tour se dressa.

« Depuis le temps, messire duc, dit-il avec une lenteur calculée, que certaine fille ne donne plus au royaume la garantie d'être bien née de ce père dont on veut la faire hériter. Sachez enfin ce qui se dit par le monde, et que notre cousin Valois nous a lui-même souvent répété en Conseil étroit. La France est trop beau et trop grand pays, messire duc, pour que l'on puisse, sans que les pairs en aient délibéré, remettre la couronne à une princesse dont on ne sait si elle est fille de roi ou fille d'écuyer. »

L'assemblée fit silence. Eudes de Bourgogne était devenu blanc. On crut qu'il allait se lancer contre Gaucher de Châtillon qui attendait, ramassé dans sa force de vieil homme de guerre. Mais ce fut vers Charles de Valois que la colère du Bourguignon dévia.

« Ainsi, mon cousin, s'écria-t-il, vous qui avez choisi d'unir votre fils aîné à une autre de mes sœurs, vous vous employez donc à honnir celle-là qui est morte ?

— Eh, mon compère ! dit Valois, pour ce qui est de se honnir, votre sœur Marguerite... que

Dieu lui pardonne ses péchés... n'a pas eu besoin de mon aide ! »

Et, plus bas, il ajouta à l'adresse de Gaucher de Châtillon :

« Quel besoin aviez-vous de m'aller mettre en cause !

— Et vous, mon frère par le mariage, continuait Eudes en désignant Philippe de Valois, approuvez-vous aussi les vilenies que j'entends ? »

Philippe de Valois, empêtré de sa grande taille et cherchant vainement des yeux le conseil de son père, souleva les bras d'un geste d'impuissance, et se contenta de dire :

« Il faut avouer, mon frère, que le scandale était gros ! »

L'assistance commençait de bourdonner. Du fond de la salle venaient des bruits de disputes, certains seigneurs tenant pour la bâtardise de Jeanne, et d'autres pour la légitimité. Charles de La Marche, mal à l'aise, pâle, baissait la tête, comme chaque fois qu'il était question de cette misérable affaire. « Marguerite est morte ; Louis est mort, se disait-il ; mais ma femme Blanche est toujours vivante et moi je continue de porter au front mon déshonneur. »

A ce moment, le comte de Clermont, auquel personne n'accordait plus attention, donna des signes d'agitation :

« Je vous défie, messires, je vous défie tous ! cria-t-il soudain.

— Plus tard, mon père, plus tard, nous irons en tournoi », dit Louis de Bourbon d'une voix qui se voulait tranquille et naturelle.

Et en même temps il invitait du geste les deux

gigantesques écuyers à se tenir prêts, pour le cas où il faudrait ceinturer le dément.

Robert d'Artois contemplait, enchanté de soi, le tumulte qu'il avait provoqué.

Le duc de Bourgogne lançait à Charles de Valois :

« Certes, je souhaite que Dieu pardonne à Marguerite ses péchés, si elle en a commis ; mais je souhaite moins qu'il pardonne à ses assassins !

— Ce sont mensonges que vous avez écoutés, Eudes, répliquait Valois, et vous savez bien que votre sœur n'est morte de rien d'autre que de honte et de remords en sa prison. »

Maintenant que le comte de Valois et le duc de Bourgogne étaient bien profondément brouillés, sans chance aucune qu'ils unissent leurs causes avant longtemps, Philippe de Poitiers étendit les mains dans un geste d'apaisement.

Mais Eudes ne voulait pas la paix, bien au contraire.

« J'ai assez ce jour d'hui, mon cousin, entendu outrager la Bourgogne, dit-il. J'oppose refus à vous reconnaître pour régent, et j'affirme et maintiens devant tous les droits de ma nièce Jeanne. »

Puis, faisant signe aux seigneurs bourguignons de le suivre, il quitta la salle.

« Messeigneurs, Messires, dit le comte de Poitiers, voici tout justement ce que nos légistes s'étaient efforcés d'éviter en remettant au Conseil des Pairs de décider plus tard, s'il y a lieu, de la question des filles. Car si la reine Clémence donne un mâle au royaume, toute cette querelle est sans objet. »

Robert d'Artois était toujours devant l'estrade, les poings aux hanches.

« Je retiens ceci de votre règlement, mon cousin, s'écria-t-il, que désormais, en coutume de France, le droit à succéder est contesté aux femmes. Je demande donc que me soit retourné mon comté d'Artois qui fut indûment remis à ma tante Mahaut. Et tant que vous ne m'aurez point fait justice sur ce point, je ne saurai paraître à votre Conseil. »

Là-dessus il se dirigea lui aussi vers la sortie, suivi de sa mère qui trottinait, fière de lui et fière d'elle.

La comtesse Mahaut éleva les mains d'un geste qui exprimait : « Là ! Je l'avais bien dit ! »

Avant de franchir la porte, Robert, passant derrière le comte de Clermont, lui souffla méchamment à l'oreille :

« Aux lances, cousin, aux lances !

— Coupez cordes ! Hurlez bataille [12] ! cria Clermont en se dressant.

— Porc malfaisant, le diable t'étripe ! » lança Louis de Bourbon à Robert.

Puis à son père :

« Restez encore avec nous. Les trompettes n'ont point sonné.

— Ah ! elles n'ont point sonné ? Eh bien ! qu'elles sonnent ! Il se fait tard », dit Clermont.

Il attendait, l'œil vide, les bras écartés.

Bourbon se dirigea, claudiquant, vers le comte de Poitiers et le pria, à voix basse, de hâter le cérémonial. Philippe approuva de la tête.

Bourbon retourna au malade, lui prit la main en disant :

« L'hommage, mon père ; l'hommage à présent.

— Ah ! certes, l'hommage. »

Le boiteux conduisant le dément, ils traversèrent l'estrade.

« Messeigneurs, dit Louis de Bourbon, voici mon père, le plus ancien du sang de saint Louis, qui approuve le règlement en tous points, reconnaît messire Philippe comme régent et lui jure fidélité.

— Oui, messires, oui... », dit Robert de Clermont.

Philippe trembla de ce que son grand-oncle allait bien pouvoir ajouter. « Il va m'appeler Madame et me demander mon écharpe. »

Mais Clermont continuait d'une voix forte :

« Je vous reconnais, Philippe, parce que le mieux désigné en droit, et parce que le plus sage. Que veille sur vous depuis le Ciel l'âme sainte de mon père, pour vous aider à garder paix au royaume et défendre notre sainte foi. »

Un mouvement de stupéfaction heureuse parcourut les rangs des barons. Que se passait-il donc dans la tête de cet homme pour qu'il oscillât ainsi sans transition, du délire à la raison, du ridicule à la grandeur ?

Il mit beaucoup de lenteur, beaucoup de noblesse à s'agenouiller devant son petit-neveu, étendit les mains ; lorsqu'il se releva et se retourna, ayant reçu l'accolade, ses vastes yeux bleus étaient noyés de larmes.

L'assemblée entière se mit debout et fit une longue ovation aux deux princes.

Philippe se trouvait confirmé dans la régence par tout le royaume, à l'exception d'une province, la Bourgogne, et d'un homme seul, Robert d'Artois.

XI

LES FIANCÉS JOUENT A CHAT PERCHÉ

QUITTER à grand fracas une assemblée politique, pour marquer un désaccord, n'empêcha jamais le protestataire de dîner ensuite à la même table que ses adversaires.

En dépit de son éclat du matin, le duc de Bourgogne, dûment prié, accepta de paraître au banquet de famille que le comte de Poitiers offrait, ce même jour, au manoir de Vincennes.

Or, la famille de France, cousinage et dignitaires compris, groupait plus d'une centaine de personnes qui se transportèrent donc à Vincennes et s'assirent, entre haute et basse vesprée, c'est-à-dire vers cinq heures de l'après-midi, autour de longues tables à tréteaux couvertes de nappes blanches.

La présence du duc de Bourgogne rendait plus marquante l'absence de Robert d'Artois.

« Mon fils est tombé faible en sortant du Palais, tant les choses qu'il avait entendues lui avaient donné tourment, dit Madame Blanche de Bretagne.

— Tombé faible, vraiment ? répondit Philippe de Poitiers. J'espère qu'il ne s'est pas blessé en chéant de si haut ! »

Nul ne s'étonna en revanche de ne pas apercevoir le comte de Clermont, reconduit en hâte à sa demeure aussitôt l'hommage rendu. On félicita Louis de Bourbon de la belle impression qu'avait produite son père, en déplorant que la maladie de celui-ci, noble maladie d'ailleurs puisqu'elle provenait d'un accident d'armes, ne lui permît pas une participation plus fréquente aux affaires du royaume.

Le repas s'ouvrit dans une relative bonne humeur. Le connétable et le duc de Bourgogne avaient été placés à telle distance que le feu entre eux ne pût reprendre. Valois pérorait pour son compte.

Le plus étonnant, en ce dîner, était le nombre des enfants. Car Eudes de Bourgogne ayant posé comme condition à sa venue que la petite Jeanne de Navarre serait présente, en réparation de l'outrage à elle fait pendant l'assemblée, le comte de Poitiers avait tenu à amener ses trois filles, et donc le comte de Valois ses plus jeunes rejetons, et le comte d'Evreux son fils et sa fille qui en étaient encore à jouer aux marionnettes, et le dauphin de Viennois son « dauphiniet » Guigues, fiancé de la troisième fille du régent, et Louis de Bourbon ses enfants en âge de marcher... On ne parvenait pas à s'y retrouver dans les prénoms ; les Blanche et les Isabelle, les Charles et les Philippe foisonnaient ; lorsque quelqu'un appelait : « Jeanne ! », six têtes se tournaient à la fois.

Tous ces cousins étaient destinés à se marier entre eux, pour servir les combinaisons politiques de leurs parents, qui avaient été, eux aussi, mariés de la même façon, dans la plus étroite consanguinité. Que de dispenses il faudrait demander au pape pour faire passer les intérêts territoriaux avant les décrets de la religion ! Et que d'autres boiteux, que d'autres déments en perspective ! La seule différence entre la descendance d'Adam et celle de Capet, était qu'en la seconde on évitait encore de se reproduire entre frères et sœurs.

Le dauphiniet et sa fiancée, la petite Isabelle de Poitiers, qu'on n'appellerait bientôt plus qu'Isabelle de France, offraient le spectacle de la plus touchante entente. Ils mangeaient au même plat ; le dauphiniet choisissait pour sa future épouse les meilleurs morceaux de ragoût d'anguille, en fouillant avec application dans la sauce, et les lui mettait de force dans la bouche, lui barbouillant tout le visage. Les autres bambins les enviaient beaucoup d'avoir déjà une situation de couple ; on allait leur constituer à l'intérieur de la maison du régent leur petit hôtel personnel avec leur valet à cheval, leur valet à pied, leurs femmes de chambre.

Jeanne de Navarre, elle, ne mangeait rien. Sa présence à ce festin avait été imposée, et comme les enfants sont vifs à deviner les sentiments de leurs parents et à en exagérer les démonstrations, tout le cousinage de cette malheureuse orpheline se détournait d'elle. Jeanne était parmi les plus petits ; elle n'avait que cinq ans. A la seule différence qu'elle était blonde, elle commençait à montrer de nombreux traits de ressemblance, front bombé, pommettes hautes, avec sa mère. Enfant solitaire qui ne savait pas jouer et vivait entre les domestiques dans les immenses salles vides de l'hôtel de Nesle, elle n'avait jamais vu tant de monde assemblé, ni entendu pareille rumeur de voix et de vaisselle ; et elle regardait avec un mélange d'admiration et d'effroi cette débauche de victuailles sans arrêt déversées sur les tables crénelées de forts mangeurs. Elle sentait bien qu'on ne l'aimait pas ; lorsqu'elle posait une question, nul ne lui répondait ; si jeune qu'elle fût, elle avait l'esprit assez développé déjà pour penser : « Mon père était roi, ma mère était reine ; ils sont morts et plus personne ne me parle. » Elle ne devait jamais oublier le dîner de Vincennes. A mesure que le ton des voix montait, que les rires se répondaient, la tristesse de la petite Jeanne, sa détresse dans ce banquet de géants, devenait plus pesantes. Louis d'Evreux qui, de loin, la vit prête à pleurer, lança à son fils :

« Philippe ! veille un peu à ta cousine Jeanne. »

Le petit Philippe voulut alors imiter le dauphiniet et poussa entre les lèvres de sa voisine un morceau d'esturgeon à la sauce d'orange, qu'elle cracha dédaigneusement sur la nappe.

Comme les échansons s'employaient à remplir sans cesse les hanaps, il fut bientôt évident que cette marmaille habillée de brocart allait être malade et, dès avant le sixième service, on l'envoya jouer dans les cours. Il advint donc à ces enfants de rois ce qui arrive à tous les enfants du monde lors des repas de fête ; ils furent privés de leurs mets préférés, sucreries, pièces montées et desserts.

Aussitôt le festin terminé, Philippe de Poitiers prit le duc de Bourgogne par le bras et lui dit qu'il souhaitait l'entretenir en particulier.

« Allons prendre les dragées un peu à l'écart, mon cousin. Venez donc avec nous, mon oncle », ajouta-t-il en se tournant vers Louis d'Evreux.

Et il appela aussi Guillaume de Mello, conseiller du duc, afin que les parties fussent à égalité. Il entraîna les trois hommes dans une petite salle attenante où, tandis qu'on passait le vin sucré et les épices de chambre, il commença d'expliquer combien il désirait parvenir à un accommodement, et quels étaient les avantages du règlement de régence.

« C'est parce que je sais qu'à présent les têtes sont fort montées, dit-il, que j'ai voulu repousser les décisions finales jusqu'à la majorité de Jeanne. D'ici là, dix ans seront passés, et vous savez comme moi qu'en dix années les opinions changent assez, ne serait-ce que parce que ceux qui professaient les plus violentes peuvent venir à mourir. Je pensais donc, mon cousin, vous servir en agissant de la sorte, et je crois que vous avez mal compris mon dessein. Puisque Valois et vous ne vous pouvez pour l'heure accorder ensemble, accordez-vous chacun avec moi. »

Le duc de Bourgogne demeurait renfrogné. Il n'était pas un homme intelligent ; il craignait toujours qu'on ne le voulût tromper, ce qui ne lui évitait pas de l'être fréquemment. La duchesse Agnès, que l'amour maternel n'aveuglait pas, l'avait, avant le départ, solidement sermonné :

« Prends garde à ne point te faire berner. Ne parle pas avant d'avoir pensé, et si tu ne penses rien, tais-toi pour laisser parler messire de Mello qui a l'esprit plus fin que tu ne l'as. »

Eudes de Bourgogne, à vingt-deux ans, et investi des titres et fonctions de duc, vivait encore dans la terreur de sa mère, et tremblait d'avoir à se justifier devant elle. Il n'osa répondre de front aux ouvertures de Philippe.

« Ma mère vous a fait tenir une lettre, mon cousin, par laquelle elle vous disait... que disait cette lettre, messire de Mello ?

— Madame Agnès demandait que Madame Jeanne de Navarre fût remise à sa garde, et elle s'étonne, Monseigneur, que vous ne lui ayez point encore fait réponse.

— Mais comment le pouvais-je, mon cousin ? répondit Philippe, s'adressant toujours à Eudes, comme si Mello n'avait joué entre eux que le rôle d'interprète d'une langue étrangère. C'est une décision qui relève de la régence. Me voici aujourd'hui seulement en mesure de faire droit à cette requête. Qui vous prouve, mon cousin, que je songe à refuser ? Vous emmènerez, je pense, votre nièce avec vous ».

Le duc, tout surpris de trouver si peu de résistance, regarda Mello, et son visage semblait dire : « Mais voici un homme avec lequel on peut s'entendre ! »

« A condition, mon cousin, reprit le comte de Poitiers, à condition, bien sûr, que votre nièce ne soit pas mariée sans mon consentement. C'est là chose évidente ; l'affaire intéresse trop la couronne, et vous ne pourriez vous passer de notre avis pour donner époux à une fille qui peut devenir un jour reine de France. »

La seconde partie de la phrase fit passer la première. Eudes crut vraiment qu'il était dans l'esprit de Philippe de faire couronner Jeanne, si la reine Clémence n'accouchait pas d'un fils.

« Certes, certes, mon cousin, dit-il ; sur ce point nous sommes bien dans l'agrément.

— Alors, rien ne nous divise plus et nous allons signer un bon accord », dit Philippe.

Sans attendre, il fit mander Miles de Noyers, qui avait la meilleure plume pour rédiger ce genre de traités.

« Veuillez, messire, lui dit-il, nous coucher ceci sur vélin : « Nous, Philippe, pair et comte de « Poitiers, régent des deux royaumes par la grâce « de Dieu, et notre bien-aimé cousin, magnifique « et puissant seigneur Eudes IV, pair et duc de « Bourgogne, nous jurons sur les saintes Ecritu- « res de nous rendre bon service et loyale ami- « tié... ». C'est l'idée, messire de Noyers, qu'en gros je vous exprime là... « Et par cette amitié que « nous nous jurons, avons, en commun, décidé « que Madame Jeanne de Navarre... ».

Guillaume de Mello tira le duc par la manche et lui dit un mot à l'oreille, à quoi le duc comprit qu'il était en train de se laisser jouer.

« Eh ! mais, mon cousin, s'écria-t-il, ma mère ne m'avait point autorisé à vous reconnaître pour régent ! »

On fut bientôt dans l'impasse. Philippe ne

consentait à se dessaisir de l'enfant que si le duc avalisait le règlement de régence. Il offrit diverses garanties. Mais l'autre s'obstinait ; c'était sur les droits à la couronne qu'il exigeait un engagement formel.

« S'il n'y avait point ce Mello, qui est rusé, pensait le comte de Poitiers, Eudes aurait déjà capitulé. » Il feignit la fatigue, étendit ses longues jambes, croisa les pieds l'un sur l'autre, se frotta le menton.

Louis d'Evreux observait et se demandait comment son neveu pourrait se tirer d'affaire. « Je vois bientôt des lances s'agiter du côté de Dijon », se disait cet homme sage. Il était sur le point d'intervenir pour conseiller : « Allons, cédons sur les droits de la couronne », lorsque Philippe demanda soudain au Bourguignon :

« Voyons, mon cousin, n'avez-vous pas désir de vous marier ? »

L'autre ouvrit des yeux ronds, croyant d'abord, car il n'était pas vif, que Philippe envisageait de le fiancer à Jeanne de Navarre.

« Puisque nous venons de nous jurer éternelle amitié, reprit Philippe, comme s'il tenait pour acquises les quelques lignes restées inachevées, et que par là, mon cher cousin, vous me donnez grand appui, je voudrais vous faire, à mon tour, belle manière, et j'aurais plaisir à doubler notre lien d'affection par plus étroite parenté. Que ne prendriez-vous en mariage ma fille aînée, Jeanne ? »

Eudes IV regarda Mello, puis Louis d'Evreux, puis Miles de Noyers qui attendait, le calame levé.

« Mais, mon cousin, quel âge a-t-elle ? demanda-t-il.

— Elle a huit ans, mon cousin », répondit Philippe, qui prit un temps, puis ajouta : « Elle peut avoir aussi la comté de Bourgogne, qui nous vient de sa mère. »

Eudes releva la tête comme un cheval qui sent l'avoine. La réunion des deux Bourgognes, le duché et la comté, les ducs héréditaires ne cessaient d'en rêver depuis le temps de Robert Ier, petit-fils de Hugues Capet. Joindre la cour de Dole à celle de Dijon, unir les territoires qui allaient d'Auxerre à Pontarlier et de Mâcon à Besançon, avoir une main en France et l'autre vers le Saint Empire, puisque la comté était palatine, ce mirage devenait-il soudain réalité ? La route de l'Empire s'ouvrait, et ses vieux prestiges carolingiens...

Louis d'Evreux ne put s'empêcher d'admirer l'audace de son neveu ; dans un jeu qui semblait perdu, c'était grosse relance qu'il faisait là. Mais à y regarder de plus près, le raisonnement de Philippe se concevait sans peine ; il ne proposait finalement que les terres de Mahaut. On avait donné à celle-ci l'Artois, aux dépens de Robert, pour qu'elle lâchât la comté ; on avait fait glisser à Philippe, par la dot de sa femme, la comté, pour qu'il pût postuler à l'élection impériale. Maintenant Philippe guignait la couronne de France, ou tout au moins la régence pour dix ans à courir ; la comté avait donc moins de raisons de l'intéresser, à condition qu'elle n'allât qu'à un vassal, ce qui était le cas.

« Pourrais-je voir Madame votre fille ? demanda

Eudes aussitôt et sans plus songer d'en référer à sa mère.

— Vous l'avez vue tout à l'heure, mon cousin, au repas.

— Certes, mais je l'avais mal regardée... je veux dire, je ne l'avais point considérée de cet œil. »

On envoya chercher la fille aînée du comte de Poitiers, qui était occupée à jouer à chat perché avec les autres enfants [13].

« Que me veut-on ? Qu'on me laisse à rire, dit la petite fille qui poursuivait le dauphiniet du côté des écuries.

— Monseigneur votre père vous requiert », lui dit-on.

Elle prit le temps d'attraper le petit Guigues, de lui crier : « Chat ! » en le frappant dans le dos, et puis suivit, boudeuse, mécontente, le chambellan qui la prit par la main.

Encore tout essoufflée, les joues moites, les cheveux sur le visage, et sa robe brochée couverte de poussière, elle se présenta ainsi à son cousin Eudes qui avait quatorze ans de plus qu'elle. Une petite fille ni laide ni jolie, encore maigriotte, et qui ne se doutait nullement que son destin se confondait, en cet instant, avec celui de la France... Il est des enfants qui donnent tôt à deviner la mine qu'ils auront adultes ; sur celle-ci on ne distinguait rien. On ne voyait que la comté de Bourgogne, en auréole.

Une province est belle chose ; encore faut-il que la femme ne soit pas difforme. « Si elle a les jambes droites, j'accepte », se dit le duc. Il était bien placé pour se défier de cette sorte de surprise, puisque sa seconde sœur, la cadette de Marguerite, qu'on avait mariée à Philippe de Valois, n'avait pas les talons à la même hauteur [14]. Dans l'animosité présente des Valois envers la Bourgogne, cette boiterie-là, qui n'apparaissait pas au contrat, entrait pour quelque chose ! Le duc demanda donc, sans que cela parût surprendre personne, qu'on voulût bien relever les jupes de l'enfant pour juger de la façon dont ses pieds étaient faits. La petite n'avait pas la cuisse ni le mollet gras ; elle tenait de son père. Mais l'os était bien droit.

« Vous avez raison, mon cousin, dit le duc. Ce serait là bonne façon de sceller notre amitié.

— Vous voyez bien ! dit Poitiers. Ne vaut-il pas mieux cela que de se quereller ? Je veux désormais vous appeler beau-fils ».

Il lui ouvrit les bras ; le gendre avait, à trente mois près, l'âge de son beau-père.

« Allez, ma fille, allez à votre tour baiser votre fiancé, dit Philippe à l'enfant.

— Ah ! il est mon fiancé ? » dit la petite.

Elle se redressa d'un air orgueilleux.

« Eh mais ! ajouta-t-elle, il est plus grand que le dauphiniet ! »

« Comme j'ai bien agi le mois dernier, pensait Philippe, en ne donnant au dauphin que ma troisième fille, et en gardant celle-ci qui pouvait disposer de la comté ! »

Le duc de Bourgogne dut soulever sa future épouse jusqu'à ses joues afin qu'elle y posât un gros baiser mouillé ; puis, dès qu'elle eut retouché terre, elle partit vers la cour, pour annoncer fièrement aux autres enfants :

« Je suis fiancée ! »

Les jeux s'interrompirent.

« Et pas un petit fiancé comme le tien, dit-elle à sa sœur en désignant le dauphiniet. Le mien est grand comme notre père. »

Puis, apercevant la petite Jeanne de Navarre qui boudait, un peu à l'écart, elle lui lança :

« Maintenant, je vais être ta tante.

— Pourquoi ma tante ? demanda l'orpheline.

— Parce que je serai la femme de ton oncle Eudes. »

Une des dernières filles du comte de Valois, déjà dressée à tout répéter, se précipita dans le château, trouva son père qui complotait en compagnie de Blanche de Bretagne et de quelques seigneurs de son parti et lui rapporta ce qu'elle venait d'entendre. Charles se leva, rejetant son siège derrière lui, et fonça, tête en avant, vers la pièce où se tenait le régent.

« Ah ! mon cher oncle, vous êtes bienvenu ! s'écria Philippe de Poitiers ; j'allais justement vous faire mander pour être témoin de notre accord. »

Et il lui tendit l'acte dont Miles de Noyers venait de terminer ainsi la rédaction :

« *... pour signer ici avec tous nos parents les conventions que nous venons de faire avec notre bon cousin de Bourgogne, et par lesquelles nous nous accordons sur le tout.* »

Amère semaine pour l'ex-empereur de Constantinople, qui n'eut qu'à s'exécuter. A sa suite, Louis d'Evreux, Mahaut d'Artois, le dauphin de Viennois, Amédée de Savoie, Charles de La Marche, Louis de Bourbon, Blanche de Bretagne, Guy de Saint-Pol, Henry de Sully, Guillaume d'Harcourt, Anseau de Joinville et le connétable Gaucher de

Châtillon apposèrent leur seing au bas des conventions.

Le tardif crépuscule de juillet tombait sur Vincennes. La terre et les arbres restaient imprégnés de la chaleur de la journée. La plupart des hôtes étaient partis.

Le régent alla faire quelques pas sous les chênes, en compagnie de ses familiers les plus dévoués, ceux qui le suivaient depuis Lyon et avaient assuré son triomphe. Ils plaisantaient un peu sur l'arbre de saint Louis qu'on ne parvenait pas à retrouver. Soudain, le régent dit :

« Messeigneurs, j'ai douce joie au cœur ; ma bonne épouse, ce jour, a mis au monde un fils. »

Il respira profondément, avec bonheur, avec délices, et comme si l'air du royaume de France lui avait vraiment appartenu.

Il s'assit sur la mousse. Le dos appuyé à un tronc, il contemplait la découpure des feuilles sur le ciel encore rose, lorsque le connétable de Châtillon arriva à grands pas.

« Je viens vous porter une mauvaise nouvelle, dit-il.

— Déjà ? fit le régent.

— Votre cousin Robert s'est emparti tout à l'heure pour l'Artois. »

DEUXIÈME PARTIE

L'ARTOIS ET LE CONCLAVE

I

L'ARRIVÉE DU COMTE ROBERT

UNE douzaine de cavaliers, venant de Doullens et conduits par un géant en cotte d'armes rouge sang, traversèrent au galop le village de Bouquemaison et puis s'arrêtèrent à cent toises de là. La vue, depuis cet endroit, découvrait un vaste plateau de terre à blé, coupé de vallonnements, de hêtraies, et qui descendait par paliers vers un horizon de forêts.

« Ici commence l'Artois, Monseigneur, dit l'un des cavaliers, le sire Jean de Varennes, en s'adressant au chef de la troupe.

— Mon comté ! Voici enfin mon comté, dit le géant. Voici ma bonne terre que depuis quatorze années je n'ai pas foulée ! »

Le silence de midi s'étendait sur les champs écrasés de soleil. On n'entendait que la respiration des chevaux soufflant après l'effort et le vol des bourdons ivres de chaleur.

Robert d'Artois sauta brusquement à bas de sa monture, dont il lança la bride à son valet Lormet, grimpa le talus en écrasant les herbes, et entra dans le premier champ. Ses compagnons restèrent immobiles, respectant la solitude de sa joie. Robert avançait de son pas de colosse à travers les épis, déjà lourds et dorés, qui lui montaient aux cuisses. De la main, il les caressait comme la robe d'un cheval docile ou les cheveux d'une maîtresse blonde.

« Ma terre, mon blé ! » répétait-il.

On le vit soudain s'abattre dans le champ, s'y étendre, s'y vautrer, s'y rouler follement parmi les graminées comme s'il voulait s'y confondre ; il mordait les épis, à pleines dents, pour trouver au cœur du grain cette saveur laiteuse qu'il a un mois avant la moisson ; il ne sentait même pas qu'il s'écorchait les lèvres aux barbes du froment. Il s'enivrait de ciel bleu, de terre sèche et du parfum des tiges crissantes, faisant autant de ravages, à lui seul, qu'une compagnie de sangliers. Il se releva, superbe et tout froissé, et revint vers ses compagnons le poing serré sur une glane brutalement arrachée.

« Lormet, commanda-t-il à son valet, dégrafe ma cotte, délace ma broigne [15]. »

Quand ce fut fait, il glissa la poignée de blé sous sa chemise, à même la peau.

« Je jure Dieu, Messeigneurs, dit-il d'une voix éclatante, que ces épis ne quitteront point ma poitrine que je n'aie reconquis mon comté jusqu'au dernier champ. En guerre, maintenant ! »

Il remonta en selle et lança son cheval au galop.

« N'est-ce pas, Lormet, criait-il dans le vent

de la course, que la terre ici a meilleur son sous les sabots de nos chevaux ?

— Certes, certes, Monseigneur, répondait le tueur au cœur tendre qui partageait en tout les opinions de son maître. Mais vous avez votre cotte flottante ; ralentissez un peu que je vous rajuste. »

Ils chevauchèrent un moment ainsi. Puis le plateau s'abaissa brusquement, et là Robert découvrit, scintillante sous le soleil, dans une vaste prairie, une armée de dix-huit cents cuirasses venue l'accueillir. Il n'aurait jamais cru trouver ses partisans si nombreux au rendez-vous.

« Eh mais, Varennes ! C'est un beau travail que tu as fait là, mon compère ! » s'écria Robert ébloui.

Dès que les chevaliers d'Artois l'eurent reconnu, une immense clameur s'éleva de leurs rangs :

« Bienvenue à notre comte Robert ! Longue vie à notre gentil seigneur ! »

Et les plus empressés lancèrent leurs chevaux vers lui ; les genouillères de fer se heurtaient, les lances oscillaient comme une autre moisson.

« Ah ! voici Caumont ! voici Souastre ! Je vous reconnais à vos écus, mes compagnons », disait Robert.

Par la ventaille levée de leur casque, les cavaliers montraient des visages ruisselants de sueur, mais que l'allégresse belliqueuse épanouissait. Beaucoup, petits sires de campagne, portaient de vieilles armures démodées, héritées d'un père ou d'un grand-oncle, et qu'ils avaient fait ajuster tant bien que mal à leurs mesures. Ceux-là avant le soir blesseraient aux jointures, et leur corps serait couvert de croûtes saignantes ; tous, d'ailleurs, avaient dans le bagage de leur valet d'armes un pot d'onguent et des bandes de toile pour se panser.

Au regard de Robert s'offraient tous les échantillons de la mode militaire depuis un siècle, toutes les formes de heaumes et de cervelières ; certains de ces hauberts et de ces grosses épées dataient de la dernière croisade. Des élégants de province s'étaient empanachés de plumes de coq, de faisan ou de paon ; d'autres avaient la tête surmontée d'un dragon doré, et l'un même s'était plu à visser sur son heaume un buste de femme nue qui le faisait beaucoup remarquer.

Tous avaient repeint de frais leurs courts écus où éclataient en couleurs criardes leurs signes d'armoiries, simples ou compliqués selon leur degré d'ancienneté de noblesse, les marques les plus simples appartenant forcément aux plus vieilles familles.

« Voici Saint-Venant, voici Longvillers, voici Nédonchel, disait Jean de Varennes, présentant les chevaliers à Robert.

— Votre féal, Monseigneur, votre féal, disait chacun à l'appel de son nom.

— Féal, Nédonchel... Féal, Bailliencourt... Féal, Picquigny... », répondait Robert en passant devant eux.

A quelques jeunots, redressés et tout fiers d'être harnachés en guerre pour la première fois, Robert promit de les armer chevaliers lui-même, s'ils se montraient vaillants dans les prochains engagements.

Puis il décida de nommer sur-le-champ deux maréchaux, comme dans l'ost royal. Il choisit d'abord le sire de Hautponlieu, qui avait travaillé fort activement à rassembler cette noblesse tapageuse.

« Et puis je vais prendre... voyons... toi, Beauval ! annonça Robert. Le régent a un Beaumont pour maréchal ; moi, j'aurai un Beauval. »

Les petits seigneurs, friands de jeux de mots et de calembours, acclamèrent en riant Jean de Beauval qui fut ainsi désigné à cause de son nom.

« A présent, Monseigneur Robert, dit Jean de Varennes, quelle route voulez-vous prendre ? Nous rendrons-nous d'abord à Saint-Pol, ou bien droit à Arras ? L'Artois est tout à vous, vous n'avez qu'à choisir.

— Quelle route mène à Hesdin ?

— Celle où vous êtes, Monseigneur, qui passe par Frévent.

— Eh bien, je veux aller tout d'abord au château de mes pères. »

Un mouvement d'inquiétude se dessina parmi les chevaliers. C'était bien la malchance que Robert d'Artois, dès son arrivée, voulût aussitôt courir à Hesdin.

Le sire de Souastre, celui qui portait une femme nue sur la tête, et qui s'était beaucoup signalé dans les tumultes de l'automne passé, dit :

« Je crains, Monseigneur, que le château ne soit pas bien en état de vous accueillir.

— Eh quoi ? Il est toujours occupé par le sire de Brosse, qu'y avait placé mon cousin Hutin ?

— Non, non ; nous en avons fait fuir Jean de Brosse ; mais nous avons aussi un peu ravagé le château au passage.

— Ravagé ? dit Robert ; vous ne l'avez pas brûlé ?

— Non, Monseigneur, non ; les murs en sont fermes.

— Mais vous l'avez un peu pillé, pas vrai, mes gentillets ? Eh ! Si ce n'est que cela, vous avez bien fait. Tout ce qui est à Mahaut la gueuse, Mahaut la truie, Mahaut la catin, est à vous, Messeigneurs et je vous en fais partage. »

Comment ne pas aimer un suzerain si généreux ! Les alliés hurlèrent à nouveau qu'ils souhaitaient longue vie à leur gentil comte Robert, et l'armée de la révolte se mit en route vers Hesdin.

On arriva en fin d'après-midi devant les quatorze tours de la ville forte des comtes d'Artois, où le château, à lui seul, occupait une superficie de douze « mesures », soit près de cinq hectares.

Que d'impôts, de peines et de sueur avait coûté aux petites gens d'alentour ce fabuleux édifice destiné, leur avait-on dit, à les protéger des malheurs de la guerre ! Or, les guerres se succédaient, mais la protection se montrait peu efficace ; et comme on se battait essentiellement pour la possession du château, la population préférait se terrer dans les maisons de torchis en priant Dieu que l'avalanche passât à côté.

Il n'y avait guère de monde dans les rues, à faire fête au seigneur Robert. Les habitants, assez éprouvés par le sac de la veille, se cachaient.

Les abords du château n'offraient rien de plus gai ; la garnison royale, pendue aux créneaux, commençait de fleurer un peu la charogne. A la grand-porte, dite Porte des Poulets, le pont-levis était abaissé. L'intérieur livrait un spectacle de désolation ; des celliers s'écoulait le vin des cuves éventrées ; des volailles mortes gisaient un peu partout ; on entendait des étables monter le meuglement sinistre des vaches pas traites ; et sur les briques qui pavaient, luxe rare, les cours intérieures, l'histoire du récent massacre s'inscrivait en larges flaques de sang séché.

Les bâtiments d'habitation de la famille d'Artois comptaient cinquante appartements ; aucun n'avait été épargné par les bons alliés de Robert. Tout ce qui ne pouvait être enlevé pour décorer les manoirs du voisinage avait été détruit sur place.

Disparue de la chapelle, la grande croix en vermeil, ainsi que le buste de Louis IX contenant un fragment d'os et quelques cheveux du saint roi. Disparu le grand calice d'or que s'était approprié Ferry de Picquigny et qu'on devait retrouver en vente, un peu plus tard, chez un boutiquier parisien. Envolés, les douze volumes de la bibliothèque; escamoté l'échiquier de jaspe et de calcédoine. Avec les robes, les peignoirs, le linge de Mahaut, les petits seigneurs s'étaient fournis de beaux cadeaux pour leurs dames d'amour. Des cuisines même, on avait déménagé les réserves de poivre, de gingembre, de safran et de cannelle... [16].

On marchait sur la vaisselle brisée, les brocarts déchirés ; on ne voyait que courtines de lits écroulées, meubles fendus, tapisseries arrachées. Les chefs de la révolte, un peu penauds, suivaient Robert dans sa visite ; mais à chaque découverte le géant éclatait d'un rire si large, si sincère, qu'ils se sentirent bientôt ragaillardis.

Dans la salle des écus, Mahaut avait fait dresser, contre les murs, des statues de pierre représentant les comtes et comtesses d'Artois depuis l'origine jusqu'à elle-même. Tous les visages se ressemblaient un peu, mais l'ensemble avait grand air.

« Ici, Monseigneur, fit constater Picquigny, nous n'avons voulu porter la main sur rien.

— Et vous avez eu tort, mon compère, répondit Robert, car j'aperçois en ces images une tête au moins qui me déplaît. Lormet ! une masse ! »

Empoignant le lourd fléau d'armes que lui tendait son valet, il le fit tournoyer trois fois et atteignit d'un coup formidable l'effigie de Mahaut. La statue vacilla sur son socle et la tête se détachant du col alla éclater sur les dalles.

« Qu'il en arrive autant à la tête vivante, après que tous les alliés d'Artois auront dessus pissé à long jet », s'écria Robert.

Pour qui aime briser, il ne s'agit que de commencer. La masse de fer, hérissée de pointes, se balançait, menaçante, au bras du géant.

« Ah ! ma tante bien gueuse, vous m'avez dépouillé de l'Artois, parce que celui-ci qui m'engendra... »

Et Robert fit voler la tête de la statue de son père, le comte Philippe.

« ... fit la sottise de mourir avant celui-là... »

Et il décapita son grand-père, le comte Robert II.

« Et j'irais vivre parmi ces images que vous avez commandées pour vous faire un honneur auquel vous n'aviez pas droit ? A bas ! A bas, mes aïeux ; nous recommencerons tout. »

Les murs tremblaient, les débris de pierre jonchaient le sol. Les barons d'Artois s'étaient tus, le souffle coupé devant cette grande fureur qui dépassait de loin leurs propres violences. Comment, en vérité, comment ne pas obéir avec passion à un tel chef !

Lorsqu'il eut terminé d'étêter sa race, Robert jeta la masse d'armes à travers les vitraux d'une fenêtre, et dit en s'étirant :

« Nous voici à l'aise pour causer, maintenant... Messires, mes féaux, mes compaings, je veux d'abord qu'en toutes villes, prévôtés et châtellenies que nous allons délivrer du joug de Mahaut, il soit inscrit les griefs que chacun a contre elle, et que le registre soit exactement tenu de ses mauvaisetés, afin d'en envoyer compte précis à son beau-fils, messire Portes-Closes... car il enferme tout dès qu'il paraît, cet homme-là, les villes, le conclave, le Trésor... à messire Court-de-l'Œil, autrement dit notre seigneur Philippe le Borgne [17] qui se proclame régent et qui fut cause qu'on nous ôta, voici quatorze ans, ce comté, afin qu'il puisse, lui, s'engraisser de la Bourgogne ! Que l'animal en crève, la gorge nouée dans ses tripes ! »

Le petit Gérard Kiérez, l'homme habile en procédure, qui avait plaidé devant la justice royale la cause des barons artésiens, prit alors la parole et dit :

« Il est un grief, Monseigneur, qui intéresse non seulement l'Artois mais tout le royaume ; je gage fort qu'il ne serait pas indifférent au régent qu'on sût comment son frère Louis Dixième est mort.

— Par diable vif, Gérard, crois-tu donc ce que je crois moi-même ? As-tu preuve qu'en cette affaire aussi ma tante a poussé sa malice ?

— Preuve, preuve, Monseigneur, c'est vite dit ! Mais fort soupçon à coup sûr, et qui peut être étayé par des témoignages. Je connais à Arras une dame, qui s'appelle Isabelle de Fériennes, et son fils Jean, vendeurs tous deux de magiceries, qui ont fourni à certaine damoiselle d'Hirson, la Béatrice...

— Celle-là, je vous en ferai un jour présent, mes compagnons, dit Robert. Je l'ai vue à quelques reprises, et je devine, rien qu'à son air, que c'est régal de cuisse !

— Les Fériennes lui ont donc fourni, pour Mme Mahaut, du poison à tuer les cerfs, deux semaines au plus avant que le roi ne trépasse. Ce qui pouvait servir pour cerfs pouvait aussi bien servir pour roi. »

Les barons montrèrent, par leurs gloussements, qu'ils appréciaient ce jeu de mots à leur portée.

« C'était de toute manière poison pour porte-cornes, enchérit Robert. Dieu garde l'âme de cocu de mon cousin Louis ! »

Les rires montèrent d'un ton.

« Et cela paraît d'autant plus vrai, messire Robert, reprit Kiérez, que la dame de Fériennes s'est vantée l'autre année d'avoir fabriqué le philtre qui remit en accord messire Philippe, que vous appelez le Borgne, et Madame Jeanne, la fille de Mahaut...

— ... catin comme sa mère ! Vous avez eu bien tort, mes barons, de ne pas étouffer cette vipère quand vous la teniez à votre merci, ici même, l'automne dernier, dit Robert. Il me faut cette femme Fériennes et il me faut son fils. Veillez à les faire prendre dès que nous serons à Arras. A présent nous allons manger, car cette journée m'a donné grand-faim. Qu'on tue le plus gros bœuf aux étables et qu'on le fasse rôtir entier ; qu'on vide l'étang des carpes de Mahaut, et qu'on nous porte le vin que vous n'avez pas achevé de boire. »

Deux heures après, le jour étant tombé, toute cette fière compagnie était ivre à rouler. Robert envoya Lormet, qui tenait assez bien le mélange des crus, rafler en la ville, avec l'aide d'une bonne escorte, ce qu'il fallait de filles pour contenter l'humeur gaillarde des barons. On ne regarda point de trop près si celles que l'on tirait de leur lit étaient pucelles ou mères de famille. Lormet poussa vers le château un troupeau en chemise de nuit, bêlant de frayeur. Les chambres saccagées de Mahaut devinrent alors le lieu d'un friand combat. Les hurlements des femmes donnaient de l'ardeur aux chevaliers qui s'empressaient à l'assaut comme s'ils avaient chargé les infidèles, rivalisaient de prouesses au déduit, et s'abattaient à trois sur le même butin. Robert tira pour lui-même, par les cheveux, les meilleurs morceaux, sans mettre beaucoup de façon au déshabiller. Comme il pesait plus de deux cents livres, ses conquêtes en perdirent même le souffle pour crier. Pendant ce temps, le sire de Souastre, qui avait égaré son beau casque, se tenait plié, les poings sur le cœur, et vomissait comme gargouille pendant l'orage.

Puis ces vaillants, l'un après l'autre, se mirent à ronfler ; il eût suffi d'un homme, cette nuit-là, pour égorger sans fatigue toute la noblesse d'Artois.

Le lendemain, une armée aux jambes molles, aux langues empesées et aux cervelles brumeuses se mit en chemin pour Arras. Seul Robert paraissait aussi frais qu'un brochet sorti de la rivière, ce qui lui acquit définitivement l'admiration de ses troupes. La route fut coupée de haltes, car Mahaut possédait dans les parages quelques autres châteaux dont la vue réveilla le courage des barons.

Mais lorsque, le jour de la Sainte-Madeleine, Robert s'installa dans Arras, en vain chercha-t-on la dame de Fériennes ; elle avait disparu.

II

LE LOMBARD DU PAPE

A LYON, les cardinaux étaient toujours enfermés. Ils avaient cru lasser le régent ; leur réclusion durait depuis un mois. Les sept cents hommes d'armes du comte de Forez continuaient de monter la garde autour de l'église et du couvent des Frères Prêcheurs ; et si, pour respecter les formes, le comte Savelli, maréchal du conclave, conservait les clefs sur lui en permanence, ces clefs ne servaient pas à grand-chose, puisqu'elles ne s'appliquaient qu'à des portes murées.

Les cardinaux, jour après jour, transgressaient la constitution de Grégoire et cela d'une conscience d'autant plus légère qu'on avait, envers eux, usé de la contrainte et de la violence. Ils ne manquaient pas de le dire, jour après jour, au comte de Forez, lorsque celui-ci montrait sa tête casquée par l'étroit orifice qui servait à passer les vivres.

A quoi, jour après jour, le comte de Forez répondait qu'il était tenu de faire respecter la loi du conclave. Ce dialogue de sourds pouvait se poursuivre longtemps.

Les cardinaux ne logeaient plus ensemble, comme le prescrivait la constitution ; car, bien que la nef des Jacobins fût vaste, y vivre à près de cent personnes, sur de simples jonchées de paille, était devenu bien vite insupportable. Et d'abord par la pestilence qui se dégageait, dans la chaleur de l'été.

« Ce n'est pas parce que Notre-Seigneur est né dans une étable que son vicaire doit nécessairement être élu dans une porcherie », disait un cardinal italien.

Les prélats avaient donc débordé sur le couvent qui communiquait avec l'église et s'inscrivait dans la même enceinte. Repoussant les moines, ils s'étaient arrangés tant bien que mal à trois par cellule ou par chambre de l'hôtellerie, laquelle se trouvait évidemment fermée aux voyageurs. Chapelains et damoiseaux occupaient les réfectoires.

Le régime alimentaire décroissant n'était pas davantage observé ; l'eût-il été, on n'aurait plus eu bientôt qu'une assemblée de squelettes. Les cardinaux se faisaient donc envoyer quelques gâteries de l'extérieur, qu'on prétendait destinées à l'abbé et aux moines. On appliquait beaucoup d'habileté et de constance à violer le secret des délibérations ; des lettres, chaque jour, entraient au conclave ou en sortaient, glissées dans le pain ou entre les plats vides. L'heure des repas, de la sorte, devenait l'heure du courrier, et la correspondance qui prétendait régler le sort de la Chrétienté était fort tachée de graisse.

De tous ces manquements, le comte de Forez instruisait le régent, lequel semblait s'en féliciter. « Plus ils auront commis de fautes et d'inobservances, déclarait Philippe de Poitiers, et mieux nous serons en mesure de sévir quand nous en prendrons décision. Pour les missives, laissez-les s'acheminer, en les ouvrant au passage aussi souvent que vous le pourrez, afin de m'en révéler le contenu. »

Ainsi fut-on averti de quatre candidatures qui échouèrent presque aussitôt que posées : celle d'abord d'Arnaud Nouvel, ancien abbé de Fontfroide, dont le comte de Poitiers fit savoir clairement par Jean de Forez « qu'il ne trouvait pas ce cardinal assez ami du royaume de France » ; puis les candidatures de Guillaume de Mandagout, d'Arnaud de Pélagrue et de Bérenger Frédol l'aîné. Gascons et Provençaux se faisaient mutuellement échec. On apprit aussi que le redoutable Caëtani commençait à écœurer une partie des Italiens, et jusqu'à son propre cousin Stefaneschi, par la bassesse de ses intrigues et l'outrance démente de ses calomnies.

N'avait-il pas suggéré, d'un ton de plaisanterie — mais on savait ce que de tels propos valaient dans sa bouche ! — d'évoquer le diable et de s'en remettre à lui pour désigner le pape, puisque Dieu semblait renoncer à faire connaître son choix ?

A quoi Duèze, de sa voix chuchotante, avait répondu :

« Ce ne serait pas la première fois, Monseigneur Francesco, que Satan siégerait parmi nous. »

Si Caëtani demandait une chandelle, on chuchotait aussitôt qu'il en voulait fondre la cire pour procéder à un envoûtement.

Les cardinaux, jusqu'à leur internement inattendu, s'étaient opposés les uns aux autres pour des motifs de doctrine, de prestige ou d'intérêt. Mais, à présent, d'avoir vécu ensemble tout un mois dans un espace mesuré, ils se haïssaient pour des raisons personnelles, presque des raisons physiques. Certains se négligeaient, ne se rasaient ni ne se lavaient plus, et se laissaient aller à toutes les libertés de nature. Ce n'était plus par promesses d'argent ou de bénéfices que tel candidat cherchait à se gagner des voix, mais en partageant ses rations avec les gloutons, acte formellement prohibé. Alors, les dénonciations couraient d'oreille à oreille :

« Le camerlingue a encore mangé trois plats de son parti... »

Si les estomacs, par ces compensations, parvenaient à peu près à se satisfaire, il n'en allait pas de même d'autres appétits ; la chasteté, à laquelle certains cardinaux avaient peu l'habitude de se soumettre, commençait d'aigrir furieusement le caractère de quelques-uns. Une plaisanterie circulait parmi les Provençaux :

« Si d'Auch est prêt à tout pour faire bonne chère, à Colonne il n'est chair qui ne soit bonne affaire. »

Car les deux Colonna, l'oncle et le neveu, deux seigneurs athlétiques et mieux bâtis pour porter la cuirasse que la soutane, traquaient les damoiseaux dans les couloirs du couvent en leur promettant une bonne absolution.

On ne cessait de se jeter à la tête de vieux griefs :

« Si vous n'aviez pas canonisé Célestin... si vous n'aviez pas renié Boniface... si vous n'aviez pas consenti à partir de Rome... si vous n'aviez pas condamné les Templiers... »

On s'accusait mutuellement de faiblesse dans la défense de l'Eglise, d'ambition et de vénalité. A entendre ce que les cardinaux disaient les uns des autres, on eût cru qu'aucun d'eux ne méritait même un vicariat de campagne.

Seul Mgr Duèze semblait insensible à l'inconfort, aux intrigues et à la médisance. Depuis deux ans, il avait tant embrouillé les choses entre ses collègues qu'il n'avait plus besoin de se mêler de rien, et pouvait laisser ses perverses machines tourner toutes seules. Frugal par nature et par habitude, la maigreur de la pitance ne le gênait nullement. Il avait choisi de partager sa cellule avec deux cardinaux normands ralliés aux Provençaux, Nicolas de Fréauville, ancien confesseur de Philippe le Bel, et Michel du Bec, qui, trop faibles pour constituer un parti, ne figuraient point parmi les « papables ». On ne les redoutait pas, et leur installation en compagnie de Duèze ne pouvait pas prendre l'aspect d'une conjuration. D'ailleurs, Duèze voyait peu ses deux compagnons. A heure fixe, il se promenait dans le cloître du couvent, généralement appuyé au bras de Guccio, qui ne cessait de lui recommander :

« Monseigneur, ne marchez point si vite ! Voyez, j'ai peine à vous suivre, avec cette jambe roide que je garde de ma chute, à Marseille. Vous savez bien que vos chances, si je crois ce que j'entends, seront plus fortes à mesure qu'on vous croira plus faible.

— C'est vrai, c'est vrai », répondait le cardinal qui s'efforçait alors de courber le col, de fléchir le genou, et de discipliner ses soixante-douze ans.

Le reste du temps, il lisait ou écrivait. Il avait pu se procurer ce qui lui était le plus nécessaire au monde : des livres, de la chandelle et du papier. Venait-on l'avertir d'une réunion dans le chœur de l'église ? Il feignait de quitter à regret sa stalle et là, écoutant ses collègues s'injurier ou se larder de perfidies, il se contentait de souffler d'une voix à peine audible :

« Je prie, mes frères ; je prie pour que Dieu nous inspire le choix du plus digne. »

Ceux qui le connaissaient de longue date le jugeaient bien changé. Il semblait fort s'adonner aux macérations, et offrait à chacun l'exemple de la bienveillance et de la charité. Quand on lui en faisait la remarque, il répondait simplement, accompagnant son murmure d'un geste désabusé :

« L'approche de la mort... Il est grand temps de me préparer... »

Il touchait à peine à l'écuelle de ses repas et la faisait porter à l'un ou l'autre de ses rivaux. Ainsi Guccio arrivait les bras chargés auprès du camerlingue, qui prospérait comme bœuf à l'engrais, en disant :

« Mgr Duèze vous fait tenir ceci. Il vous a trouvé maigri, ce matin. »

Des quatre-vingt-seize prisonniers, Guccio était l'un de ceux qui communiquaient le plus aisément avec l'extérieur ; il avait, en effet, pu établir rapidement une liaison avec l'agent de la banque Tolomei à Lyon. Par ce relais s'acheminaient non seulement les lettres que Guccio envoyait à son oncle, mais aussi le courrier plus secret que Duèze destinait au régent. A ces lettres-là était épargnée la disgrâce du séjour dans les plats graisseux ; elles passaient à l'intérieur des livres indispensables aux pieuses études du cardinal.

Duèze, en fait, n'avait d'autre confident que le jeune Lombard, dont l'astuce le servait chaque jour davantage. Leur sort était étroitement lié, car si l'un voulait sortir pape de ce couvent surchauffé par l'été, l'autre en désirait partir au plus tôt, et puissamment protégé, afin de secourir sa belle. Guccio, toutefois, était un peu tranquillisé au sujet de Marie depuis que Tolomei lui avait écrit qu'il veillait sur elle comme un oncle véritable.

Au début de la dernière semaine de juillet, lorsque Duèze vit ses collègues bien las, bien éprouvés par la chaleur, et irrémédiablement dressés les uns contre les autres, il décida de leur donner la comédie qu'il méditait et qu'il avait soigneusement mise au point avec Guccio.

« Ai-je assez traîné le pied ? Ai-je assez jeûné ? Ma mine est-elle assez mauvaise ? demanda-t-il à son damoiseau improvisé, et mes compères sont-ils assez dégoûtés d'eux-mêmes pour se laisser conduire à une décision de fatigue ?

— Je le crois, Monseigneur, je crois qu'ils sont bien mûrs.

— Alors, il est temps, je crois, mon jeune compagnon, de faire travailler votre langue ; pour moi, je vais me coucher et que je ne me relèverai plus guère. »

Guccio commença de se répandre parmi les serviteurs des autres cardinaux, en disant que Mgr Duèze était très éprouvé, qu'il donnait des signes de maladie, et qu'on devait redouter, vu son grand âge, qu'il ne sortît pas vivant de ce conclave.

Le lendemain, Duèze ne parut pas à la réunion quotidienne, et les cardinaux en murmurèrent entre eux, chacun répétant les bruits que Guccio faisait courir.

Le jour suivant, le cardinal Orsini, qui venait d'avoir une altercation violente avec les Colonna, rencontra Guccio et lui demanda s'il était bien vrai que Mgr Duèze fût en si grande faiblesse.

« Eh oui, Monseigneur, et vous m'en voyez l'âme toute fendue, répondit Guccio. Savez-vous que mon bon maître a même cessé de lire ? Autant dire qu'il a peu de chemin à faire maintenant pour cesser de vivre. »

Puis, de cet air d'audace naïve dont il savait jouer à propos, il ajouta :

« Si j'étais à votre place, Monseigneur, je sais bien ce que je ferais. J'élirais Mgr Duèze. Ainsi vous pourriez sortir enfin de ce conclave, et en tenir un autre à votre guise tout aussitôt qu'il sera mort, ce qui, je vous le répète, ne saurait tarder. C'est une chance que dans une semaine vous aurez peut-être perdue. »

Le soir même, Guccio aperçut Napoléon Orsini en conciliabule avec Stefaneschi, Alberti de Prato et Guillaume de Longis, tous Italiens favorables à Duèze. Le lendemain, le même groupe se reforma comme de lui-même dans le cloître, mais grossi de l'Espagnol Luca de Flisco, demi-frère de Jacques II d'Aragon, et d'Arnaud de Pélagrue, le chef du parti gascon.

Guccio, passant auprès, entendit ce dernier prononcer :

« Et s'il ne meurt pas ?

— Ce serait moindre mal, répondit l'un des Italiens, que de rester ici six mois encore, comme cela nous guette si nous perdons cette occasion d'élire un moribond. »

Aussitôt Guccio fit passer une lettre pour son oncle, où il lui suggérait de racheter à la compagnie des Bardi toutes les créances que cette banque possédait sur Jacques Duèze. « Vous pourrez les obtenir sans peine à moitié de la valeur, car le débiteur est donné mourant, et le prêteur vous tiendra pour fol. Achetez, même à octante livres pour le cent, l'affaire, je vous le dis, sera bonne, ou je ne suis plus votre neveu. » Il conseillait en outre à Tolomei de venir lui-même à Lyon au plus tôt qu'il le pourrait.

Le 29 juillet, le comte de Forez fit officiellement remettre au cardinal camerlingue une lettre du régent. Pour en entendre la lecture, Jacques Duèze consentit à quitter son grabat ; il se fit porter plutôt qu'il ne marcha jusqu'à l'assemblée.

La lettre du comte de Poitiers était sévère. Elle détaillait tous les manquements au règlement de Grégoire. Elle rappelait la promesse de démolir les toits de l'église. Elle faisait honte aux cardinaux de leurs discordes, et leur suggérait, s'ils ne pouvaient arriver à conclusion, de conférer la tiare au plus âgé d'entre eux. Or le plus âgé était Jacques Duèze.

Quand celui-ci entendit ces mots, il agita les mains d'un geste épuisé et mumura :

« Le plus digne, mes frères, le plus digne ! Qu'iriez-vous faire d'un pasteur qui n'a plus la force de se conduire lui-même, et dont la place est plutôt au Ciel, si le Seigneur veut bien l'y accueillir, qu'ici-bas ? »

Il se fit ramener dans sa cellule, s'étendit sur sa couche, et se tourna vers le mur.

Le surlendemain, Duèze parut retrouver un peu de force ; un affaiblissement trop constant eût éveillé les soupçons. Mais, lorsque vint une recommandation du roi de Naples qui étayait celle du comte de Poitiers, le vieillard se mit à tousser de manière pitoyable ; il fallait qu'il fût bien mal en point pour avoir pris froid par une si forte chaleur.

Les marchandages continuaient ferme, car toutes les espérances n'étaient pas éteintes.

Mais le comte de Forez commençait à se montrer plus rude. Maintenant, il ordonnait de fouiller ostensiblement les vivres, qu'il avait d'ailleurs réduits à un service par jour, et il confisquait la correspondance ou la faisait rejeter à l'intérieur.

Le 5 août, Napoléon Orsini était parvenu à rallier à Duèze le terrible Caëtani lui-même, ainsi que quelques membres du parti gascon. Les Provençaux flairèrent le parfum de la victoire.

On s'aperçut, le 6 août, que Mgr Duèze pouvait compter sur dix-huit voix, c'est-à-dire deux voix de plus que cette fameuse majorité absolue qu'en deux ans et trois mois personne n'avait pu réunir. Les derniers adversaires, voyant alors que l'élection allait se faire malgré eux, et craignant qu'il ne leur soit tenu rigueur de leur obstination, se donnèrent les gants de reconnaître les hautes vertus chrétiennes du cardinal-évêque de Porto, et se déclarèrent prêts à lui accorder leurs suffrages.

Le lendemain, 7 août 1316, on décida de voter. Quatre scrutateurs furent désignés. Duèze apparut, porté par Guccio et son second damoiseau.

« Il ne pèse pas lourd », murmurait Guccio aux cardinaux qui les regardaient passer et qui s'écartaient avec une déférence où se marquait déjà leur choix.

Quelques minutes plus tard, Duèze était proclamé pape à l'unanimité, et ses vingt-trois collègues lui faisaient une ovation.

« Puisque vous le voulez, Seigneur, puisque vous le voulez... souffla Duèze.

— De quel nom fais-tu choix ? lui demanda-t-on.

— Jean... Je porterai le nom de Jean... Jean XXII. »

Guccio se leva pour aider à se lever le chétif vieillard devenu l'autorité suprême de l'univers.

« Non, mon fils, non, dit le nouveau pape. Je vais m'efforcer de marcher seul. Puisse Dieu soutenir mes pas. »

Les imbéciles crurent alors voir s'opérer un miracle, tandis que les autres comprenaient qu'ils avaient été bernés. Ils pensaient avoir voté pour un cadavre ; et voilà que leur élu, fort aisément, circulait parmi eux, frétillant et frais comme une truite. Mais ils ne pouvaient encore imaginer combien il leur mènerait la vie dure, pendant dix-huit années !

Cependant, le camerlingue avait déjà brûlé dans

la cheminée les papiers du vote, dont la fumée blanche annonçait au monde l'élection du pontife. Les coups de pioche alors commencèrent à retentir contre la maçonnerie qui murait le grand portail. Mais le comte de Forez était prudent ; dès qu'on eut dégagé assez de pierres, il se glissa lui-même dans l'embrasure.

« Oui, oui, mon fils, c'est bien moi », lui dit Duèze qui avait rapidement trottiné jusque-là.

Alors, les maçons achevèrent d'abattre le mur ; les deux vantaux furent ouverts et le soleil, pour la première fois depuis quarante jours, pénétra dans l'église des Jacobins.

Une foule nombreuse attendait sur le parvis, bourgeois et petites gens de Lyon, consuls, seigneurs, observateurs des cours étrangères, qui tous se pressèrent et s'agenouillèrent, tandis que cardinaux et conclavistes sortaient, formés en procession. Un gros homme, au teint olivâtre, qui se tenait au premier rang, auprès du comte de Forez, saisit le bord de la robe du nouveau pape, quand celui-ci passa devant lui et porta l'ourlet à ses lèvres.

« Oncle Spinello ! s'écria Guccio Baglioni qui marchait derrière le pontife.

— Ah ! vous êtes l'oncle ! J'aime bien votre neveu, mon fils, dit Duèze au gros homme agenouillé en lui faisant signe de se relever. Il m'a fidèlement servi, et je veux le garder auprès de moi. Embrassez-le, embrassez-le ! »

Le capitaine général des Lombards se redressa, et Guccio l'étreignit.

« J'ai tout racheté, comme tu me l'avais dit et à six pour dix, souffla Tolomei dans l'oreille de Guccio, pendant que Duèze bénissait la foule. Ce pape nous doit maintenant quelques milliers de livres. Beau travail, mon garçon. Tu es le vrai neveu de mon sang. »

Quelqu'un, derrière eux, faisait aussi longue figure que les cardinaux ; c'était le seigneur Boccace, principal voyageur des Bardi.

« Ah ! tu étais donc à l'intérieur, mécréant, dit-il à Guccio. Si j'avais su cela, je n'aurais jamais vendu les créances.

— Et Marie ? Où est Marie ? demanda anxieusement Guccio à son oncle.

— Ta Marie se porte bien. Elle est aussi belle que tu as de malice, et si le petit Lombard qui lui enfle le ventre tient de vous deux, il fera son chemin dans le monde. Mais va vite, va, mon garçon ! Tu vois bien que le Saint-Père t'appelle. »

III

LES DETTES DU CRIME

Le régent Philippe tenait essentiellement à assister au sacre du pape afin de se poser en protecteur de la Chrétienté.

« L'élection de Duèze m'a coûté assez de peine et de soucis, disait-il. Il est bien juste qu'il m'aide à présent à assurer mon gouvernement. Je veux être à Lyon pour son couronnement. »

Mais les nouvelles d'Artois ne laissaient pas d'être inquiétantes. Robert avait pris sans difficulté Arras, Avesnes, Thérouanne, et continuait de conquérir le pays. A Paris, Charles de Valois l'appuyait en sous-main.

Fidèle à son habituelle tactique d'encerclement, le régent commença par travailler sur les régions limitrophes de l'Artois, afin d'éviter l'extension de la révolte. Aux barons de Picardie, il écrivit pour leur rappeler leurs liens de fidélité à la couronne de France, leur faisant entendre courtoisement qu'il ne tolérerait aucun manquement à leur devoir ; un contingent de troupes et de sergents d'armes fut réparti dans les prévôtés pour surveiller la contrée. Aux Flamands, qui se gaussaient encore, au bout d'un an écoulé, de la misérable chevauchée du Hutin perdant son armée dans la boue, Philippe proposa un nouveau traité de paix à des conditions fort avantageuses pour eux.

« Dans ce gâchis qu'on nous laisse à débrouiller, il faut bien perdre un peu pour sauver le tout », expliqua le régent à ses conseillers.

Bien que son gendre, Jean de Fiennes, fût l'un des premiers lieutenants de Robert, le comte de Flandre, sentant qu'il n'aurait jamais si bonne occasion de traiter, consentit aux pourparlers et demeura donc neutre dans les affaires du comté voisin.

Philippe avait ainsi pratiquement fermé les portes de l'Artois. Il envoya alors Gaucher de Châtillon négocier directement avec les chefs des révoltés et les assurer des bonnes intentions de la comtesse Mahaut.

« Entendez-moi bien, Gaucher ; vous ne devez point prendre langue avec Robert, recommanda-t-il au connétable, car ce serait lui reconnaître les droits qu'il réclame. Nous continuons de le tenir déchu de l'Artois, ainsi que mon père en a rendu jugement. Vous allez seulement pour régler le conflit qui oppose la comtesse à ses vassaux et dans lequel Robert, à nos yeux, n'entre pour mie.

— En vérité, Monseigneur, dit le connétable, vous voulez faire triompher en tout votre belle-mère ?

— Non point, Gaucher ; non point si elle a abusé de ses droits, ainsi que je le crois. Elle est fort empérière, la dame Mahaut, et elle juge tout un chacun né exprès pour la servir jusqu'au dernier liard de bourse et la dernière goutte de sueur ! Je veux la paix, poursuivit le régent, et pour cela qu'il soit rendu équitablement à chacun. Nous savons que la bourgeoisie des villes reste favorable à la comtesse parce que cette bourgeoisie est toujours en chamaille avec la noblesse, tandis que les nobles ont épousé la cause de Robert afin d'appuyer leurs griefs. Voyez donc quelles requêtes sont fondées et tâchez à y satisfaire sans porter atteinte aux prérogatives de la couronne ; ainsi efforcez-vous de détacher les barons de notre turbulent cousin, en leur montrant qu'ils peuvent obtenir de nous, par justice, davantage que de lui, par violence.

— Vous êtes prud'homme, Monseigneur, vous êtes prud'homme assurément, dit le connétable. Je ne pensais pas qu'il me serait donné en mes vieilles années de servir avec tant d'agrément un prince si sage, et qui n'a pas le tiers de mon âge. »

Dans le même temps, le régent faisait prier le pape, par le comte de Forez, de retarder un peu son couronnement. Jean XXII, quelque hâte légitime qu'il eût de voir son élection consacrée, accepta fort complaisamment un délai de deux semaines.

Mais, au bout des deux semaines écoulées, les

affaires d'Artois étant encore bien loin de leur règlement et l'accord avec les Flamands ne se pouvant ratifier avant le 1er septembre, Philippe demanda, par le dauphin de Viennois cette fois, un nouveau recul de la cérémonie. Or Jean XXII, à la surprise du régent, se montra soudain très ferme et presque brutal, en fixant irrévocablement au 5 septembre son couronnement.

Il tenait à cette date pour de puissantes raisons qu'il gardait secrètes et qui échappaient d'ailleurs au jugement commun. En effet, c'était un 5 septembre, en l'an 1300, qu'il avait été sacré évêque de Fréjus ; c'était dans la première semaine de septembre 1309 que son protecteur, le roi Robert de Naples, avait été couronné ; et si un faux en écriture royale lui avait permis d'obtenir le siège épiscopal d'Avignon, c'était le 4 septembre 1310 que sa manœuvre avait réussi.

Le nouveau pape avait un bon commerce avec les astres, et savait se servir des conjonctions solaires pour régler les étapes de son ascension.

« Si Mgr le régent de France et de Navarre, que tant nous aimons, fit-il répondre, se trouve empêché par les devoirs du royaume d'être à nos côtés en ce jour solennel, nous en souffrirons beaucoup ; mais alors, n'ayant plus à craindre de lui faire faire trop long chemin, nous irons coiffer la tiare en la ville d'Avignon. »

Philippe de Poitiers signa le traité avec les Flamands dans la matinée du 1er septembre. Le 5 à l'aube, il arrivait à Lyon accompagné des comtes de Valois et de La Marche, qu'il ne voulait pas laisser à Paris hors de sa surveillance, ainsi que de Louis d'Evreux.

« Vous nous avez fait marcher à un train de chevaucheur, mon neveu », lui dit Valois en mettant pied à terre.

Ils n'eurent que le temps de revêtir les vêtements spécialement préparés pour la cérémonie et qu'avait commandés l'argentier Geoffroy de Fleury. Le régent portait une robe ouverte, d'étoffe fleur de pêcher, doublée de deux cent vingt-six ventres de menu-vair. Charles de Valois, Louis d'Evreux, Charles de La Marche, ainsi que Philippe de Valois, qui était aussi de la fête, avaient reçu chacun, en présent, une robe de camocas pareillement fourrée.

Lyon, tout pavoisé, grouillait d'une foule innombrable venue pour assister au défilé.

Jean XXII arriva à la primatiale Saint-Jean à cheval, précédé par le régent de France. Toutes les cloches de la ville sonnaient à la volée. Les rênes de la monture pontificale étaient tenues d'un côté par le comte d'Evreux et de l'autre par le comte de La Marche. La monarchie française encadrait étroitement la papauté. Les cardinaux suivaient, le chapeau rouge posé par-dessus la chape et retenu sous le menton par les brides nouées. Les mitres des évêques scintillaient au soleil.

Ce fut le cardinal Orsini, descendant du patriciat romain, qui posa la tiare sur le front de Jacques Duèze, fils d'un bourgeois de Cahors.

Guccio, bien placé dans la cathédrale, admirait son maître. Le petit vieillard au menton maigre, aux épaules étroites, que l'on croyait mourant quatre semaines plus tôt, supportait sans peine les lourds attributs sacerdotaux dont on le chargeait. Les rites pharaoniques de cette interminable cérémonie, qui le plaçait tellement au-dessus de ses semblables et faisait de lui le symbole de la divinité, agissaient sur sa personne presque à son insu, et répandaient sur ses traits une majesté imprévisible, impressionnante, et plus évidente à mesure que se déroulait la liturgie. Il ne put néanmoins se défendre d'un léger sourire lorsqu'il chaussa les sandales pontificales.

« Scarpinelli ! Ils m'appelaient Scarpinelli... le cardinal petits-chaussons... pensait-il. Ils me faisaient passer pour fils de savetier. Je les porte, maintenant, les petits chaussons... Seigneur ! Vous m'avez mis si haut que je n'ai plus rien à désirer. Je n'ai plus qu'à m'efforcer de bien gouverner votre Eglise. »

Cet ambitieux, à présent que toutes ses ambitions étaient exaucées, ce fourbe, dont toutes les fourberies avaient réussi, se trouvait disponible pour la perfection dans la magistrature suprême.

Le même jour, des lettres de noblesse furent conférées à son frère, Pierre Duèze, par le régent. La famille du pape, selon l'usage, devenait noble. Mais l'acte que Philippe de Poitiers avait dicté lui-même, s'il était destiné à honorer le Saint-Père à travers son frère, définissait aussi la pensée et l'attitude, fort peu traditionnelles, du jeune prince, quant au droit à la noblesse. « *Ce ne sont pas les biens de famille,* était-il écrit dans ces lettres, *ni la richesse de fait, ni les autres attentions de la fortune, qui ont aucun titre dans le concert des qualités morales et des actions méritoires ; ce sont là des choses qu'un certain hasard accorde aux méritants comme aux imméritants, qui arrivent aussi bien aux dignes qu'aux indignes... En revanche, chacun s'établit comme fils de ses œuvres et de ses mérites propres, tandis qu'est de nulle importance d'où nous pouvons venir, si tant est que nous sachions même de qui nous venons...* »

Valois frémissait d'irritation en entendant de telles assertions qu'il jugeait subversives et scandaleuses.

Mais le régent n'avait pas fait tant de chemin ni donné au nouveau pape de si grandes marques d'estime pour ne rien obtenir en retour. Entre ces deux hommes que séparait un demi-siècle d'âge... « vous êtes l'aube, Monseigneur, et je suis le ponant », disait Duèze à Philippe ... existaient des affinités certaines et une subtile entente. Jean XXII n'oubliait pas les promesses de Jacques Duèze, ni le régent celles du comte de Poitiers. Aussitôt que le régent aborda la question des bénéfices ecclésiastiques dont les annates, c'est-à-dire la première annuité, devaient revenir au Trésor, le nouveau pape fit apporter les pièces prêtes à la signature. Mais, avant que les sceaux ne fussent apposés, Philippe eut une conversation particulière avec Charles de Valois.

« Mon oncle, demanda-t-il, avez-vous à vous plaindre de moi ?

— Non, mon neveu », dit l'ex-empereur de Constantinople.

Le moyen d'aller répondre à quelqu'un que le seul grief qu'on ait contre lui, c'est son existence !...

« Alors, mon oncle, si vous n'avez pas à vous plaindre, pourquoi me desservez-vous ? Je vous avais assuré, quand vous m'avez remis les clefs du Trésor, que les comptes ne vous seraient pas demandés, et j'ai tenu parole. Vous, vous m'avez juré hommage et fidélité, mais vous ne tenez point votre foi, mon oncle, car vous soutenez la cause de Robert d'Artois. »

Valois fit un geste de dénégation.

« Vous faites mauvais calcul, poursuivit Philippe, car Robert va vous coûter fort cher. Il est impécunieux ; il ne tire ressources que des revenus que lui sert le Trésor, et que je viens de lui couper. C'est donc à vous qu'il va demander subsides. Où les trouverez-vous, puisque vous n'avez plus les finances du royaume ? Allons, ne vous crêtez point, ne devenez point rouge, ni ne vous laissez aller à des paroles grosses que vous regretteriez, car je veux votre bien. Donnez-moi l'assurance de ne plus aider Robert, et moi, de mon côté, je m'en vais demander au Saint-Père que les annates du Valois et du Maine vous soient versées directement, et non au Trésor. »

Entre la haine et la cupidité, le cœur du comte de Valois fut un instant déchiré.

« A combien s'élèvent ces annates ? demanda-t-il.

— De dix à douze mille livres, mon oncle, car il y faut comprendre les bénéfices qui n'ont pas été perçus dans les derniers temps de mon père et pendant tout le règne de Louis. »

Pour Valois, toujours endetté, ces dix ou douze mille livres à recevoir dans l'année étaient miraculeusement bienvenues.

« Vous êtes un bon neveu, qui comprenez mes besoins, répondit-il. Je m'en vais enjoindre à Robert de s'accommoder avec vous, et lui remontrer que, s'il n'y consent, je lui ôterai mon soutien. »

Philippe rentra par petites étapes, réglant différentes affaires en chemin ; il fit un dernier arrêt à Vincennes, pour porter à Clémence la bénédiction du nouveau pape.

« Je suis heureuse, dit la reine, que notre ami Duèze ait pris le nom de Jean, car c'est celui aussi que j'ai choisi pour mon enfant, par ce vœu que je fis, durant la tempête, sur la nef qui m'amena en France. »

Elle semblait toujours étrangère aux problèmes du pouvoir, et uniquement occupée de ses souvenirs conjugaux ou de ses soucis de maternité. Le séjour de Vincennes convenait à sa santé ; elle avait repris beau visage et connaissait, dans l'embonpoint du septième mois, ce répit que l'on voit parfois vers la fin des grossesses difficiles.

« Jean n'est guère un nom de roi pour la France, dit le régent. Nous n'avons jamais eu de Jean.

— Mon frère, je vous dis que c'est un serment que j'ai fait.

— Alors, nous le respecterons... Si donc vous avez un mâle, il s'appellera Jean Premier... »

Au palais de la Cité, Philippe trouva sa femme parfaitement heureuse, pouponnant le petit Louis-Philippe qui criait de toute la force de ses huit semaines.

Mais la comtesse Mahaut, aussitôt qu'avertie du retour de son gendre, arriva de l'hôtel d'Artois, manches retroussées, les joues en feu, l'œil furieux.

« Ah ! on me trahit bien, mon fils, dès que vous n'êtes pas là ! Savez-vous ce qu'est allé manœuvrer en Artois votre gueux de Gaucher ?

— Gaucher est connétable, ma mère, et voici peu vous ne le trouviez pas gueux du tout. Que vous a-t-il donc fait ?

— Il m'a donné tort ! cria Mahaut. Il m'a condamnée en tout. Vos envoyés s'entendent comme compères de foire avec mes vassaux ; ils ont pris sur eux de déclarer que je ne rentrerais pas en Artois... vous entendez bien, m'interdire dans mon comté !... avant que ne soit scellée cette mauvaise paix que j'ai refusée à Louis l'autre décembre ; et ils veulent en plus que je restitue je ne sais quelles tailles que d'après eux j'aurais indûment perçues !

— Tout ceci me paraît équitable. Mes envoyés ont suivi bien fidèlement mes ordres », répondit calmement Philippe.

La surprise laissa Mahaut un instant interdite, la bouche entrouverte, les yeux arrondis. Puis elle reprit, criant plus fort :

« Equitable de piller mes châteaux, de pendre mes sergents, de ravager mes moissons ! Et ce sont vos ordres donc, de soutenir mes ennemis ? Vos ordres ! Voilà la belle façon dont vous me payez de tout ce que j'ai fait pour vous ! »

Une grosse veine violette se gonflait sur son front.

« Je ne vois pas, ma mère, hormis de m'avoir donné votre fille, répliqua Philippe, que vous ayez tant fait pour moi qu'il me faille léser mes sujets et compromettre à votre profit toute la paix du royaume. »

Entre la prudence et l'emportement, Mahaut hésita une seconde. Mais le mot employé par son gendre, « mes sujets », qui était parole de roi, la piqua comme un aiguillon ; et le secret qu'elle gardait si savamment depuis dix semaines fut rompu sur ce coup de colère.

« Et d'avoir expédié ton frère outre, dit-elle en avançant sur lui, n'est-ce donc rien ? »

Philippe n'eut pas de sursaut, ni d'exclamation ; sa réaction fut d'aller clore les portes. Il verrouilla les serrures, ôta les clefs et les glissa dans sa ceinture. Il n'aimait combattre qu'en arènes fermées. Mahaut fut prise de frayeur, et plus encore quand elle aperçut le visage qu'il avait en revenant vers elle.

« C'était donc vous, dit-il à mi-voix, et ce qu'on chuchote dans le royaume est vrai ! »

Mahaut fit front, selon sa nature qui était d'attaquer.

« Et qui vouliez-vous que ce fût, mon beau-fils ? A qui croyez-vous donc devoir la grâce d'être régent et de pouvoir un jour, peut-être, vous approprier la couronne ? Allons ! Ne vous donnez point pour si naïf. Votre frère m'avait confisqué l'Artois ; Valois le montait contre moi, et vous, vous étiez à Lyon, à vous occuper du pape... toujours ce pape qui vient en mes affaires comme mars en carême ! Ne faites pas tant le benoît que d'aller me dire que vous regrettez Louis ! Vous n'aviez guère de tendresse pour lui, vous vous sentez bien aise que je vous aie fourni toute chaude sa place, en assaisonnant un peu ses dragées, et sans qu'il en coûte rien à votre conscience. Mais je n'attendais pas, moi, de vous trouver à mon endroit plus mal disposé que lui. »

Philippe s'était assis, avait croisé ses longues mains, et réfléchissait.

« Il fallait bien en arriver là, un jour ou l'autre, pensait Mahaut. Dans un sens c'est peut-être un bien ; je le tiens à présent. »

« Jeanne sait ? demanda soudain Philippe.

— Elle ne sait rien.

— Qui sait, alors, en dehors de vous ?

— Béatrice, ma demoiselle de parage.

— C'est trop, dit Philippe.

— Ah ! ne touchez pas à celle-là ! s'écria Mahaut. Elle a puissante famille !

— Certes, une famille qui vous a fait bien aimer en Artois ! Et hormis cette Béatrice ? Qui vous a fourni... l'assaisonnement, comme vous appelez cela ?

— Une magicienne d'Arras que je n'ai jamais vue, mais que Béatrice connaît. J'ai feint de vouloir me débarrasser des cerfs qui infestaient mon parc ; j'ai pris soin d'ailleurs d'en faire crever beaucoup.

— Il faudrait rechercher cette femme, dit Philippe.

— Comprenez-vous maintenant, reprit Mahaut, que vous ne pouvez point m'abandonner ? Car si l'on croit que vous me laissez sans appui, mes ennemis vont reprendre courage, les calomnies redoubler...

— Les médisances, ma mère, les médisances... rectifia Philippe.

— ... et si l'on m'accuse de ce que vous savez, le poids en retombera sur vous, car on ne manquera pas de dire que je l'ai fait pour votre avantage, ce qui est vrai ; et beaucoup penseront que j'ai agi sur votre ordre même.

— Je sais, ma mère, je sais ; je viens déjà de penser à tout cela.

— Songez, Philippe, que j'ai risqué le salut de mon âme à cette entreprise. Ne soyez pas ingrat. »

Philippe eut un ricanement bref, suivi d'un aussi bref éclat de colère.

« Ah ! c'en est trop, ma mère ! Allez-vous demander bientôt que je vous vienne baiser les pieds pour avoir empoisonné mon frère ? Si j'avais su que la régence était à ce prix, je ne l'eusse certes pas acceptée ! Je réprouve le meurtre ; il n'est jamais besoin de tuer pour venir à ses fins ; c'est là moyen de mauvaise politique, et je vous ordonne, aussi longtemps que je serai votre suzerain, de n'en plus user. »

Un moment, il eut la tentation de l'honnêteté. Réunir le Conseil des Pairs, dénoncer le crime, demander le châtiment... Mahaut, qui le devina agité de ces pensées, passa de pénibles instants. Mais Philippe ne s'abandonnait guère à ses impulsions, même vertueuses. Agir comme il l'imaginait, c'était jeter le discrédit sur sa femme et sur lui-même. Et de quelles accusations Mahaut, pour se défendre, ou pour perdre avec elle qui ne l'aurait pas défendue, ne serait-elle capable ? Les querelles renaîtraient forcément autour des règlements de régence. Philippe avait déjà trop fait pour le royaume, et trop rêvé à ce qu'il allait faire, pour courir le risque d'être privé du pouvoir. Son frère Louis, à tout prendre, avait été un mauvais roi, et, de surcroît, un assassin... Peut-être était-ce la volonté de la Providence que de punir le meurtrier par le meurtre, et de remettre la France en meilleures mains.

« Dieu vous jugera, ma mère, Dieu vous jugera, dit-il. Je voudrais éviter seulement que les flammes de l'enfer ne commencent, à cause de vous, de nous lécher tous en notre vivant. Il me faut donc payer les dettes de votre crime, et ne pouvant vous mettre en geôle, je suis forcé, en effet, de vous soutenir... Votre machination était bien combinée. Messire Gaucher recevra dès après-demain d'autres instructions. Je ne vous cache pas qu'elles me pèsent. »

Mahaut voulut l'embrasser. Il la repoussa.

« Mais sachez bien, reprit-il, que désormais mes plats seront goûtés trois fois et qu'à la première douleur d'estomac qui me point un peu, vos heures à vivre seront petitement comptées. Priez donc pour ma santé. »

Mahaut baissa le front.

« Je vous servirai tant, mon fils, dit-elle, que vous finirez par me rendre votre amour. »

IV

« PUISQU'IL FAUT NOUS RESOUDRE A LA GUERRE... »

NUL ne comprit, et surtout pas Gaucher de Châtillon, le revirement de Philippe dans les affaires d'Artois. Le régent, désavouant brusquement ses envoyés, déclara inacceptable la conciliation qu'ils avaient préparée et exigea la rédaction de nouvelles conventions plus favorables à Mahaut. Le résultat ne se fit pas attendre. Les négociations furent rompues et ceux qui les menaient du côté artésien, représentant l'élément modéré de la noblesse, rejoignirent aussitôt le clan des violents. Leur indignation était extrême ; le connétable les avait vilainement joués ; la force en vérité était le seul recours.

Le comte Robert triomphait.

« Vous avais-je assez dit qu'on ne pouvait s'accorder avec ces félons ? » répétait-il à chacun.

Suivi de son armée d'insurgés, il marcha de nouveau sur Arras.

Gaucher, qui se trouvait dans la ville avec seulement une petite escorte, n'eut que le temps de s'enfuir par la porte de Péronne, tandis que Robert, toutes bannières déployées et trompettes sonnantes, entrait par la porte de Saint-Omer. Il s'en fallut d'un quart d'heure que le connétable de France ne fût fait prisonnier. Cette aventure se passait le 22 septembre. Le jour même, Robert adressait à sa tante la lettre suivante :

« *A très haute et très noble dame Mahaut d'Artois, comtesse de Bourgogne, Robert d'Artois, chevalier. Comme vous avez empêché à tort mon droit de la comté d'Artois, dont moult me noise et à tous les jours me pèse, laquelle chose je ne puis ni ne veux plus souffrir, ci vous fais savoir que j'y vais mettre ordre et recouvrer mon bien le plus tôt que je pourrai.* »

Robert n'était pas grand épistolier ; les nuances de finesse n'étaient pas son fort, et il était très satisfait de cette épître, parce qu'elle exprimait bien ce qu'il voulait dire.

Le connétable, lorsqu'il parvint à Paris, n'avait pas trop aimable figure, et lui non plus ne mâcha pas ses mots au comte de Poitiers. La personne du régent ne l'intimidait pas ; il avait vu ce jeune homme naître et mouiller ses langes ; il le lui dit tout droit, en ajoutant que c'était faire mauvais usage d'un bon serviteur et d'un fidèle parent qui comptait vingt ans de commandement des armées du royaume, que de l'envoyer traiter sur des assurances qu'on reniait ensuite.

« Je passais jusqu'à ce jour, Monseigneur, pour homme loyal, dont la parole promise ne pouvait être mise en doute. Vous m'avez fait jouer un rôle de traître et de larron. Quand j'ai soutenu vos droits à la régence, je pensais retrouver en vous un peu de mon roi, votre père, avec lequel jusqu'ici vous donniez des preuves de semblance. Je vois que je me suis cruellement mépris. Etes-vous tombé si fort sous tutelle de femme que vous changiez à présent d'avis comme de cotte ? »

Philippe s'efforça de calmer le connétable, s'accusant d'avoir d'abord mal jugé l'affaire, et d'avoir donné des instructions erronées. Rien ne servait de transiger avec la noblesse d'Artois tant que Robert ne serait pas abattu. Robert constituait un danger pour le royaume, et un péril pour l'honneur de la famille royale. N'était-il pas l'instigateur de cette campagne de calomnies qui désignait Mahaut comme l'empoisonneuse de Louis X ?

Gaucher haussa les épaules.

« Et qui croit à ces sottises ? s'écria-t-il.

— Pas vous, Gaucher, pas vous, dit Philippe, mais d'autres y ouvrent leurs oreilles, trop contents par là de nous nuire ; et ils iront dire demain que moi, que vous, avons trempé dans cette mort qu'on veut rendre suspecte. Mais Robert vient de faire le faux pas que j'espérais. Voyez donc ce qu'il écrit à la comtesse. »

Il tendit au connétable une copie de la lettre du 22 septembre et poursuivit :

« Robert rejette par là, le jugement que mon père a fait rendre en 1309 par le Parlement. Jusqu'à ce jour, il ne faisait que soutenir les ennemis de la comtesse ; à présent, il entre en révolte contre la loi du royaume. Vous allez remonter en Artois.

— Ah ! non ! Monseigneur ! s'écria Gaucher. Je m'y suis trop honni. J'ai dû m'enfuir d'Arras comme un vieux sanglier devant les chiens, sans prendre même le temps de pisser. Faites-moi la grâce de choisir quelque autre pour conduire cette affaire. »

Philippe se croisa les mains devant la bouche. « Si tu savais, Gaucher, pensait-il, si tu savais comme il m'est dur de te tromper ! Mais si je t'avouais la vérité, tu me mépriserais plus encore ! » Il reprit, obstiné :

« Vous allez remonter en Artois, Gaucher, pour l'amour de moi, et parce que je vous en prie. Vous allez emmener avec vous votre parent, messire Miles, et cette fois une forte troupe de chevaliers et aussi des gens des communes, en prenant renfort en Picardie ; et vous ferez sommer Robert de comparaître devant le Parlement pour y rendre compte de sa conduite. En même temps, vous fournirez soutien d'argent et d'hommes d'armes aux bourgeois des villes qui nous sont demeurés fidèles. Et si Robert ne se soumet pas, j'aviserai alors à l'y obliger autrement... Un prince est comme tout homme, Gaucher, poursuivit Philippe en prenant le connétable par les épaules ; il peut faire erreur au départ, mais plus grande erreur encore serait de s'y entêter. Le métier de couronne s'apprend comme un autre, et j'ai encore à apprendre. Faites-moi pardon du mauvais visage auquel je vous ai obligé. »

Rien n'émeut tant un homme d'âge qu'un aveu

d'inexpérience confessé par un cadet, surtout si ce dernier est hiérarchiquement son supérieur. Sous les paupières de tortue, le regard de Gaucher se voila un peu.

« Ah ! j'oubliais, reprit Philippe. J'ai décidé que vous seriez tuteur du futur enfant de Madame Clémence... notre roi donc, si Dieu veut que ce soit un garçon... et son second parrain tout aussitôt après moi [18].

— Monseigneur, Monseigneur Philippe... », dit le connétable tout ému.

Et il se pressa dans les bras du régent, comme s'il avait été le fautif.

« Pour la marraine, dit encore Philippe, nous avons décidé avec Madame Clémence, afin de couper à tous les méchants bruits, que ce serait la comtesse Mahaut. »

Huit jours plus tard, le connétable reprenait la route d'Artois.

Robert, comme on pouvait le prévoir, refusa de se soumettre à la semonce et continua de sévir à la tête de ses bandes cuirassées. Mais le mois d'octobre ne fut pas bon pour lui. S'il était guerrier violent, il n'était pas grand stratège ; il lançait ses expéditions sans ordre, un jour au nord, le lendemain au midi, selon l'inspiration de l'instant. Reître avant les reîtres, condottiere avant les condottieri, il était mieux désigné pour mettre sa force guerrière au service d'autrui que pour se commander lui-même. Dans ce comté qu'il considérait sien, il se conduisait comme en territoire ennemi, menant enfin la vie sauvage, dangereuse, frénétique, qui lui plaisait. Il se réjouissait de la peur qui naissait à son approche, mais ne voyait pas la haine qu'il laissait sur ses pas. Trop de corps pendus aux branches, trop de décapités, trop d'enterrés vifs au milieu de grands rires cruels, trop de filles violées qui gardaient sur la peau la marque des cottes de mailles, trop d'incendies jalonnaient sa route. Les mères disaient aux enfants, pour les faire tenir sages, qu'on allait appeler le comte Robert ; mais si on l'annonçait dans les parages, elles prenaient aussitôt leur marmaille dans leurs jupes et couraient vers la première forêt.

Les villes se barricadaient ; les artisans, instruits par l'exemple des communes flamandes, affûtaient leurs couteaux, et les échevins gardaient liaison avec les émissaires de Gaucher. Robert aimait les batailles en rase campagne ; il détestait la guerre de siège. Les bourgeois de Saint-Omer ou de Calais lui fermaient-ils leurs portes au nez ? Il haussait les épaules en disant :

« Je reviendrai un autre jour et vous ferai tous crever ! »

Et il allait s'ébattre plus loin.

Mais l'argent commençait à devenir rare. Valois ne répondait plus aux demandes, et ses rares messages ne contenaient que de bons sentiments et des exhortations à la sagesse. Tolomei, le cher banquier Tolomei, faisait lui aussi la sourde oreille. Il était en voyage ; ses commis n'avaient pas d'ordre... Le pape lui-même se mêlait de l'affaire ; il avait écrit personnellement à Robert et à plusieurs barons d'Artois pour leur rappeler leurs devoirs...

Puis un matin de la fin d'octobre, le régent, comme il tenait conseil, déclara avec la grande tranquillité dont il accompagnait ses décisions :

« Notre cousin Robert a trop longuement moqué notre pouvoir. Puisqu'il faut nous résoudre à la guerre, nous prendrons donc contre lui l'oriflamme à Saint-Denis, le dernier jour de ce mois, et comme messire Gaucher est absent, l'ost que je conduirai moi-même sera placé sous le commandement de notre oncle... »

Tous les regards se tournèrent vers Charles de Valois, mais Philippe continua :

« ... de notre oncle, Mgr d'Evreux. Nous aurions volontiers confié cette charge à Mgr de Valois, qui a fait ses preuves de grand capitaine, si celui-ci n'avait à se rendre en ses terres du Maine pour y percevoir les annates de l'Eglise.

— Je vous remercie, mon neveu, répondit Valois, car vous savez que j'aime bien Robert, et que, tout en désapprouvant sa révolte qui est grosse sottise d'entêté, j'aurais eu déplaisir à porter les armes contre lui. »

L'armée que réunit le régent pour monter en Artois ne ressemblait en rien à l'ost démesuré que son frère, seize mois plus tôt, avait enlisé dans les Flandres. L'ost pour l'Artois se composait des troupes permanentes et de levées faites dans le domaine royal. Les soldes y étaient élevées : trente sols par jour pour le banneret, quinze sols pour le chevalier, trois sols pour l'homme de pied. On appela non seulement les nobles, mais aussi des roturiers. Les deux maréchaux, Jean de Corbeil et Jean de Beaumont, seigneur de Clichy, dit le Déramé, rassemblèrent les bannières. Les arbalétriers de Pierre de Galard étaient déjà sur pied. Geoffroy Coquatrix, depuis deux semaines, avait reçu secrètement des instructions pour prévoir les transports et les fournitures.

Le 30 octobre, Philippe de Poitiers prit l'oriflamme à Saint-Denis. Le 4 novembre, il était à Amiens, d'où il envoya aussitôt son second chambellan, Robert de Gamaches, escorté de quelques écuyers, porter au comte d'Artois une dernière sommation.

V

L'OST DU RÉGENT FAIT UN PRISONNIER

Le chaume pourrissait, grisâtre, sur les champs argileux et dénudés. De lourdes nuées roulaient dans le ciel d'automne et l'on eût dit que là-bas, au bout du plateau, le monde finissait. Le vent aigrelet, soufflant par courtes bouffées, avait un arrière-goût de fumée.

En avant du village de Bouquemaison, à l'endroit même où, trois mois auparavant, le comte Robert était entré en Artois, l'armée du régent se tenait déployée en bataille, et les pennons frissonnaient au sommet des lances sur près d'une demi-lieue de front.

Philippe de Poitiers, entouré de ses principaux officiers, se trouvait au centre, à quelques pas de la route. Il avait croisé ses mains gantées de fer sur le pommeau de sa selle ; il était tête nue. Un écuyer, derrière lui, portait son heaume.

« C'est donc ici qu'il t'a affirmé qu'il viendrait se rendre ? demanda le régent à Robert de Gamaches, rentré de sa mission le matin.

— Ici même, Monseigneur, répondit le second chambellan. Il a choisi le lieu... « Dans le champ « auprès de la borne que surmonte une croix... », m'a-t-il dit. Et il m'a assuré qu'il y serait à l'heure de tierce.

— Et tu es certain qu'il n'existe point d'autre borne surmontée de croix dans les alentours ? Car il serait bien capable de nous jouer là-dessus, d'aller se présenter ailleurs et de faire constater que je n'y étais pas... Tu penses vraiment qu'il viendra ?

— Je le crois, Monseigneur, car il semblait fort ébranlé. Je lui ai dénombré votre ost ; je lui ai représenté aussi que Monseigneur le connétable tenait les lisières de Flandre et les villes du Nord, et qu'il serait donc saisi comme entre pinces à ferrer, sans pouvoir même fuir par les portes. Je lui ai remis enfin la lettre de Mgr de Valois lui conseillant de se rendre sans combat, puisqu'il ne pouvait qu'être battu, et l'informant que vous étiez si courroucé contre lui qu'il devait craindre, si vous le preniez en armes, d'avoir la tête tranchée. Et ceci a paru beaucoup l'assombrir. »

Le régent inclina un peu son long buste vers l'encolure de son cheval. Décidément, il n'aimait pas porter ces vêtements de guerre, dont les vingt livres de fer lui pesaient aux épaules et l'empêchaient de s'étirer.

« Il s'est retiré alors avec ses barons, poursuivit Gamaches, et je ne sais point vraiment ce qu'ils se sont dit. Mais j'ai bien compris que certains lui faisaient défaut, tandis que d'autres le suppliaient de ne pas les abandonner. Enfin il est revenu à moi et m'a fait la réponse que je vous ai portée, en m'assurant qu'il avait trop grand respect de Monseigneur le régent pour lui désobéir en rien. »

Philippe de Poitiers demeurait incrédule. Cette soumission trop facile l'inquiétait, et lui faisait redouter un piège. Plissant les paupières, il regardait le triste paysage.

« L'endroit serait assez bon pour nous tourner et nous tomber sur le dos pendant que nous sommes ainsi plantés à attendre. Corbeil ! Clichy ! dit-il s'adressant à ses deux maréchaux. Dépêchez quelques bannerets en reconnaissance par les deux ailes et faites fouiller les vallons pour vous assurer qu'aucune troupe ne s'y trouve muchée, ni ne chemine sur nos routes de revers. Et si, à tierce sonnée au clocher qui est derrière nous, Robert ne s'est pas présenté, ajouta-t-il pour Louis d'Evreux, nous nous mettrons en marche. »

Mais bientôt on entendit des cris dans les rangs des bannières.

« Le voici ! Le voici ! »

Le régent, de nouveau, plissa les paupières, mais ne vit rien.

« En face, Monseigneur, lui dit-on. Juste au droit de votre monture, sur la crête ! »

Robert d'Artois arrivait sans compagnons, sans écuyer, sans même un valet. Il avançait au pas, droit sur son immense cheval, et paraissait, dans cette solitude, plus grand encore qu'il n'était. Sa haute silhouette se détachait, rougeoyante, sur le ciel tourmenté et il semblait que la pointe de sa lance accrochât les nuées.

« C'est encore manière de vous narguer, Monseigneur, que d'arriver ainsi devant vous.

— Eh ! qu'il me nargue, qu'il me nargue ! » répondit Philippe de Poitiers.

Les chevaliers envoyés en reconnaissance revenaient au galop, assurant que les environs étaient parfaitement tranquilles.

« Je l'aurais cru plus acharné dans la désespérance », dit le régent.

Un autre, voulant faire étalage de panache, se fût sans doute, vers cet homme seul, avancé seul. Mais Philippe de Poitiers avait une autre conception de sa dignité, et ce n'était pas geste de chevalerie qu'il lui importait d'accomplir, mais geste de roi. Il attendit donc, sans bouger d'un pas, que Robert d'Artois, tout boueux, tout fumant, s'arrêtât devant lui.

L'armée entière retenait sa respiration et l'on n'entendait que le cliquetis des mors dans la bouche des chevaux.

Le géant jeta sa lance sur le sol ; le régent contempla cette lance dans le chaume, et ne dit rien.

Robert détacha de sa selle son heaume et sa longue épée à deux mains, et les envoya rejoindre la lance.

Le régent se taisait toujours ; il n'avait pas relevé les yeux vers Robert ; il gardait le regard rivé sur les armes, comme s'il attendait encore autre chose.

Robert d'Artois se décida à descendre de cheval, fit deux pas en avant, et, les nerfs tremblant de colère, finit par mettre un genou en terre pour rencontrer les yeux du régent.

« Beau cousin... », s'écria-t-il en ouvrant les bras.

Mais Philippe l'arrêta court.

« Mon cousin, n'avez-vous pas faim ? » lui demanda-t-il.

Et comme l'autre, qui s'apprêtait à une grande scène avec échange de paroles nobles, relevage, accolade chevaleresque, restait tout stupéfait, Philippe ajouta :

« Alors, rehaussez-vous en selle, et gagnons au plus tôt Amiens, où je vous dicterai ma paix. Vous marcherez à mon flanc, et nous mangerons en route... Héron ! Gamaches ! ramassez les armes de mon cousin. »

Robert d'Artois tardait à remonter à cheval et regardait autour de lui.

« Que cherchez-vous ? dit encore le régent.

— Je ne cherche rien, Philippe. Je contemple ce champ pour ne point l'oublier », répondit d'Artois.

Et il posa sa main sur sa poitrine, à la place où, à travers la broigne, il pouvait sentir le sachet de velours dans lequel il avait enfermé, ainsi que des reliques, les épis maintenant poudreux qu'il avait cueillis en ce lieu même, un jour d'été. Un sourire plein de morgue passa sur ses lèvres.

Lorsqu'il fut à trotter auprès du régent, il retrouva son habituelle assurance.

« C'est une belle armée que vous avez réunie là, mon cousin, pour ne faire qu'un seul prisonnier, dit-il d'un ton railleur.

— La prise de vingt bannières, mon cousin, répondit Philippe du même air, me ferait moins plaisir en ce jour que votre compagnie... Mais dites-moi donc ce qui vous a poussé à si vite vous rendre ; car enfin, si même le nombre est pour moi, je sais bien que ce n'est pas le courage qui vous fait défaut !

— J'ai pensé qu'à nous affronter en guerre, nous allions faire souffrir trop de pauvres gens.

— Que vous voilà soudain sensible, Robert, dit Philippe de Poitiers. On ne m'a point rapporté qu'en ces derniers temps vous ayez donné telles preuves de charité.

— Notre saint-père le nouveau pape a pris le soin de m'écrire pour m'éclairer.

— Et pieux, maintenant ! s'écria le régent.

— Comme les termes de sa lettre ressemblaient tout juste à vos semonces, j'ai compris que je ne pouvais lutter à la fois contre le ciel et la terre, et j'ai résolu de me montrer loyal sujet autant que bon chrétien.

— Du cœur, de la religion, de la loyauté ! Vous êtes bien changé, mon cousin. »

En même temps, Philippe, regardant de côté le large menton du géant, se disait : « Moque-toi, moque-toi ; tu feras moins le gaillard tout à l'heure, quand tu sauras la paix que je vais t'imposer. »

Mais, devant le Conseil qui fut réuni aussitôt après l'arrivée dans Amiens, Robert conserva la même attitude. Il accepta tout ce qui lui fut demandé, sans se rebeller, sans chicaner, à croire qu'il n'écoutait même pas le traité qu'on lui lisait.

Il s'engageait à rendre « tout château, forteresse, seigneurie et toutes choses qu'il avait prises ou occupées ». Il se portait garant de la restitution de toutes les places saisies par ses partisans. Il concluait trêve avec Mahaut jusqu'aux Pâques prochaines ; d'ici là, la comtesse ferait savoir sa volonté, et la cour des pairs se prononcerait sur les droits des deux parties. Le régent, pour l'instant, gouvernerait directement l'Artois et y placerait tels gardiens, officiers et châtelains qu'il voudrait. Enfin, jusqu'à la décision des pairs, les revenus du comté seraient perçus par le comte d'Evreux... et par le comte de Valois.

En entendant cette dernière clause, Robert comprit de quel prix avait été achetée la défection de son principal allié. Mais même là, il ne broncha pas et signa le tout.

Cette excessive soumission commençait d'inquiéter le régent. « Quel coup fourré manigance-t-il ? » se disait Philippe.

Comme il était pressé de rentrer à Paris pour l'accouchement de la reine, il laissa le soin à ses deux maréchaux, avec une partie des troupes à solde, d'aller relever le connétable en Artois et de veiller sur place à l'exécution du traité. Robert assista en souriant au départ des maréchaux.

Son calcul était simple. En venant se rendre seul, il avait évité le désarmement de ses troupes. Fiennes, Souastre, Picquigny et les autres allaient continuer une petite guerre de troubles et d'usure. Le régent ne pourrait pas, toutes les quinzaines, remettre sur pied pareille expédition ; le Trésor n'y aurait pas suffi. Robert avait donc plusieurs mois de tranquillité devant lui. Pour l'heure il préférait revenir à Paris, et jugeait l'occasion assez opportune. Car il se pourrait bien qu'avant peu il n'y eût plus ni de régent ni de Mahaut.

En effet — et c'était là la vraie raison de son sourire — Robert avait réussi à retrouver la dame de Fériennes, fournisseuse en poison de la comtesse d'Artois. Il l'avait retrouvée en faisant suivre deux espions du régent qui la cherchaient aussi. Isabelle de Fériennes et son fils avaient été arrêtés alors qu'ils vendaient le matériel nécessaire à un envoûtement. Les gens de Robert avaient supprimé les espions du régent, et maintenant la magicienne, après avoir dicté une belle et complète confession, était gardée dans un château d'Artois.

« Tu feras belle mine, mon cousin, se disait-il en regardant Philippe, lorsque je commanderai à Jean de Varennes de m'amener cette femme et que je la présenterai au Conseil des pairs, afin qu'elle avoue comment ta belle-mère, pour ton compte, a su assassiner ton frère! Et ton cher pape lui-même n'y pourra rien. »

Durant tout le voyage, le régent garda Robert à côté de lui ; aux haltes, ils mangeaient à la même table ; la nuit, dans les monastères ou les châteaux royaux, ils couchaient porte à porte, et les nombreux serviteurs du régent entouraient Robert d'une surveillance étroite. Mais à boire, dîner et dormir auprès de son ennemi, on ne peut se défendre de certains sentiments fraternels à son égard ; les deux cousins n'avaient jamais connu pareille intimité. Le régent ne semblait pas tenir particulière rigueur à Robert des fatigues et des frais qu'il lui avait occasionnés ; il paraissait même s'amuser assez des grasses plaisanteries du géant et de ses airs de fausse franchise.

« Encore un peu, et il va m'aimer tout de bon, le gueux ! se disait Robert. Comme je le berne, comme je le berne bien ! »

Au matin du 11 novembre, alors qu'ils arrivaient à la porte de Paris, Philippe arrêta soudain son cheval.

« Mon bon cousin, vous vous êtes l'autre jour, à Amiens, porté garant de la remise à mes maréchaux de tous les châteaux. Or, j'apprends avec peine que plusieurs de vos amis n'obéissent pas au traité et qu'ils refusent de livrer les places. »

Robert sourit et écarta les mains d'un geste d'impuissance.

« Vous vous êtes porté garant, répéta Philippe.

— Eh oui, mon cousin, j'ai souscrit à tout ce que vous désiriez. Mais comme vous m'avez ôté tout pouvoir, c'est à vos maréchaux de vous faire obéir. »

Le régent caressa pensivement l'encolure de son cheval.

« Est-il vrai, Robert, reprit-il, que vous m'avez inventé le surnom de Portes-Closes ?

— C'est vrai, mon cousin, c'est vrai, dit l'autre en riant. Car vous vous servez fort des portes pour gouverner.

— Eh bien, cousin, dit le régent, vous irez donc loger en la prison du Châtelet, et vous y resterez jusqu'à ce que le dernier château d'Artois me soit livré. »

Robert, pour la première fois depuis sa reddition, pâlit un peu. Tout son plan s'écroulait, et la dame de Fériennes ne pourrait pas lui servir de sitôt.

TROISIÈME PARTIE

DE DEUIL EN SACRE

I

UNE NOURRICE POUR LE ROI

JEAN Ier, roi de France, fils posthume de Louis X Hutin, naquit dans la nuit du 13 au 14 novembre 1316, au château de Vincennes.

La nouvelle fut aussitôt proclamée et les seigneurs endossèrent leurs vêtements de soie. Dans les tavernes, les truands et les ivrognes, pour qui tout événement était occasion de boire, commencèrent dès midi à se soûler et à braire. Et les négociants en objets fins, orfèvres, marchands de soieries, fabricants de draps précieux et de passementeries, vendeurs d'épices, de poissons rares et de produits d'outre-mer, se frottèrent les mains en rêvant aux fournitures des réjouissances.

Les rues souriaient. Les gens s'abordaient, comme ragaillardis, en s'écriant :

« Alors, mon compère, nous avons un roi ! »

La joie pénétrait jusque dans les couvents où abbés et aumôniers annonçaient et commentaient l'événement.

A l'hôtellerie du couvent des Clarisses, Marie de Cressay, quatre jours plus tôt, avait mis au monde un petit garçon qui pesait fortement ses huit livres, promettait d'être blond ainsi que sa mère et tétait, les yeux fermés, avec la voracité d'un jeune chiot.

A tout instant les novices, encapuchonnées de blanc, entraient dans la cellule de Marie pour la voir langer son enfant, pour contempler son visage radieux pendant qu'elle allaitait, pour regarder cette poitrine rose, abondante, épanouie, pour admirer, elles destinées à une virginité définitive, le miracle de la maternité autrement qu'en figure de vitrail.

Car s'il arrivait parfois qu'une nonne fautât, cela ne se produisait pas aussi souvent que l'assuraient les rimeurs publics en leurs chansons, et un nouveau-né dans un couvent des Clarisses n'était quand même pas chose fréquente.

« Le roi s'appelle Jean, comme mon enfant, disait Marie. Ce fut toujours l'usage, dans ma famille, d'appeler ainsi le premier-né. »

Elle voyait dans cette coïncidence un heureux présage. Une nouvelle génération de garçons allait porter le prénom du roi, d'autant plus frappant qu'il était nouveau pour la monarchie. A tous les petits Philippe, à tous les petits Louis, succéderaient une infinité de petits Jean à travers le royaume. « Le mien est le premier », pensait Marie.

Le hâtif crépuscule d'automne commençait à tomber quand une jeune nonne pénétra dans la cellule.

« Dame Marie, dit-elle, la mère abbesse vous demande au parloir. Quelqu'un vous y attend.

— Qui m'attend ?

— Je ne sais, je n'ai point vu. Mais je crois que vous allez partir. »

Le sang monta aux joues de Marie.

« C'est Guccio, c'est Guccio ! C'est le père... expliqua-t-elle aux novices. C'est mon époux qui vient nous chercher, sûrement. »

Elle ferma la coulisse de son corsage, remonta vivement ses cheveux en se regardant dans la fenêtre dont la vitre lui servait de sombre miroir, mit sa chape sur ses épaules, hésita un instant devant le berceau posé sur le sol. Devait-elle descendre l'enfant, pour offrir aussitôt à Guccio la merveilleuse surprise ?

« Voyez comme il dort, cet angelot, dirent les petites novices. N'allez point l'éveiller ni lui faire prendre froid ! Courez ; nous allons bien le veiller.

— Ne le sortez pas de son bercel, ne le touchez pas ! » dit Marie.

En descendant l'escalier, elle était déjà torturée d'inquiétude maternelle. « Pourvu qu'elles n'aillent point jouer avec lui et le laisser choir ! » Mais ses pieds volaient vers le parloir, et elle s'étonnait de se sentir si légère.

Dans la salle blanche, décorée seulement d'un grand crucifix et éclairée par deux cierges qui doublaient chaque objet, chaque forme, d'une ombre immense, la mère abbesse, les mains croisées dans ses manches, parlait avec Mme de Bouville.

En apercevant la femme du curateur, Marie éprouva plus qu'une déception ; elle eut la certitude immédiate, inexplicable, absolue, que cette personne sèche, au visage grillagé de rides verticales, lui apportait le malheur.

Une autre que Marie se fût contentée de penser qu'elle n'aimait pas Mme de Bouville ; mais chez Marie de Cressay tous les sentiments prenaient une tournure passionnée, et elle donnait à ses sympathies ou à ses aversions la valeur de signes du destin. « Je suis sûre qu'elle vient me faire du mal ! » se dit-elle.

D'un regard aigu, sans bienveillance, Mme de Bouville l'examinait des pieds à la tête.

« Quatre jours seulement que vous avez fait vos couches, s'écria-t-elle, et vous voilà toute fraîche et rose comme une églantine ! Je vous complimente, ma belle ; on vous dirait déjà prête à recommencer. Dieu, en vérité, traite avec beaucoup de merci celles qui méprisent ses commandements et semble réserver ses épreuves aux plus méritantes. Car croiriez-vous, ma mère, continua Mme de Bouville, se tournant vers l'abbesse, que notre pauvre reine est restée plus de trente heures dans les douleurs ? Ses cris me sonnent encore aux oreilles. Le roi s'est fort mal présenté, et l'on a dû lui mettre les fers. Il s'en est fallu de peu qu'il n'y reste, la mère aussi. C'est ce malheur qu'a eu Madame Clémence par la mort de son époux qui est cause de tout ; et pour moi je tiens encore à miracle que l'enfant soit né vivant. Mais quand le sort s'en mêle, il n'est rien qui ne vienne à la traverse ! Voilà qu'Eudeline, la lingère... vous savez bien... »

L'abbesse hocha la tête discrètement. Elle gardait au couvent, parmi les petites novices, une enfant de onze ans qui était la fille naturelle du Hutin et d'Eudeline.

« ... elle portait grand-aide à la reine, qui la voulait sans cesse à son chevet, continua Mme de Bouville. Eh bien ! Eudeline s'est brisé le bras en tombant d'une escabelle ; on l'a dû conduire à l'Hôtel-Dieu. Et maintenant, pour tout couronner, voici que la nourrice qu'on avait arrêtée, qui se tenait là depuis une semaine, a vu son lait soudain tari. Nous faire cela dans un pareil moment ! Car la reine, bien sûr, est hors d'état d'allaiter ; la fièvre l'a prise. Mon pauvre Hugues tourne, vire, s'époumone et ne sait que résoudre, car ce ne sont point affaires d'homme ; quant au sire de Joinville, qui n'a plus goutte de vue ni de mémoire, tout ce qu'on peut souhaiter de lui c'est qu'il ne nous expire pas dans les bras. Autrement dit, ma mère, je suis seule à pourvoir à tout. »

Marie de Cressay se demandait pourquoi on la faisait ainsi confidente des drames royaux, quand madame de Bouville, poursuivant son caquet, dit en s'approchant d'elle :

« Heureusement j'ai de la tête, et je me suis rappelée à propos que cette fille que j'avais conduite ici devait être délivrée... Vous nourrissez, bien sûr, et votre enfant profite à vue d'œil ? »

Elle semblait faire reproche à la jeune mère de sa bonne santé.

« Jugeons cela de plus près », dit-elle encore.

Et d'une main compétente, comme elle aurait soupesé des fruits au marché, elle palpa les seins de Marie. Celle-ci eut un mouvement de répulsion qui la fit sauter en arrière.

« Vous pouvez fort bien en nourrir deux, reprit Mme de Bouville. Vous allez donc me suivre, ma bonne fille, et venir donner votre lait au roi.

— Je ne puis, madame ! s'écria Marie avant même de savoir comment elle justifierait son refus.

— Et pourquoi ne pourriez-vous pas ? A cause de votre péché ? Vous êtes tout de même fille de noblesse ; et puis le péché ne vous empêche point d'être riche en lait. Ce sera façon de vous racheter un peu.

— Je n'ai pas péché, madame, je suis mariée !

— Vous êtes bien la seule à le dire, ma pauvre petite ! D'abord, si vous étiez mariée, vous ne seriez pas ici. Et puis la question n'est point là. Il nous faut une nourrice...

— Je ne puis, car justement j'attends mon époux qui doit venir me prendre. Il m'a fait savoir qu'il arriverait bientôt et le pape lui a promis...

— Le pape !... Le pape ! clama la femme du curateur. Mais elle a perdu l'esprit, ma parole ! Elle croit qu'elle est mariée, elle croit que le pape s'inquiète d'elle. Cessez de nous conter vos sottises, et ne blasphémez point le nom du Saint-Père. Vous allez venir à Vincennes tout immédiatement.

— Non, madame, je n'irai point », répliqua Marie avec obstination.

La colère monta au nez de la petite madame de

Bouville qui empoigna Marie par le haut de la robe et se mit à la secouer.

« Voyez-moi l'ingrate ! Cela se débauche, se fait mettre grosse. On prend du soin pour elle, on la sauve de la justice, on la place au meilleur couvent, et quand on vient la requérir pour nourrice du roi de France, la péronnelle regimbe. La bonne sujette que nous avons là ! Savez-vous bien qu'on vous offre un honneur pour lequel les plus grandes dames du royaume se battraient ?

— Eh ! madame, lui répondit Marie dans la figure, que ne vous adressez-vous alors à ces grandes dames qui sont plus dignes que moi !

— C'est qu'elles n'ont pas fauté au bon moment, les sottes ! Ah ! que me faites-vous dire ! Assez parlé, vous m'allez suivre. »

Si l'oncle Tolomei, ou le comte de Bouville lui-même, étaient venus faire à Marie de Cressay la même demande, elle eût sûrement accepté. Elle était de cœur généreux, et se fût offerte à nourrir tout enfant en détresse ; à plus forte raison celui de la reine. La fierté, et l'intérêt aussi, auraient dû l'y pousser autant que la bonté. Nourrice du roi, tandis que Guccio était damoiseau du pape, toutes leurs difficultés se trouvaient aplanies, et leur fortune faite. Mais la femme du curateur n'avait pas pris la bonne manière. Parce qu'on la traitait non comme une mère heureuse mais comme une délinquante, non comme une femme digne mais comme une serve, et parce qu'elle continuait de voir en Mme de Bouville une messagère de mauvais sort, Marie oubliait de penser, se butait. Ses grands yeux bleu sombre brillaient de crainte et d'indignation mêlées.

« Je conserverai mon lait pour mon fils, dit-elle.

— C'est ce que nous allons voir, méchante ! Puisque vous ne m'obéissez de gré, je vais appeler les écuyers qui m'attendent et qui vous enlèveront de force. »

La mère abbesse intervint. Le couvent était un asile qu'elle ne pouvait laisser violer.

« Non que j'approuve du tout la conduite de ma parente, dit-elle ; mais elle a été commise à ma garde...

— Par moi, ma mère ! s'écria Mme de Bouville.

— Ce n'est point raison pour lui faire violence en ces murs. Marie ne sortira que de son gré, ou sur l'ordre de l'Eglise.

— Ou sur celui du roi ! Car vous êtes couvent royal, ma mère, ne l'oubliez pas. J'agis au nom de mon époux ; si vous voulez un ordre du connétable, qui est tuteur du roi et qui vient de rentrer à Paris, ou bien un ordre du régent lui-même, messire Hugues saura bien l'obtenir ; cela nous usera trois heures, mais on m'obéira. »

L'abbesse prit Mme de Bouville à part pour lui assurer, à voix basse, que ce que Marie avait dit à propos du pape n'était pas complètement faux.

« Et que m'importe ! dit Mme de Bouville. C'est le roi qu'il me faut faire vivre et je n'ai qu'elle sous la main. »

Elle sortit, alla appeler ses hommes d'escorte et leur commanda d'empoigner la rebelle.

« Vous m'êtes témoin, madame, dit l'abbesse,

que je n'ai point donné mon accord à cet enlèvement. »

Marie, se débattant à travers la cour, entre deux écuyers qui l'entraînaient, criait :

« Mon enfant, je veux mon enfant !

— C'est vrai, dit Mme de Bouville. Il faut lui laisser prendre son enfant. A se rebeller ainsi, elle nous fait tout oublier. »

Quelques minutes plus tard, Marie, ayant à la hâte rassemblé ses hardes et tenant son nouveau-né serré contre elle, franchissait, en sanglots, la porte de l'hôtellerie.

Dehors, deux litières attelées attendaient.

« Voyez donc ! s'écria Mme de Bouville. On vient la querir en litière, comme une princesse, et cela crie et vous cause mille embarras ! »

Environnée par la nuit, cahotée au trot des mules, pendant plus d'une heure, dans une boîte de bois et de tapisserie aux rideaux battants par lesquels s'engouffrait le froid de novembre, Marie rendait grâces à ses frères de l'avoir obligée à prendre sa grande chape en partant de Cressay. Avait-elle assez souffert alors de la chaleur, sous cette lourde étoffe, en arrivant à Paris ! « Je ne quitterai donc nul lieu sans malheur et sans larmes, se disait-elle. Ai-je mérité qu'on s'acharne ainsi sur moi ? »

Le nourrisson dormait, enveloppé dans les gros plis de la chape. A sentir cette petite vie, inconsciente et tranquille, nichée au creux de sa poitrine, Marie, lentement, retrouvait sa raison. Elle allait voir la reine Clémence ; elle lui parlerait de Guccio ; elle lui montrerait le reliquaire. La reine était jeune ; elle était belle et pitoyable aux infortunes... « La reine... c'est l'enfant de la reine que je vais nourrir !... » pensait Marie, se représentant enfin tout l'étrange et l'inespéré de cette aventure que l'autorité agressive de Mme de Bouville ne lui avait montrée que sous un aspect odieux...

Le grincement d'un pont-levis qu'on abaissait, le pas assourdi des chevaux sur le bois des madriers, puis le claquement de leurs fers sur les pavés d'une cour... Marie fut invitée à descendre, passa entre des soldats en armes, suivit un couloir de pierre mal éclairé, vit apparaître un gros homme en cotte de mailles qu'elle reconnut pour le comte de Bouville. Autour de Marie, on chuchotait ; elle entendit le mot de « fièvre » plusieurs fois prononcé. On lui fit signe de marcher sur la pointe des pieds ; une tenture fut soulevée.

En dépit de la maladie, les usages, dans la chambre de gésine, avaient été respectés. Mais comme la saison des fleurs était passée, on n'avait pu répandre sur le sol qu'un tardif feuillage jauni qui commençait déjà à pourrir sous les piétinements. Autour du lit, des sièges étaient disposés pour des visiteurs qui ne viendraient pas. Une ventrière se tenait là, froissant dans ses doigts des herbes aromatiques. Dans la cheminée, sur des trépieds de fer, bouillaient des décoctions grisâtres.

Du berceau placé dans un angle, ne venait aucun bruit.

La reine Clémence gisait étendue sur le dos, les cuisses relevées par la douleur et bosselant les draps. Les pommettes étaient rouges, les yeux brillants. Marie remarqua surtout l'immense chevelure d'or éparse sur les coussins, et ce regard ardent qui ne semblait pas voir ce qu'il contemplait.

« J'ai soif, j'ai grand soif... » gémissait la reine.

La ventrière chuchota à Mme de Bouville :

« Elle a frissonné une grande heure; les dents lui claquaient, et ses lèvres étaient violettes comme au visage des morts. Nous avons cru qu'elle passait. Nous l'avons bien frictionnée par tout le corps ; alors sa peau s'est mise à bouillir comme vous le voyez. Elle a sué si fort qu'il faudrait lui changer ses linceuls ; mais on ne trouve point les clefs de la chambre aux draps, que tenait Eudeline.

— Je vais vous les donner », répondit Mme de Bouville.

Elle conduisit Marie dans une chambre voisine, où un feu brûlait également.

« Vous vous installerez ici », dit-elle.

On apporta le berceau royal. Parmi tous les linges qui l'entouraient, le roi était à peine visible. Il avait un nez minuscule, des paupières épaisses et closes, et somnolait, chétif, dans une immobilité molle. On devait s'approcher de très près pour s'assurer qu'il respirait. De temps en temps, une infime grimace, une contraction douloureuse, donnait quelque relief à ses traits.

Devant ce petit être dont le père était mort, dont la mère allait peut-être mourir, et qui donnait si peu de marques de vie, Marie de Cressay fut saisie d'une intense pitié. « Je le sauverai, je le ferai grand et fort », pensa-t-elle.

Comme il n'y avait qu'un seul berceau, elle coucha son propre enfant à côté du roi.

II

LAISSONS FAIRE DIEU

DEPUIS vingt-quatre heures, la comtesse Mahaut ne décolérait pas.

Devant Béatrice d'Hirson qui l'aidait à se vêtir pour le baptême du roi, elle laissa exploser sa rage et son dépit.

« On aurait pu croire, dolente comme l'était Clémence, qu'elle ne viendrait pas au terme de ses couches ? On en voit de plus fortes qui avortent en chemin. Non ! Elle a tenu ses neuf mois. Elle pouvait nous donner un enfant mort-né ? Nenni ! Son rejeton vit. Au moins ce pouvait être une fille ? Point ! Il a fallu que ce soit un garçon. Valait-il la peine, ma pauvre Béatrice, d'avoir tant fait et couru si gros périls, qui ne sont point encore écartés, pour être jouées par le sort de pareille façon ! »

Car Mahaut, maintenant, était profondément convaincue de n'avoir assassiné le Hutin que pour donner à son gendre la couronne de France. Elle regrettait presque de n'avoir pas tué la femme en même temps que le mari, et toute sa haine se tournait à présent contre le nouveau-né qu'elle n'avait pas encore vu, contre le bébé auquel elle allait dans un moment servir de marraine et dont l'existence à peine éclose mettait un frein à ses ambitions.

Cette femme, puissante entre les puissants, richissime, despotique, avait une véritable nature de criminelle. Le meurtre était son moyen de prédilection pour infléchir le destin à son profit ; elle aimait en caresser le projet, en respirer le souvenir ; elle y puisait l'excitation des affres, les délectations de la ruse, la joie des triomphes secrets. Si un premier assassinat n'avait pas eu tout le résultat escompté, elle commençait d'accuser le sort d'injustice, se prenait elle-même en pitié, et se mettait tout naturellement à chercher la nouvelle tête qui lui faisait obstacle et qu'elle pourrait abattre.

Béatrice d'Hirson, allant au-devant des pensées de la comtesse, dit lentement, en baissant ses longs cils :

« J'ai gardé, madame... un peu de cette bonne farine qui nous a si bien servi pour les dragées du roi... ce printemps.

— Tu as bien fait, tu as bien fait, répondit Mahaut ; il vaut mieux être toujours pourvu ; nous avons tant d'ennemis ! »

Béatrice, qui était pourtant de belle taille, élevait les bras pour arranger la mentonnière de la comtesse et lui poser le manteau sur les épaules.

« Vous allez tenir l'enfant, madame. Vous n'aurez plus, peut-être, cette occasion de sitôt..., reprit-elle. Ce n'est qu'une poudre, vous savez... et qui s'aperçoit à peine sur le doigt. »

Elle parlait d'une voix suave, tentatrice, et comme s'il se fût agi d'une friandise.

« Ah non ! s'écria Mahaut, pas pendant un baptême ; cela nous porterait malheur !

— Croyez-vous ? C'est une âme sans péché que vous rendriez au Ciel.

— Et puis, Dieu sait comment mon gendre prendrait la chose ! Je n'ai pas oublié le visage qu'il eut quand je le dessillai sur la fin de son frère, et l'espèce de froideur qu'il me témoigne depuis. Trop de gens m'accusent à voix basse. C'est assez d'un roi pour l'année ; subissons un moment celui qui vient de nous naître. »

Ce fut une maigre cavalcade, presque clandestine, qui partit pour Vincennes faire de Jean Ier un chrétien ; et les barons qui avaient préparé leurs atours, attendant d'être conviés à la cérémonie, en furent pour leurs frais.

La maladie de la reine, le fait que la naissance ait eu lieu hors de Paris, la grisaille de l'hiver, et enfin le peu de joie qu'éprouvait le régent d'avoir un neveu, tout s'accordait pour que ce baptême fût rapidement expédié, comme une formalité.

Philippe arriva à Vincennes accompagné de son épouse Jeanne, de Mahaut, de Gaucher de Châtillon et de quelques écuyers. Il avait négligé d'avertir le reste de la famille. D'ailleurs, Valois parcourait ses fiefs pour s'y faire de l'argent ; Evreux était resté à Amiens pour achever la liquidation de l'affaire d'Artois. Quant à Charles de La Marche, Philippe avait eu, la veille, une vive altercation avec lui. La Marche, en l'honneur de la naissance du roi, demandait à son frère l'élévation de son apanage en pairie ainsi qu'un accroissement de ses revenus.

« Eh ! mon frère, avait répondu Philippe, je ne suis que le régent ; le roi seul pourra vous conférer la pairie... à sa majorité. »

Les premiers mots de Bouville, en accueillant le régent dans l'avant-cour du manoir, furent pour demander :

« Personne n'a d'armes, Monseigneur ? Personne ne porte dague, ni stylet, ni miséricorde ? »

On ne pouvait savoir si cette inquiétude visait les gens d'escorte ou les parrains eux-mêmes.

« Je n'ai pas coutume, Bouville, répondit le régent, d'être suivi d'écuyers désarmés. »

Bouville, à la fois timide et obstiné, pria les écuyers de rester dans la première cour. Ce zèle dans la prudence commença d'agacer le régent.

« J'apprécie, Bouville, dit-il, le soin avec lequel vous avez veillé au ventre de la reine ; mais vous n'êtes plus curateur ; c'est à moi-même et au connétable qu'il appartient, maintenant, de veiller sur le roi. Nous vous en laissons la charge, n'en abusez point.

— Monseigneur ! Monseigneur ! balbutia Bouville, je n'avais point dessein de vous offenser. Mais il se dit tant de choses dans le royaume... Enfin, je veux que vous voyiez que je suis bien fidèle à ma tâche, et que j'en sais tout l'honneur. »

Il était peu habile à dissimuler. Il ne pouvait

s'empêcher de regarder Mahaut de biais, et de rebaisser les yeux aussitôt.

« Décidément, tout un chacun me soupçonne et se défie de moi », pensa la comtesse.

Jeanne de Poitiers feignait de ne rien remarquer. Gaucher de Châtillon, qui était hors de l'affaire, brisa la gêne en disant :

« Allons, Bouville, ne nous laissez point geler ; entrons donc. »

On ne se rendit pas au chevet de la reine. Les nouvelles que donna Mme de Bouville étaient fort alarmantes : la fièvre continuait de dévorer la malade qui se plaignait d'atroces maux de tête et était secouée à tout instant par des nausées.

« Son ventre se remet à gonfler comme si elle n'avait point accouché, expliqua Mme de Bouville. Elle ne peut trouver le sommeil, supplie qu'on arrête les cloches qui lui sonnent aux oreilles et nous parle sans cesse comme si elle s'adressait non point à nous, mais à sa grand-mère, Mme de Hongrie, ou au roi Louis. C'est pitié que de l'entendre ainsi perdre la raison, sans pouvoir la faire taire. »

Vingt ans de métier de chambellan auprès de Philippe le Bel avaient laissé au comte de Bouville une longue expérience des cérémonies royales. Combien de baptêmes déjà n'avait-il pas réglés ?

Les objets rituels furent distribués aux assistants. Bouville et deux gentilshommes de la garde se passèrent au col de longues serviettes blanches dont ils tenaient les extrémités étendues devant eux pour en recouvrir, l'un le bassin empli d'eau bénite, l'autre le bassin vide, le troisième la coupe qui contenait le sel.

La ventrière prit le chrémeau dont on coifferait l'enfant après l'onction.

Puis la nourrice s'avança, portant le roi.

« Oh ! la belle fille que voilà ! » pensa le connétable.

Mme de Bouville avait fait revêtir à Marie de Cressay une robe de velours rosé, avec un peu de fourrure au col et aux poignets, et elle avait fait répéter longuement à la jeune femme les gestes qu'elle aurait à accomplir. Le bébé était empaqueté dans un manteau deux fois plus long que lui, sur lequel était posé un voile de soie violette qui tombait jusqu'au sol, comme une traîne.

On se dirigea vers la chapelle du château. Des écuyers ouvraient la marche, tenant des cierges allumés. Le sénéchal de Joinville venait le dernier, soutenu et pourtant chancelant. Néanmoins, il était un peu sorti de sa torpeur habituelle parce que le nouveau-né s'appelait Jean, comme lui-même.

La chapelle était tendue de tapisseries, et la pierre des fonts garnie de velours violet. A côté se trouvait une table où l'on avait étendu une couverture de menu-vair, et par-dessus une nappe fine, et par-dessus encore placé des coussins de soie. Quelques grilles à braises ne suffisaient pas à dissiper l'humide froideur.

Marie déposa l'enfant sur la table pour le démailloter. Attentive à ne point faire d'erreurs, elle avait le cœur battant, et distinguait à peine les visages autour d'elle, tant elle était émue.

Aurait-elle jamais imaginé, elle, fille chassée de sa famille, qu'il lui appartiendrait de tenir un rôle si important dans le baptême d'un roi, entre le régent de France et la comtesse d'Artois ? Eblouie par ce retour de fortune, elle était pleine de gratitude, à présent, pour Mme de Bouville, et lui avait demandé pardon de son insoumission de la veille.

Tout en déroulant les langes, elle entendit le connétable s'informer de son nom, et d'où elle venait ; elle se sentit rougir.

Le chapelain de la reine avait soufflé quatre fois sur le corps du nouveau-né, comme aux quatre branches d'une croix, pour ôter de lui le démon par la vertu du Saint-Esprit ; puis, crachant sur son index, il lui avait enduit de salive les narines et les oreilles, pour signifier qu'il ne devait pas écouter les voix du diable, ni respirer les tentations du monde et de la chair.

Philippe et Mahaut soulevèrent le petit roi l'un par les jambes l'autre par les épaules. Le régent, de ses yeux myopes, considérait avec insistance le sexe minuscule de l'enfant, ce rose vermisseau qui mettait en échec toute sa savante combinaison successorale, ce dérisoire symbole de la loi des mâles, infime mais infranchissable obstacle entre lui et la couronne.

« De toute manière, pensait Philippe pour se consoler, je suis régent durant quinze années. En quinze ans, bien des choses peuvent survenir ; serai-je moi-même vivant dans quinze ans ? Et cet enfant vivra-t-il jusque-là ? »

Mais régence n'est pas royauté.

L'enfant était resté fort calme, et même somnolent pendant les rites préliminaires. Il ne fit entendre sa voix que lorsqu'on le plongea entièrement dans l'eau froide ; mais alors, il hurla jusqu'à s'en étrangler. Par trois fois, tandis que les autres parrains et marraines, Gaucher, Jeanne de Poitiers, les Bouville, le sénéchal, étendaient les mains au-dessus de son petit corps nu, il fut immergé, d'abord avec la tête vers l'Orient, puis au Nord, puis au Sud, pour figurer le dessin de la Croix [19].

Jean Ier se calma aussitôt qu'on l'eut sorti du bain glacial, et accepta paisiblement le saint chrême dont on lui oignit le front. Puis on le reposa sur les coussins où Marie de Cressay se mit à le sécher tandis que les assistants se tassaient au plus près de la chaleur des poêles à braise.

Soudain, la voix de Marie de Cressay emplit la chapelle.

« Seigneur ! Seigneur ! Il trépasse ! », s'écria-t-elle.

Tous se projetèrent vers la table. Le bébé-roi avait pris une teinte bleue qui fonçait d'instant en instant jusqu'à devenir noirâtre ; il avait le corps raidi, les bras crispés, la tête tordue, et ses paupières ouvertes ne laissaient apparaître que des globes blancs.

Une main invisible étouffait cette vie sans conscience, entourée de cierges vacillants et de fronts anxieusement penchés.

Mahaut entendit murmurer :

« C'est elle. »

Elle releva les yeux et rencontra le regard du ménage Bouville.

« Qui a donc fait le coup pour m'en charger ? » se demanda-t-elle.

Cependant, la ventrière avait pris l'enfant des mains tremblantes de Marie et s'efforçait de le ranimer.

« Il n'est pas sûr qu'il meure, il n'est pas sûr », dit-elle.

Le nourrisson resta ainsi rigide, distendu et sombre près de deux minutes qui parurent infinies ; puis, brusquement, il fut agité de secousses violentes projetant la tête en tous sens. Les membres se retournaient ; on n'eût jamais cru qu'une telle force pût parcourir un corps si chétif ; la ventrière devait le serrer pour qu'il ne lui échappât. Le chapelain se signa, comme s'il était en présence d'une manifestation diabolique, et se mit à réciter les prières des agonisants. L'enfant grimaçait, bavait ; son aspect noirâtre avait disparu pour faire place à une pâleur glacée, non moins effrayante. Un moment il parut s'apaiser, urina sur la robe de la ventrière et on le pensa sauvé. Puis aussitôt sa tête tomba ; il devint mou, inerte, et cette fois chacun, vraiment, le jugea mort.

« Il était grand temps de le baptiser », dit le connétable.

Philippe de Poitiers ôtait de ses mains les gouttes chaudes tombées des cierges.

Et soudain le petit cadavre agita les pieds, poussa quelques cris, faibles encore mais plutôt joyeux, et ses lèvres s'animèrent d'un mouvement de succion. Le roi était en vie et il voulait téter.

« Le démon s'est fort débattu avant de lui sortir du corps, dit le chapelain.

— Il n'est point fréquent, expliqua la ventrière, que les convulsions saisissent les enfants si tôt. C'est parce qu'il est venu avec les fers ; cela se voit parfois. Et puis le lait de la nourrice lui a manqué pendant plusieurs heures... »

Marie de Cressay se sentit coupable. « Si, au lieu de me disputer avec Mme de Bouville, j'étais accourue aussitôt... » pensa-t-elle.

Nul, évidemment, n'aurait mis en cause l'immersion en eau froide, ni aucune des tares héréditaires, boiterie, démence, épilepsie, qui reparaissaient assez régulièrement dans la famille.

« Croyez-vous qu'il ait à souffrir d'autres accès ? demanda Mahaut.

— C'est fort à craindre, madame, répondit la ventrière. On ne sait jamais quand va venir ce mal, ni comment il finit.

— Le pauvre petit ! » dit Mahaut bien fort.

On reporta le roi au château et on se sépara sans joie.

Philippe de Poitiers ne desserra pas les dents tout le temps du retour. Rentré au palais, il laissa sa belle-mère le suivre et s'enfermer avec lui.

« Vous avez manqué de peu, tout à l'heure, d'être roi, mon fils », lui dit-elle.

Philippe ne répondit pas.

« En vérité, après ce que nous avons vu, personne ne s'étonnerait si cet enfant mourait ces jours-ci », reprit-elle.

Le régent continuait de se taire.

« S'il venait à disparaître, vous seriez toutefois obligé d'attendre la majorité de Jeanne de Navarre.

— Nenni, ma mère, nenni, répondit vivement

Philippe. Nous ne sommes plus liés dorénavant par le règlement de juillet. La succession de Louis est close ; c'est celle du petit Jean qui s'ouvrirait alors. Entre mon frère et moi il y aurait eu un roi, et je serais héritier de mon neveu. »

Mahaut le regarda avec admiration : « Il a échafaudé cela pendant le baptême ! »

« Vous avez toujours rêvé d'être roi, Philippe, avouez-le, dit-elle. Déjà, quand vous étiez enfant, vous cassiez des branches pour vous en faire des sceptres ! »

Il releva un peu la tête et lui sourit, laissant un silence s'écouler. Puis, redevenant grave :

« Savez-vous, ma mère, que la dame de Fériennes a disparu d'Arras, et aussi les hommes que j'avais envoyés pour l'enlever et la mettre hors d'état de trop parler ? Il paraîtrait qu'elle est tenue secrètement en quelque château d'Artois, et l'on dit que vos barons, là-bas, s'en vantent. »

Mahaut se demanda ce que signifiait cet avertissement. Philippe voulait-il seulement la prévenir des dangers qu'elle courait ? Ou lui prouver qu'il prenait soin d'elle ? Etait-ce manière de confirmer l'interdiction de jamais plus recourir au poison ? Ou bien, au contraire, en faisant allusion à la fournisseuse, lui donnait-il à entendre qu'elle avait les mains libres ?

« De nouvelles convulsions pourraient bien l'emporter, insista Mahaut.

— Laissons faire Dieu, ma mère, laissons faire Dieu », dit Philippe en rompant l'entretien.

« Laisser faire Dieu... ou me laisser faire, moi ? pensa la comtesse d'Artois. Il est prudent, jusqu'à se garder de se souiller l'âme ; mais il m'a bien comprise... C'est ce gros niais de Bouville qui va me causer le plus de tracas. »

Dès cet instant, son imagination commença de travailler. Mahaut avait un crime en perspective ; et que la future victime fût un nouveau-né lui excitait l'esprit autant que s'il se fût agi de l'adversaire le plus féroce.

Elle entreprit une campagne soigneuse, perfide. Le roi n'était pas né viable ; elle le disait à tout venant, et décrivait, les larmes dans les yeux, la pénible scène du baptême.

« Nous l'avons tous cru trépassé devant nous, et il s'en est fallu de bien peu que ce ne fût vrai. Demandez plutôt au connétable qui était là comme moi ; je n'ai jamais vu messire Gaucher si fort pâlir... Chacun pourra juger d'ailleurs de la faiblesse du petit roi quand on le présentera à tous les barons, comme cela doit se faire. A savoir même s'il n'est pas déjà mort et qu'on nous le cache. Car cette présentation tarde beaucoup, sans qu'on nous en donne la raison. Messire de Bouville, paraît-il, s'y oppose, parce que la malheureuse reine... Dieu la protège !... serait au plus mal. Mais enfin la reine n'est pas le roi ! »

Les familiers de Mahaut avaient charge de colporter ces propos.

Les barons commencèrent à s'alarmer. En effet, pourquoi différait-on ainsi la présentation solennelle ? Le baptême à la sauvette, les prétendues dérobades de Bouville, l'impénétrable silence maintenu autour de Vincennes, tout était marqué de mystère.

Des rumeurs contradictoires circulaient. Le roi était infirme et l'on ne voulait pas le montrer. Le comte de Valois l'avait enlevé secrètement pour le mettre en sûreté. La maladie de la reine ? Une feinte. La reine et son enfant voyageaient en ce moment vers Naples.

« S'il est mort, qu'on nous le dise, murmuraient certains.

— Le régent l'a fait disparaître ! assuraient d'autres.

— Qu'allez-vous chanter là ? Le régent n'est point homme de cette sorte. Mais il se défie de Valois.

— Ce n'est point le régent ; c'est Mahaut. Elle prépare son forfait, s'il n'est même déjà accompli. Elle répète trop fort que le roi ne peut vivre ! »

Tandis qu'un mauvais vent passait à nouveau sur la cour, qu'on s'énervait en conjectures odieuses, en soupçons d'infamie dont chacun se sentait éclaboussé, le régent, lui, demeurait impénétrable. Il s'absorbait dans l'administration du royaume, et si l'on venait à lui parler de son neveu, il répondait Flandres, Artois, ou rentrée des impôts.

Au matin du 19 novembre, l'irritation montant, de nombreux barons et des maîtres au Parlement vinrent en délégation trouver Philippe et le prièrent avec force, le sommèrent presque, de consentir à la présentation du roi. Ceux-ci, qui s'attendaient à une réponse négative, ou dilatoire, avaient déjà dans l'œil une méchante lueur.

« Mais je souhaite, Messeigneurs, je souhaite autant que vous cette présentation, dit le régent. A moi-même on fait opposition ; c'est le comte de Bouville qui s'y refuse. »

Puis, se tournant vers Charles de Valois, rentré

depuis l'avant-veille de son comté du Maine, il lui demanda :

« Est-ce vous, mon oncle, pour les intérêts de votre nièce Clémence, qui empêchez Bouville de nous montrer le roi ? »

L'ex-empereur de Constantinople, ne comprenant pas d'où lui tombait cette algarade, devint pourpre et s'écria :

« Mais, par Dieu juste, mon neveu, où allez-vous chercher cela ? Je n'ai jamais rien ordonné ni voulu de tel ! Je n'ai même pas vu Bouville, ni n'en ai reçu message depuis plusieurs semaines. Et je suis rentré tout exprès pour cette présentation. Je voudrais fort, au contraire, qu'on la fît et qu'on revînt à agir selon les coutumes de nos pères, ce qui n'a que trop tardé.

— Alors, Messeigneurs, dit le régent, nous sommes tous de même conseil et de même volonté... Gaucher ! Vous qui fûtes à la naissance de mon frère... c'est bien à la première marraine qu'il revient de présenter l'enfant royal aux barons ?

— Certes, certes, c'est à la marraine, répondit Valois, vexé que sur un point de cérémonial on fît appel à une autre compétence que la sienne. J'assistai à toutes les présentations, Philippe ; à la vôtre qui fut petite, puisque vous étiez second, comme à celle de Louis et ensuite de Charles. Toujours la marraine.

— Alors, reprit le régent, je vais faire savoir aussitôt à la comtesse Mahaut qu'elle ait à tenir tout à l'heure cet office, et donner ordre à Bouville de nous ouvrir Vincennes. Nous monterons à cheval à midi. »

Pour Mahaut, c'était l'occasion attendue. Elle

ne voulut personne que Béatrice pour l'habiller, et se coiffa d'une couronne ; le meurtre d'un roi valait bien cela.

« Combien de temps penses-tu qu'il faille à ta poudre pour avoir effet sur un enfant de cinq jours ?

— Cela, je ne sais, Madame... répondit la demoiselle de parage. Sur les cerfs de vos bois, le résultat s'est montré dans une nuit. Le roi Louis, lui, a résisté près de trois journées...

— J'aurai toujours, pour me couvrir, dit Mahaut, cette nourrice que j'ai vue l'autre jour, belle fille, ma foi, mais dont on ne sait d'où elle vient, ni qui l'a placée là. Les Bouville sans doute...

— Ah ! Je vous comprends, dit Béatrice en souriant. Si la mort n'apparaissait pas naturelle... on pourrait accuser cette fille, et la faire écarteler...

— Ma relique, ma relique, dit Mahaut avec inquiétude en se touchant la poitrine. Ah oui ! c'est bon, je l'ai. »

Comme elle sortait de la chambre, Béatrice lui murmura :

« Surtout, Madame, n'allez pas par mégarde vous moucher. »

III

LES RUSES DE BOUVILLE

« FAITES feux à bataille ! ordonnait Bouville aux valets. Que les cheminées flambent à crever pour que la chaude se répande dans les couloirs. »

Il allait de pièce en pièce, paralysant le service en prétendant activer chacun. Il courait au pont-levis inspecter la garde, commandait d'étendre du sable dans les cours, le faisait balayer parce qu'il tournait en boue, venait vérifier des serrures qui ne serviraient pas. Toute cette agitation n'était destinée qu'à tromper sa propre angoisse. « Elle va le tuer, elle va le tuer », se répétait-il.

Dans un corridor, il se heurta à son épouse.

« La reine ? » demanda-t-il.

On avait administré les derniers sacrements à la reine Clémence le matin même.

Cette femme, dont deux royaumes célébraient la beauté, était défigurée, ravagée par l'infection.

Le nez pincé, la peau jaunâtre, marquée de plaques rouges de la taille d'une pièce de deux livres, elle exhalait une odeur affreuse ; ses urines charriaient des traces sanglantes ; elle respirait de plus en plus péniblement et gémissait sous les douleurs intolérables qu'elle éprouvait dans la nuque et le ventre. Elle délirait.

« C'est une fièvre quarte, dit Mme de Bouville. La ventrière assure que si elle franchit la journée, elle peut être sauvée. Mahaut a offert d'envoyer maître de Pavilly, son physicien personnel.

— A nul prix, à nul prix ! s'écria Bouville. Ne laissons personne qui appartienne à Mahaut s'introduire ici. »

La mère mourante, l'enfant menacé, et plus de deux cents barons qui allaient arriver, avec leurs escortes ! Le beau désordre qu'on aurait tout à l'heure, et comme l'occasion serait facilement offerte au crime !

« L'enfant ne doit point rester dans la chambre qui jouxte celle de la reine, reprit Bouville. Je n'y puis faire passer assez d'hommes d'armes pour le veiller et l'on se glisse trop aisément derrière les tapisseries.

— Il est bien temps d'y songer ; où le veux-tu mettre ?

— Dans la chambre du roi, dont toutes les entrées se peuvent interdire. »

Ils se regardèrent et eurent la même pensée ; c'était la pièce où le Hutin était mort.

« Fais préparer cette chambre et activer le feu, insista Bouville.

— Soit, mon ami, je vais t'obéir. Mais mettrais-tu cinquante écuyers autour, tu n'empêcheras pas que Mahaut ait à porter le roi dans ses bras pour le présenter.

— Je serai auprès d'elle.

— Mais, si elle l'a résolu, elle le tuera sous ton nez, mon pauvre Hugues. Et tu n'y verras mie. Un enfant de cinq jours ne se débat guère. Elle profitera d'un moment de presse pour lui plonger une aiguille au défaut de la tête, lui faire respirer du venin, ou l'étrangler d'un lacet.

— Et alors, que veux-tu que je fasse ? s'écria Bouville. Je ne puis venir déclarer au régent : « Nous ne voulons point que votre belle-mère « porte le roi car nous redoutons qu'elle ne « l'occise ! »

— Eh non, tu ne le peux ! Nous n'avons qu'à prier Dieu », dit Mme de Bouville en s'éloignant.

Bouville, désemparé, se rendit dans la chambre de la nourrice.

Marie de Cressay allaitait les deux enfants à la fois. Aussi voraces l'un que l'autre, ils s'agrippaient à la pâture, de leurs petits ongles mous, et tétaient avec bruit. Généreuse, Marie donnait au roi le sein gauche, réputé le plus riche.

« Qu'avez-vous donc, messire ? Vous semblez tout troublé », demanda-t-elle à Bouville.

Il se tenait devant elle, appuyé sur sa haute épée, ses mèches noires et blanches lui couvrant les joues et la bedaine tendant sa cotte d'armes, gros archange débonnaire commis à la garde difficile d'un enfançon.

« C'est qu'il est si faible, notre petit Sire, il est si faible ! dit-il tristement.

— Mais non, messire, il reprend bien, au contraire, voyez donc, il a presque rattrapé le mien. Et toutes ces médecines qu'on me donne me font un peu tourner le cœur, mais semblent fort lui convenir [20]. »

Bouville approcha la main, et caressa prudemment le petit crâne où se formait un duvet blond.

« Ce n'est pas un roi comme les autres, voyez-vous... », murmura-t-il.

Le vieux serviteur de Philippe le Bel ne savait comment exprimer ce qu'il ressentait. Aussi loin qu'il remontait en ses souvenirs et en ceux même de son père, la monarchie, le royaume, la France, tout ce qui avait été la raison de ses fonctions et l'objet de ses soucis se confondait avec une longue et solide chaîne de rois, adultes, forts, exigeant le dévouement, dispensant les honneurs.

Pendant vingt ans il avait avancé le faudesteuil où siégeait un monarque devant lequel la Chrétienté tremblait. Jamais il n'aurait imaginé que la chaîne pût si vite se réduire à cet enfançon rose, au menton barbouillé de lait, chaînon qu'on eût pu entre deux doigts briser.

« Il est vrai, dit-il, qu'il a bien repris ; sans cette marque laissée par les fers, et qui, déjà, s'efface, il se distingue assez peu du vôtre.

— Oh ! messire, dit Marie ; le mien est plus lourd. N'est-ce pas, Jean deuxième, que tu es plus lourd ? ».

Elle rougit brusquement et expliqua :

« Comme ils se nomment tous les deux Jean, j'appelle le mien Jean deuxième. Peut-être ne devrais-je pas ? »

Bouville, par machinale courtoisie, caressa la tête du second bébé. Dans son geste, il effleura les seins de Marie. Celle-ci se méprit sur le geste, comme sur le regard obstiné du gros gentilhomme, et elle rougit plus fort. « Quand donc, se dit-elle, cesserai-je d'avoir la chaleur au visage à tout propos ? Ce n'est point chose déshonnête, ni provocante, que d'allaiter ! »

En réalité, Bouville comparait les deux bébés.

A ce moment Mme de Bouville entra, tenant les vêtements pour habiller le roi. Bouville l'attira dans un angle, en lui murmurant :

« J'ai un moyen, je crois. »

Ils s'entretinrent à voix basse quelques instants. Mme de Bouville hochait la tête, réfléchissait ; à deux reprises elle regarda dans la direction de Marie.

« Demande-lui toi-même, dit-elle enfin. Moi, elle ne m'aime pas. »

Bouville revint vers la jeune femme.

« Marie, mon enfant, vous allez rendre grand service à notre petit roi auquel je vous vois si attachée, dit-il. Voici que les barons viennent pour qu'il leur soit présenté. Mais nous craignons pour lui le froid, à cause de ces convulsions qui l'ont pris à son baptême. Voyez l'effet s'il se mettait soudain à se tordre comme l'autre jour ! On aurait tôt fait de croire qu'il ne peut vivre, comme ses ennemis le répandent. Nous autres barons, sommes gens de guerre, et aimons que le roi fasse preuve de robustesse, même au plus jeune âge. Votre enfant, vous me le disiez tout à l'heure, est plus gras et plus beau d'apparence. Nous voudrions le présenter à sa place. »

Marie, un peu inquiète, regarda Mme de Bouville, qui s'empressa de dire :

« Je n'y suis pour rien. C'est une idée de mon époux.

— N'est-ce point péché, messire, que de faire cela ? demanda Marie.

— Péché, mon enfant ? Mais c'est vertu que de protéger son roi. Et ce ne serait point la première fois qu'on présenterait au peuple un enfant solide en place d'un héritier chétif, assura Bouville mentant pour la bonne cause.

— Ne va-t-on point s'en apercevoir ?

— Et comment s'en apercevrait-on ? s'écria Mme de Bouville. Ils sont blonds l'un et l'autre ; à cet âge tous les enfants se ressemblent, et se transforment d'un jour sur le lendemain. Qui connaît le roi, en vérité ? Messire de Joinville, qui n'y voit rien, le régent, qui n'y voit guère, et le connétable qui s'y connaît mieux en chevaux qu'en nouveau-nés.

— La comtesse d'Artois ne va-t-elle point s'étonner qu'il n'ait plus la trace des fers ?

— Sous le bonnet et la couronne, comment le verrait-elle ?

— Et le jour ne luit guère, de surcroît. Il va presque falloir allumer les cierges », ajouta Bouville en désignant la fenêtre et la triste lumière de novembre.

Marie ne fit pas davantage de résistance. Au fond, l'idée de cette substitution l'honorait assez et elle ne prêtait à Bouville que de bons desseins. Elle prit plaisir à habiller son enfant en roi, à le langer de soie, à lui passer le petit manteau bleu semé de fleurs de lis d'or et à le coiffer du bonnet sur lequel était cousue une minuscule couronne, tous objets du trousseau préparé avant la naissance.

« Qu'il va être beau, mon Jeannot ! disait Marie. Une couronne, Seigneur ! une couronne ! Il faudra la rendre à ton roi, tu sais, il faudra la lui rendre. »

Elle agitait son enfant comme une poupée devant le berceau de Jean Ier.

« Voyez, Sire, voyez votre frère de lait, votre petit serviteur qui va prendre votre place pour que vous n'attrapiez pas froid. »

Et elle songeait : « Quand je raconterai tout cela bientôt à Guccio... Quand je lui dirai que son fils a été présenté aux barons... L'étrange vie que nous avons, et que je ne changerais pour nulle autre ! Comme j'ai bien fait de l'aimer, mon Lombard ! »

Sa joie fut coupée par un long gémissement venu de la pièce voisine.

« La reine, mon Dieu... pensa Marie. J'oubliais la reine. »

Un écuyer entra, annonçant l'approche du régent et des barons. Mme de Bouville se saisit de l'enfant de Marie.

« Je le porte dans la chambre du roi, dit-elle, et l'y remettrai après la cérémonie, jusqu'au départ de la cour. Vous, Marie, ne bougez point d'ici avant que je revienne, et si quiconque pénétrait, malgré la garde que nous allons mettre, affirmez bien que cet enfant que vous avez avec vous est le vôtre. »

IV

« MES SIRES, VOYEZ LE ROI »

LES barons avaient peine à tenir tous dans la grand-salle ; ils parlaient, toussaient, remuaient les pieds et commençaient à s'impatienter d'une longue station debout. Les escortes avaient envahi les couloirs pour profiter du spectacle ; des grappes de têtes s'aggloméraient aux issues.

Le sénéchal de Joinville, qu'on n'avait fait lever qu'à la dernière minute afin de ménager ses forces, se tenait à la porte de la chambre du roi, en compagnie de Bouville.

« C'est vous qui annoncerez, messire sénéchal, dit celui-ci. Vous êtes le plus ancien compagnon de saint Louis ; c'est à vous que revient l'honneur. »

Malade d'anxiété, la face ruisselante, Bouville pensait :

« Moi, je ne pourrais pas... je ne pourrais pas faire l'annonce. Ma voix me trahirait. »

Il vit apparaître, au bout du couloir ombreux, la comtesse Mahaut, gigantesque, grandie encore par sa couronne et son lourd manteau d'apparat. Jamais Mahaut d'Artois ne lui avait semblé si haute, si terrifiante.

Il se jeta dans la chambre et dit à sa femme :

« Voici le moment. »

Mme de Bouville se porta au-devant de la comtesse, dont le pas solide sonnait sur les dalles, et lui remit le léger fardeau.

Le lieu était sombre ; Mahaut ne regarda pas l'enfant de bien près. Elle trouva simplement qu'il avait pris du poids depuis le jour de son baptême.

« Eh ! notre petit roi profite, dit-elle. Je vous en complimente, ma mie.

— C'est que nous le veillons fort, Madame ; nous ne voulons point encourir les reproches de sa marraine », répondit Mme de Bouville de sa meilleure voix.

« Assurément il était temps, pensa Mahaut ; il se porte trop bien. »

La lumière qui tombait d'une embrasure lui montra le visage de l'ancien chambellan.

« Qu'avez-vous à suer si fort, messire Hugues ? dit-elle. Ce n'est pourtant pas jour de chaleur.

— Ce sont ces feux que j'ai fait allumer... Messire le régent ne m'a guère donné de temps pour tout préparer. »

Ils s'affrontèrent du regard, chacun connaissant là un désagréable instant.

« Marchons donc, dit Mahaut, et faites-moi le chemin. »

Bouville offrit son bras au vieux sénéchal, et les

deux curateurs se dirigèrent, lentement, vers la grand-salle. Mahaut les suivait à quelques pas. C'était le moment favorable entre tous et qu'elle risquait de ne plus retrouver. L'allure à laquelle avançait le sénéchal lui permettait de prendre son temps. Certes il y avait des écuyers et des dames de parage collés le long des murs et qui tous avaient, dans la pénombre, le regard dirigé vers l'enfant ; mais qui s'apercevrait d'un geste aussi bref et aussi naturel ?

« Allons ! Présentons-nous bien, dit Mahaut au bébé couronné qu'elle tenait au creux du bras. Faisons honneur au royaume, et ne bavons point. »

Elle sortit son mouchoir de son aumônière et essuya rapidement les petites lèvres mouillées. Bouville avait tourné la tête ; mais le geste était déjà accompli, et Mahaut, dissimulant le mouchoir au creux de sa main, feignit d'arranger le manteau de l'enfant.

« Nous sommes prêts », dit-elle.

Les portes de la salle s'écartèrent et le silence se fit. Mais le sénéchal ne voyait pas la foule des visages devant lui.

« Annoncez, messire, annoncez, dit Bouville.

— Que dois-je annoncer ? demanda Joinville.

— Le roi, voyons, le roi !

— Le roi... murmura Joinville. C'est le cinquième que je vais servir, savez-vous !

— Certes, certes, mais annoncez », répéta Bouville nerveux.

Mahaut, derrière eux, essuyait une seconde fois, pour plus de sûreté, la bouche du bébé.

Le sire de Joinville, s'étant éclairci la gorge par

quelques raclements, se décida enfin à prononcer d'une voix grave, assez nette :

« Mes sires, voyez le roi ! Voyez le roi, mes sires !

— Vive le roi ! » répondirent les barons, délivrant le cri qu'ils retenaient depuis l'enterrement du Hutin.

Mahaut alla droit au régent et aux membres de la famille royale rassemblés autour de lui.

« Mais il est gaillard... il est rose... il est gras, disaient les barons au passage.

— Que nous chantait-on qu'il était chétif et ne pouvait point vivre ? murmura Charles de Valois à son fils Philippe.

— Allons ! La race de France est toujours bien vaillante », dit Charles de La Marche pour imiter son oncle.

L'enfant du Lombard se comportait bien, trop bien même au gré de Mahaut. « Ne pourrait-il pas crier, se tordre un peu ? » pensait-elle. Et, sournoisement, elle cherchait à le pincer au travers du manteau. Mais les langes étaient épais, et l'enfant ne faisait entendre qu'un petit gargouillement assez joyeux. Le spectacle offert à ses yeux bleus fraîchement ouverts semblait lui plaire. « Le petit gueux ! Il va chanter, dans une minute. Il chantera moins cette nuit... A moins que la poudre de Béatrice ne soit éventée... »

Des cris s'élevèrent dans le fond de la salle :

« Nous ne le voyons point ; nous le voulons admirer !

— Tenez, Philippe, dit Mahaut à son gendre en lui tendant le bébé ; vous avez le bras plus long que le mien, montrez le roi à ses vassaux. »

Le régent prit le petit Jean par le torse, l'éleva au-dessus de sa tête pour que chacun pût à loisir le contempler. Soudain Philippe sentit couler sur ses mains un liquide gluant et chaud. L'enfant, saisi de hoquets, vomissait le lait qu'il avait sucé la demi-heure d'avant, mais un lait devenu verdâtre et mêlé de bile ; son visage se colora de la même manière, puis très vite vira à une teinte foncée, indéfinissable, inquiétante, tandis qu'il tordait le cou en arrière.

Une vaste exclamation d'angoisse et de désappointement s'éleva de la foule des barons.

« Seigneur, Seigneur, s'écria Mahaut, les convulsions le ressaisissent !

— Reprenez-le, dit vivement Philippe en lui remettant l'enfant dans les bras comme un paquet dangereux.

— Je le savais ! » lança une voix.

C'était Bouville. Il était pourpre, et son regard allait avec colère de la comtesse au régent.

« Oui, vous aviez raison, Bouville, dit ce dernier ; il était trop tôt pour présenter cet enfant malade.

— Je le savais... » répéta Bouville.

Mais sa femme le tira vivement par la manche pour lui éviter une irréparable sottise. Leurs yeux se rencontrèrent et Bouville se calma. « Qu'allais-je faire ? Je suis fou, pensa-t-il. Nous avons le vrai. »

Mais s'il n'avait tout agencé pour détourner le crime sur une autre tête, il n'avait rien prévu pour le cas où le crime serait vraiment commis.

Mahaut, elle aussi, était prise de vitesse. Elle n'attendait pas du poison une action à ce point immédiate. Elle prononçait des paroles qui se voulaient rassurantes :

« Apaisez-vous, apaisez-vous ! L'autre jour aussi nous avons cru qu'il allait passer ; et puis, vous voyez, il est bien revenu. C'est mal d'enfant qui fait peur à voir mais qui ne dure point. La ventrière ! Qu'on aille querir la ventrière », ajouta-t-elle prenant tous les risques pour prouver sa bonne foi.

Le régent tenait ses mains souillées écartées du corps ; il les regardait avec crainte et dégoût, et n'osait plus toucher à rien.

Le bébé était bleuâtre et suffoquait.

Dans le désordre et l'affolement qui suivirent, personne ne sut très bien ce qu'il faisait, ni comment les choses s'étaient passées. Mme de Bouville s'élança vers la chambre de la reine, mais presque arrivée s'arrêta brusquement en pensant : « Si j'appelle la ventrière, elle verra bien, elle, que l'enfant a été changé, et qu'il n'a pas la marque des fers. Surtout, surtout qu'on ne lui ôte pas le bonnet ! » Elle revint en courant, tandis que l'assistance refluait déjà vers la chambre du roi.

Le service d'aucune ventrière n'était plus nécessaire à l'enfant. Toujours enveloppé du manteau fleurdelisé, sa couronne de poupée inclinée sur la tempe, il gisait, lèvres sombres, langes souillés et viscères rompus, au milieu de l'immense lit couvert de soie. Le bébé qu'on venait de présenter à tous comme le roi de France avait cessé de vivre.

V

UN LOMBARD A SAINT-DENIS

« Et maintenant, qu'allons-nous faire ? » se demandaient les Bouville.

Ils se trouvaient piégés à leur propre trappe.

Le régent ne s'était guère attardé à Vincennes. Rassemblant les membres de la famille royale, il les avait priés de remonter à cheval et de l'escorter à Paris pour y tenir aussitôt conseil. Bouville, alors que la troupe s'ébranlait, avait eu un sursaut de courage.

« Monseigneur !... » s'était-il écrié en saisissant par la bride la monture du régent.

Mais Philippe l'avait immédiatement arrêté.

« Mais oui, mais oui, Bouville ; je vous sais gré de la part que vous prenez à notre affliction. Nous ne vous reprochons rien, croyez-le bien. C'est la loi de l'humaine nature. Je vous ferai porter mes ordres pour les funérailles. »

Et piquant son cheval, il s'était mis au galop dès le pont-levis franchi. A pareille allure, ceux qui l'accompagnaient auraient peu le loisir de réfléchir en route.

La plupart des barons avaient suivi. Il n'en demeurait que quelques-uns, les moins importants, les désœuvrés qui s'attardaient, par petits groupes, à commenter l'événement.

« Tu vois, disait Bouville à sa femme, j'aurais dû parler sur l'instant même. Pourquoi m'as-tu retenu ? »

Ils se tenaient debout, dans une embrasure de fenêtre, chuchotant et osant à peine se confier leurs pensées.

« La nourrice ? reprit Bouville.

— J'y ai veillé. Je l'ai entraînée dans ma propre chambre, que j'ai fermée à clef, et j'ai placé deux hommes à la porte.

— Elle ne se doute de rien ?

— Non.

— Il faudra bien lui dire.

— Attendons que tout le monde soit parti.

— Ah ! j'aurais dû parler », répéta Bouville.

Le remords de n'avoir pas suivi son premier mouvement le torturait. « Si j'avais crié la vérité devant tous les barons, si j'avais fourni la preuve sur-le-champ... » Il eût fallu pour cela qu'il possédât une autre nature, qu'il fût homme de la trempe du connétable par exemple ; il lui eût fallu surtout n'obéir pas à sa femme, quand elle l'avait tiré par la manche.

« Mais aussi pouvions-nous savoir, dit Mme de Bouville, que Mahaut mènerait si bien son coup, et que l'enfant mourrait aux yeux de tous ?

— Au fond, murmura Bouville, nous aurions mieux fait de présenter le vrai, et de laisser le destin s'accomplir.

— Ah ! Je te l'avais bien dit !

— Eh oui, je le confesse. C'est moi qui ai eu l'idée... Elle était mauvaise... »

Car maintenant, qui donc accepterait de les croire ? Comment, à qui, pourraient-ils déclarer qu'ils avaient trompé l'assemblée des barons en coiffant d'une couronne un enfant de nourrice ? Il y avait du sacrilège dans leur acte.

« Sais-tu ce que nous risquons, à présent, si nous ne gardons pas le silence ? dit Mme de Bouville. C'est que Mahaut nous fasse empoisonner à notre tour.

— Le régent était de concert avec elle ; j'en suis sûr. Quand il s'est essuyé les mains, après que l'enfant lui eut craché dessus, il a jeté la toile dans le feu ; je l'ai vu... »

Leur plus grave souci, désormais, concernait leur propre sécurité.

« La toilette de l'enfant ? reprit Bouville.

— Je l'ai faite, avec une de mes femmes, pendant que tu reconduisais le régent, répondit Mme de Bouville. Et maintenant quatre écuyers le veillent. Il n'y a rien à redouter de ce côté-là.

— Et la reine ?

— Chacun autour d'elle a l'ordre de se taire, pour ne point aggraver son mal. D'ailleurs, elle semble hors d'état de comprendre. Et j'ai dit aux ventrières qu'elles ne s'écartent pas de sa couche. »

Peu après, le chambellan Guillaume de Seriz arriva de Paris pour apprendre à Bouville que le régent venait de se faire reconnaître roi par ses oncles, son frère, et les pairs présents. Le conseil avait été bref.

« Pour les funérailles de son neveu, dit le chambellan, notre Sire Philippe a décidé qu'elles se feraient au plus tôt, afin de ne pas affliger trop longuement le peuple par ce nouveau trépas. Il n'y aura point d'exposition. Comme nous sommes vendredi, et qu'on ne peut inhumer un dimanche, c'est donc demain que le corps sera conduit à Saint-Denis. L'embaumeur est déjà en route. Je vous laisse, messire, car le roi m'a commandé d'être promptement de retour.

Bouville le laissa partir sans ajouter un mot. « Le roi... le roi... » se répétait-il.

Le comte de Poitiers était roi ; un petit Lombard allait être conduit à Saint-Denis... et Jean Ier était vivant.

Bouville alla rejoindre sa femme.

« Philippe est reconnu, lui dit-il. Qu'allons-nous devenir, avec ce roi qui nous reste sur les bras ?

— Nous devons le faire disparaître.

— Ah ! non ! s'écria Bouville indigné.

— Il ne s'agit pas de cela. Tu perds l'esprit, Hugues ! répliqua Mme de Bouville. Je veux dire qu'il faut le cacher.

— Mais il ne régnera pas.

— Il vivra, au moins. Et un jour peut être... Sait-on jamais ! »

Mais comment le cacher ? A qui le confier sans éveiller les soupçons ? Il était nécessaire, d'abord, qu'il continuât d'être allaité...

« La nourrice... Il n'y a que la nourrice dont

nous puissions nous servir, dit Mme de Bouville. Allons la trouver. »

Ils avaient été bien inspirés d'attendre le départ des derniers barons, avant de venir avouer à Marie de Cressay que son fils était mort. Car le hurlement qu'elle poussa traversa les murs du manoir. A ceux qui l'entendirent et en demeurèrent glacés, on expliqua ensuite que c'était un cri de la reine. Or la reine, si inconsciente qu'elle fût, s'était dressée sur sa couche en demandant :

« Qu'y a-t-il ? »

Même le vieux sénéchal de Joinville, dans le fond de sa torpeur, en tressaillit.

« On tue quelque part, dit-il ; c'est un cri d'égorgé que j'ai entendu là... »

Pendant ce temps, Marie répétait inlassablement :

« Je veux le voir ! Je veux le voir ! Je veux le voir ! »

Bouville et sa femme furent obligés de la saisir à bras-le-corps, pour l'empêcher de s'élancer, à demi folle, à travers le château.

Deux heures durant, ils s'efforcèrent de la calmer, de la consoler, et surtout de se justifier, reprenant dix fois des explications qu'elle n'entendait pas.

Bouville pouvait bien lui affirmer qu'il n'avait pas voulu cela, que c'était l'œuvre criminelle de la comtesse Mahaut... Les mots s'inscrivaient inconsciemment dans la mémoire de Marie, d'où ils resurgiraient plus tard ; mais sur l'instant, ils n'avaient pas de signification.

Elle s'arrêtait un moment de pleurer, regardait droit devant elle, et puis brusquement se remettait à hurler comme un chien sur lequel un char a passé.

Les Bouville crurent vraiment qu'elle perdait la raison. Ils épuisaient tous les arguments. Grâce à ce sacrifice involontaire, Marie avait sauvé le vrai roi de France, le descendant de la lignée illustre...

« Vous êtes jeune, disait Mme de Bouville, vous aurez d'autres enfants. Quelle femme en sa vie n'a perdu au moins un enfant au berceau ? »

Et de lui citer les jumeaux mort-nés de Blanche de Castille, et tous les petits disparus de la famille royale, depuis trois générations. Chez les Anjou, les Courtenay, les Bourgogne, les Châtillon, les Bouville eux-mêmes, combien de mères, régulièrement endeuillées, et qui pourtant finissaient heureuses, parmi une vaste progéniture ! Sur douze ou quinze enfants qu'une femme mettait au monde, il était habituel qu'il n'en survécût pas plus de la moitié.

« Mais je comprends, continuait Mme de Bouville. C'est pour le premier que c'est le plus dur.

— Mais non, vous ne comprenez pas ! cria enfin Marie à travers ses sanglots. Celui-là... Celui-là je ne pourrai jamais le remplacer ! »

Le bébé qu'on venait de lui tuer c'était l'enfant de l'amour, né d'un désir plus violent et d'une foi plus forte que toutes les lois du monde et toutes ses contraintes ; c'était le rêve dont elle avait payé le prix par deux mois d'outrages et quatre mois de couvent, le présent parfait qu'elle s'apprêtait à offrir à l'homme qu'elle avait choisi, la plante miraculeuse en laquelle elle avait espéré voir fleurir, chaque jour de sa vie, ses amours traversées et merveilleuses !

« Non, vous ne pouvez pas comprendre ! gémissait-elle. Vous n'avez pas été chassée de votre famille à cause d'un enfant. Non, je n'en aurai pas d'autre ! »

Quand on commence à décrire son malheur, à le traduire en termes intelligibles, c'est que déjà on l'a admis. Au déchirement, à l'écrasement, se substituait lentement le second état de la douleur, la contemplation cruelle.

« Je le savais, je le savais, quand je ne voulais pas venir ici, que c'était le malheur qui m'attendait ! »

Mme de Bouville n'osait répondre.

« Et que dira Guccio quand il saura ? dit Marie. Comment pourrai-je lui apprendre ?

— Il ne doit pas savoir, mon enfant, jamais ! s'écria Mme de Bouville. Personne ne doit savoir que le roi est vivant, car ceux qui ont manqué leur coup n'hésiteraient pas à frapper une seconde fois. Vous-même êtes en danger, car vous étiez de concert avec nous. Il vous faut garder le secret jusqu'à ce qu'on vous autorise à le révéler. »

Et à son mari, elle chuchota :

« Va chercher les Evangiles. »

Quand Bouville fut revenu avec le gros livre qu'il avait pris dans la chapelle, ils obtinrent de Marie qu'elle y posât la main et jurât de garder un silence absolu, même envers le père de son enfant mort, et même en confession, sur le drame qui venait de se dérouler. Seuls Bouville ou sa femme pourraient la délivrer de son serment.

Dans l'état où elle était, Marie accepta de jurer

tout ce qu'on lui demanda. Bouville lui promit une pension. Mais elle se moquait bien de l'argent !

« Et maintenant il vous faut garder avec vous le roi de France, et dire à tous qu'il est vôtre », ajouta Mme de Bouville.

Marie se rebella. Elle ne voulait plus toucher l'enfant pour lequel le sien avait été assassiné. Elle ne voulait plus rester à Vincennes ; elle voulait fuir, n'importe où, et aller mourir.

« Vous mourrez vite, soyez-en sûre, si vous ouvrez la bouche. Mahaut ne tardera pas à vous faire empoisonner ou poignarder.

— Non, je ne dirai rien, je vous le promets. Mais laissez-moi, laissez-moi partir !

— Vous partirez, vous partirez. Mais vous n'allez pas le laisser périr. Vous voyez bien qu'il a faim. Nourrissez-le au moins aujourd'hui, dit Mme de Bouville en lui mettant le vrai roi dans les bras.

Quand Marie eut le bébé contre elle, ses pleurs redoublèrent.

« Gardez-le. Il sera comme le vôtre, insista Mme de Bouville. Et quand le temps viendra de le remettre au trône, vous serez honorée à la cour avec lui ; vous serez sa deuxième mère. »

Ce n'étaient pas les hypothétiques honneurs promis par la femme du curateur qui pouvaient en ce moment convaincre Marie, mais la présence de cette petite vie qu'elle tenait entre ses mains et sur laquelle elle allait opérer, inconsciemment, un transfert, un report de sentiments maternels.

Elle posa les lèvres sur la tête duvetée du bébé

et, d'un geste devenu machinal, ouvrit son corsage en murmurant :

« Non, je ne peux pas te laisser périr, mon petit Jean... mon petit Jean... »

Les Bouville eurent un soupir de soulagement. Ils avaient gagné, au moins dans l'immédiat.

« Il ne faut point qu'elle soit encore à Vincennes demain quand on viendra enlever son enfant », dit très bas Mme de Bouville à son mari.

Le lendemain, Marie, prostrée et laissant Mme de Bouville décider de toutes choses, fut reconduite avec l'enfant au couvent des Clarisses.

A la mère abbesse, Mme de Bouville expliqua que Marie avait eu la cervelle fort ébranlée par la mort du petit roi, et qu'il ne fallait tenir nul compte des choses folles qu'elle pourrait dire.

« Elle nous a fait grand-peur ; elle hurlait et ne reconnaissait même plus son propre enfant. »

Mme de Bouville exigea que la jeune femme ne reçût aucune visite, même des sœurs et novices du couvent, et qu'on la tînt cloîtrée dans le plus grand calme, le plus grand silence.

« Si quelqu'un se présente pour elle, qu'on ne l'autorise pas à pénétrer et qu'on envoie m'avertir. »

Ce même jour, deux draps d'or fleurdelisés, huit aunes de cendal noir et deux draps de Turquie brodés aux armes de France furent apportés à Vincennes pour servir à l'enterrement du premier roi de France qui ait reçu le nom de Jean. Et ce fut bien un enfant nommé Jean qui s'en alla effectivement dans un coffre si petit qu'on ne crut point utile de le placer sur un char, mais qu'on le posa simplement sur le bât d'une mule.

Maître Geoffroy de Fleury, argentier du Palais, nota sur ses registres les frais de ces obsèques pour cent onze livres dix-sept sols et huit deniers le samedi 20 novembre 1316.

Il n'y eut point le long cortège rituel, ni de cérémonie à Notre-Dame. On gagna immédiatement Saint-Denis où l'inhumation fut faite aussitôt après la messe. Aux pieds du gisant de Louis X, encore tout blanc, tout frais dans sa pierre nouvellement taillée, on avait ouvert une étroite fosse ; là fut descendu, entre les ossements des souverains de France, l'enfant de Marie de Cressay, demoiselle d'Ile-de-France et de Guccio Baglioni, marchand siennois.

Adam Héron, premier chambellan et maître de l'hôtel, s'avança au bord de la petite tombe et dit, regardant son maître Philippe de Poitiers :

« Le Roi est mort, vive le Roi ! »

Le règne de Philippe V le Long était commencé ; Jeanne de Bourgogne devenait reine de France, et Mahaut d'Artois triomphait.

Trois personnes seulement dans le royaume savaient que le vrai roi vivait. L'une avait juré le secret sur les Saintes Ecritures, et les deux autres tremblaient que ce secret ne fût pas tenu.

VI

LA FRANCE EN MAINS FERMES

POUR conquérir le trône, Philippe V avait usé, à l'intérieur des institutions monarchiques, d'un procédé éternel et qu'en langage moderne on nomme le coup d'Etat.

Se trouvant, par l'autorité de sa personne et l'appui de partisans dévoués, investi des principales fonctions royales, il avait fait entériner, par l'assemblée de juillet, un règlement de succession qui pouvait éventuellement le favoriser, mais seulement après de longs délais et l'application de clauses préalables. Survenait, en la disparition du petit roi, l'événement propice ; Philippe, aussitôt, malmenant un peu la légalité qu'il avait lui-même établie, s'appropriait la couronne sans plus observer ni délais ni préalables.

Un pouvoir obtenu dans de semblables conditions était forcément menacé, au moins en son début.

Tout occupé à consolider sa position, Philippe n'eut guère le temps de savourer sa victoire ni de se contempler lui-même en son rêve accompli. La cime était étroite où il venait d'accéder.

Les langues marchaient fort à travers le royaume ; le soupçon se répandait. La poigne du nouveau roi était assez connue et tous ceux qui risquaient d'en pâtir se serrèrent autour du duc de Bourgogne.

Celui-ci courut sur Paris pour contester la désignation de son futur beau-père. Il exigeait la convocation du Conseil des Pairs et la reconnaissance de la petite Jeanne de Navarre comme reine de France.

Philippe, pour s'assurer la régence, avait sacrifié la comté de Bourgogne ; pour garder la royauté il offrit de séparer les deux couronnes de France et de Navarre, si récemment réunies, et de laisser le petit royaume pyrénéen à la fille douteuse de son frère.

Mais si Jeanne était jugée digne de régner sur la Navarre, n'était-elle pas digne de régner également sur la France ? Le duc Eudes en décida ainsi et refusa la proposition. On irait donc à l'épreuve de force.

Eudes repartit au galop pour Dijon d'où il lança, au nom de sa nièce, une proclamation à tous les seigneurs d'Artois et de Picardie, de Brie et de Champagne, les invitant à refuser obéissance à un usurpateur.

Il s'adressa dans le même sens au roi Edouard II

d'Angleterre qui, malgré les efforts de sa femme Isabelle, s'empressa d'envenimer la querelle en prenant le parti des Bourguignons. Dans toute division qui surgissait au royaume de France, le roi anglais voyait la perspective d'émanciper la Guyenne.

« Est-ce donc à cela que je suis parvenue en dénonçant l'adultère de mes belles-sœurs ! » pensait la reine Isabelle.

A se voir ainsi menacé au nord, à l'est, au sud-ouest, un autre que Philippe le Long eût peut-être lâché prise. Mais le nouveau roi savait qu'il disposait de plusieurs mois ; l'hiver n'était pas temps de guerre ; ses ennemis devaient attendre le printemps pour pouvoir mettre des armées sur pied. Le plus urgent, pour Philippe, était d'aller se faire couronner et d'être revêtu de l'indélébile dignité du sacre.

Il voulut d'abord fixer la cérémonie à l'Epiphanie ; la fête des Rois lui semblait de bon augure. On lui représenta que les bourgeois de Reims n'auraient pas le temps de tout préparer ; il accorda un délai de trois jours. La cour partirait de Paris le 1er janvier, et le sacre se ferait le dimanche 9.

Depuis Louis VIII, premier roi non élu du vivant de son prédécesseur, on n'avait jamais vu l'héritier du trône se précipiter aussi vite à Reims.

Mais la consécration religieuse semblait encore insuffisante à Philippe ; il voulait y ajouter quelque chose qui frappât d'une manière nouvelle la conscience populaire.

Il avait souvent médité les enseignements d'Egidio Colonna, le précepteur de Philippe le Bel, l'homme qui avait véritablement formé la pensée du Roi de fer et dont le traité sur les principes de la royauté contenait de telles remarques que celle-ci :

« *A parler dans l'absolu, il serait préférable que le roi fût élu ; seuls les appétits corrompus des hommes et leur manière d'agir doivent faire préférer l'hérédité à l'élection.* »

« Je veux être roi du consentement de mes sujets, déclara Philippe le Long, et je ne me sentirai vraiment digne de les gouverner qu'à ce prix. Et puisque certains grands me font défaut, je donnerai la parole aux petits. »

Son père lui avait montré la voie en convoquant, dans les heures difficiles de son règne, des assemblées où toutes les classes, tous les « états » du royaume se trouvaient représentés. Il décida que deux assemblées de cette sorte, mais plus larges encore que les précédentes, seraient tenues, l'une à Paris pour la langue d'oïl, l'autre à Bourges pour la langue d'oc, dans les semaines qui suivraient son sacre. Et il prononça le mot d'« Etats généraux ».

Les légistes furent mis à fourbir les textes qui seraient présentés à l'approbation des Etats, de telle sorte que Philippe apparût comme choisi et désigné par le peuple entier. On reprit tout naturellement les arguments du connétable, à savoir que les lis ne pouvaient filer la laine et que le royaume était trop noble pour tomber entre mains de femme. On s'appuya, plus étrangement, sur le fait qu'entre le vénéré saint Louis et Mme Jeanne de Navarre on comptait trois intermédiaires successoraux, alors qu'entre saint Louis et Philippe il n'en existait que deux. Ce qui fit, à bon droit, le comte de Valois s'écrier :

« Pourquoi pas moi, dans ce cas, qui ne suis séparé de saint Louis que par mon père ! »

Et puis, enfin, des conseillers du Parlement, pressés au zèle par Miles de Noyers, exhumèrent sans trop de foi le vieux code de coutumes des Francs Saliens, antérieur à la conversion de Clovis au christianisme. Ce code ne contenait rien quant à la transmission des pouvoirs royaux. Il se présentait comme un recueil de jurisprudence civile et criminelle assez grossier, et de surcroît mal compréhensible puisqu'il avait plus de huit siècles. Une indication brève stipulait que l'héritage d'une propriété foncière devait échoir, par division égale, aux enfants mâles du possesseur défunt. C'était tout.

Il n'en fallut pas plus à quelques docteurs en droit séculier pour bâtir là-dessus leur démonstration. La couronne de France ne pouvait aller qu'aux mâles, puisque couronne impliquait possession des terres. Et la meilleure preuve que le code salien avait été appliqué dès l'origine, ne la trouvait-on pas dans le fait que seuls des hommes se fussent succédé ? Ainsi Jeanne de Navarre pouvait être éliminée sans que l'accusation de bâtardise, improuvable, eût seulement à être avancée.

Les docteurs étaient maîtres de leurs grimoires. On ne s'avisa pas de leur objecter que la dynastie mérovingienne n'était pas issue des Saliens, mais des Sicambres et des Bructères ; et nul n'alla, pour l'instant, regarder sur pièce cette fameuse loi salique, qu'on inventa en prétendant s'y référer, et qui ferait fortune dans l'Histoire après qu'elle aurait ruiné le royaume en causant une guerre de cent ans.

L'adultère de Marguerite de Bourgogne, en vérité, coûterait cher à la France.

Mais, pour le présent, le pouvoir central ne chômait pas. Déjà Philippe réorganisait l'administration, appelait de grands bourgeois à son Conseil, et créait des « chevaliers poursuivants », remerciant ainsi ceux qui, depuis Lyon, l'avaient servi sans trêve [21].

A Charles de Valois, il rachetait l'atelier de monnaie du Mans, avant de reprendre dix autres ateliers épars en France. Désormais, toute la monnaie circulant au royaume ne serait plus battue que par le roi.

Se souvenant des idées de Jean XXII lorsque celui-ci n'était encore que le cardinal Duèze, Philippe prépara une réforme du système des amendes pénales et des droits de chancellerie. Les notaires verseraient chaque samedi au Trésor les sommes encaissées, et l'enregistrement des actes serait soumis à des tarifs décrétés par la Chambre des comptes.

Comme il en allait des chancelleries, il en alla des douanes, des prévôtés, capitaineries de villes et recettes de finances. Les abus et malversations, qui avaient eu libre cours depuis la mort du Roi de fer, furent durement réprimés. A toutes les hauteurs de la société, dans toute l'activité nationale, dans les cours de justice, sur les ports, sur les places de marché et de foire, on sentit, on comprit que la France était reprise en mains fermes... des mains de vingt-cinq ans !

Les fidélités ne s'obtiennent pas sans bienfaits. Philippe paya son avènement de larges libéralités.

Le vieux sénéchal de Joinville s'était fait reconduire à son château de Wassy où il avait déclaré vouloir mourir. Il se savait sur l'extrême fin. Son fils Anseau, qui depuis Lyon n'avait pas quitté Philippe, dit un jour à ce dernier :

« Mon père m'a assuré que d'étranges choses s'étaient passées à Vincennes, lors de la mort du petit roi, et il lui est venu aux oreilles de troublantes rumeurs.

— Je sais, je sais, répondit Philippe. A moi aussi, certains faits, en ces journées, ont paru surprenants. Voulez-vous mon sentiment, Anseau ? Je ne veux pas médire de Bouville, car je n'ai point de preuves. Mais je me demande s'il n'a pas été inférieur à la tâche confiée. Il montrait tant d'agitation, écoutait tant de vains propos ! Ses prudences désordonnées ont donné du fil aux imaginations... De toute manière il est trop tard. »

Il prit un temps et ajouta :

« Anseau, je vous ai fait marquer au Trésor pour une donation de quatre mille livres, et ceci vous dira assez ma gratitude pour l'aide que vous m'avez toujours apportée. Et si le jour du sacre, mon cousin le duc de Bourgogne, comme je le pense, ne se trouve point là pour me nouer les éperons, c'est vous qui tiendrez cet office. Vous êtes assez haut chevalier pour cela. »

L'or, toujours, pour river les bouches fut le meilleur métal ; mais Philippe savait qu'avec certains hommes il faut en plus orfévrer un peu la soudure.

Restait à régler le cas de Robert d'Artois. Philippe se félicitait d'avoir tenu en prison son dangereux cousin pendant les derniers événements. Mais il ne pouvait pas le garder indéfiniment au Châtelet. Un couronnement s'accompagne généralement d'actes de clémence et d'octrois de grâces. Sur une pressante intervention de Charles de Valois, Philippe feignit de se montrer bon prince.

« C'est bien pour vous complaire, mon oncle, dit-il. Robert sera donc remis en liberté... »

Il laissa sa phrase en suspens, et sembla calculer.

« ... mais trois jours seulement après mon départ pour Reims, ajouta-t-il, et il n'aura pas droit de s'écarter de Paris de plus de vingt lieues. »

VII

TANT DE REVES ECROULES !

DANS sa royale ascension, Philippe le Long n'avait pas seulement enjambé deux cadavres ; il laissait encore sous ses pas deux autres destins brisés, deux femmes écrasées, l'une reine et l'autre obscure.

Le lendemain des obsèques du faux Jean Ier à Saint-Denis, Mme Clémence de Hongrie, dont chacun s'attendait à ce qu'elle rendît l'âme, était remontée faiblement à la conscience et à la vie. Quelque remède enfin s'était montré efficace ; la fièvre et l'infection se retiraient de ce corps, comme pour laisser la place à d'autres peines. Les premières paroles que prononça la reine furent pour demander son fils, qu'elle avait à peine eu le temps d'entrevoir. Son souvenir ne lui représentait qu'un petit corps nu qu'on frictionnait à l'eau de rose et qu'on déposait dans un berceau...

Lorsqu'on lui fit savoir, avec mille ménagements,

qu'on ne pouvait pas le lui montrer aussitôt, elle murmura :

« Il est mort, n'est-ce pas ? Je le savais. Je l'ai senti dans ma fièvre... Cela aussi devait arriver... »

Elle n'eut pas la réaction foudroyante qu'on redoutait. Elle resta prostrée, mais sans larmes, avec sur le visage cette expression d'ironie tragique qu'ont certaines gens à la fin d'un incendie, devant les cendres fumantes de leur demeure. Ses lèvres s'écartèrent comme pour rire, et pendant quelques instants on la crut démente.

Le malheur avait mis de l'excès à s'acharner sur elle ; il y avait des places mortes dans cette âme, et le sort pouvait y frapper à coups redoublés sans plus en tirer de souffrance.

Bouville, devant elle, se voyait condamné à une mensongère mission de consolateur impuissant. Chaque mot d'amitié que lui adressait la reine le torturait de remords.

« Son enfant vit, et je ne dois pas le lui dire. Quand je pense que je pourrais lui donner si grande joie !... »

Vingt fois, la pitié, et même la simple honnêteté, faillirent l'emporter. Mais Mme de Bouville, le sachant d'âme faible, ne le laissait jamais seul auprès de la reine.

Au moins put-il se soulager à moitié en accusant Mahaut, la réelle coupable.

La reine haussa les épaules. Que lui importait la main dont les forces du mal s'étaient servies pour l'atteindre ?

« J'ai été pieuse, j'ai été bonne ; du moins je crois l'avoir été, disait-elle ; je me suis efforcée de suivre les ordonnances de la religion et d'amender ceux qui m'étaient chers. Je n'ai jamais souhaité peine à quiconque. Et Dieu s'est employé à me meurtrir plus qu'aucune de ses créatures... Or, je vois des méchants triompher en tout. »

Elle ne se révoltait pas, ni ne basphémait non plus ; elle constatait simplement une sorte de monumentale erreur.

Son père et sa mère avaient été enlevés par la peste lorsqu'elle avait à peine deux ans. Tandis que toutes les princesses de sa famille, ou presque, recevaient établissement dès avant leur nubilité, elle avait attendu un parti jusqu'à l'âge de vingt-deux ans. Celui qui s'était offert, inespéré, paraissait le plus haut du monde. A ce mariage avec la France, elle était arrivée éblouie, éperdue d'un amour irréel, et pétrie de toutes les intentions du bien. Avant même d'aborder à son nouveau pays, elle avait manqué périr en mer. Au bout de quelques semaines, elle découvrait qu'elle avait épousé un assassin et succédé à une reine étranglée. Après dix mois elle restait veuve, et enceinte. Aussitôt éloignée du pouvoir, on l'avait séquestrée sous prétexte de la défendre. Elle venait, pendant huit jours, de se débattre aux portes du trépas pour apprendre, à peine sortie de cet enfer, que son enfant était mort, empoisonné sans doute comme son mari l'avait été.

« Les gens de mon pays croient au mauvais sort. Ils ont raison. J'ai le mauvais sort, dit-elle. Je me dois interdire de plus rien entreprendre et de me fier à rien, pas même à Dieu. »

Amour, charité, espérance, elle avait épuisé toutes les réserves de vertus qu'elle possédait, et la foi, du même coup, se retirait d'elle.

Elle avait subi, pendant sa maladie, de telles tortures, et si fort éprouvé l'impression d'agonie, que de se sentir vivante, de respirer sans peine, de s'alimenter, de poser son regard sur des murs, des meubles, des visages, lui semblait surprenant et lui procurait les seules émotions dont son âme, aux trois quarts détruite, fût encore capable.

A mesure que se déroulait sa lente convalescence, et qu'elle retrouvait sa légendaire beauté, la reine Clémence se mit à développer des goûts de femme âgée et capricieuse. On eût dit que sous cette apparence admirable, sous ces cheveux d'or, ce visage de retable, cette poitrine noble, ces membres fuselés, qui reprenaient de jour en jour leur séduction, quarante années, d'un coup, s'étaient écoulées. Dans un corps somptueux, une vieille veuve réclamait à la vie ses dernières joies. Elle les réclamerait pendant onze ans.

Frugale jusque-là, autant par religion que par indifférence, la reine montra vite d'étranges exigences pour des nourritures rares et dispendieuses. Comblée par Louis X de joyaux qu'elle avait dédaignés en les recevant, elle s'animait maintenant devant ses coffres à bijoux, se passionnait à dénombrer les pierres, à en calculer la valeur, à en apprécier la taille ou l'eau. Elle décidait soudain de modifier les montures et convoquait, pour d'interminables entretiens, ses orfèvres. Elle passait aussi de longues heures avec les lingères, faisait acheter au plus cher des étoffes d'Orient, commandait d'excessives quantités de parfums.

Si, pour sortir de ses appartements, elle revêtait la blanche tenue des veuves, dans sa chambre ses familiers étaient surpris, gênés, de la voir, lovée près de la cheminée, sous des voiles d'une excessive transparence.

Sa générosité de naguère ne survivait que sous la forme altérée de libéralités absurdes. Les marchands s'étaient donné le mot et savaient qu'aucun prix ne serait discuté. L'avidité gagnait le personnel. Oh ! certes, la reine Clémence était bien servie. On se disputait aux cuisines la faveur de lui apporter son plat, car pour un dessert ornementé, pour un lait de noisettes, pour une « eau d'or » récemment découverte et où le romarin et la girofle avaient macéré à suffisance dans un jus de grenade, la reine, soudain, ouvrait sa main pleine de pièces.

Elle voulut bientôt entendre chanter, et que contes, lais et romans lui fussent récités par bouches agréables. Son regard refroidi ne voulait plus se poser que sur de jeunes visages. Un ménestrel bien pris de taille et de voix chaleureuse, qui l'avait distraite une heure, et dont les yeux s'étaient troublés en entrevoyant son corps sous les voiles de Chypre, recevait de quoi festoyer aux tavernes pendant tout un mois.

Bouville s'alarmait de ces profusions ; mais il n'avait pu se défendre d'en être lui-même bénéficiaire.

Le 1er janvier, qui était le jour des compliments et des cadeaux, bien que l'année officielle ne débutât qu'à Pâques, la reine Clémence remit à Bouville un sac brodé contenant trois cents livres d'or. L'ancien chambellan s'écria :

« Non, Madame, de grâce, je ne l'ai point mérité ! »

Mais on ne peut refuser le présent d'une reine, même si l'on sait que cette reine se ruine [22].

Dans cette même journée du 1er janvier, Bouville reçut la visite de messer Tolomei. Le banquier trouva l'ancien chambellan étonnamment maigri et blanchi. Bouville flottait dans ses vêtements ; ses joues s'affaissaient de chaque côté du visage ; son regard était inquiet et son attention en même temps paraissait défaillante.

« Cet homme-là, pensa Tolomei, est rongé d'une maladie secrète, et je ne serais point surpris qu'il fût saisi avant peu du mal de mort. Il faut me hâter d'arranger les affaires de Guccio. »

Tolomei connaissait les usages. A l'occasion de l'an neuf, il portait une pièce d'étoffe à l'intention de Mme de Bouville.

« ... pour la remercier, dit-il, de tout le soin qu'elle a pris de cette damoiselle qui donna un fils à mon neveu... »

Bouville voulut aussi refuser ce présent-là.

« Mais si, mais si, insista Tolomei. Je voudrais d'ailleurs vous entretenir un peu de cette affaire. Mon neveu va rentrer d'Avignon, où notre saint-père le pape... »

Tolomei se signa.

« ... l'a retenu jusqu'ici pour travailler aux comptes de sa cassette. Il vient chercher sa jeune épouse et son enfant... »

Bouville sentit tout son sang lui refluer au cœur.

« Un instant, messer, un instant, dit-il ; j'ai là un messager qui m'attend et auquel je dois confier une réponse urgente. Faites-moi la grâce de patienter. »

Et il disparut, la pièce d'étoffe sous le bras, prendre conseil de sa femme.

« Le mari revient, dit-il.

— Quel mari ? demanda Mme de Bouville.

— Le mari de la nourrice !

— Mais elle n'est pas mariée.

— Il faut croire ! Il faut croire ! Tolomei est là. Tiens, il t'a apporté ceci.

— Que veut-il ?

— Que la fille sorte du couvent.

— Quand ?

— Je ne sais encore. Bientôt.

— Alors attends de savoir, et ne promets rien. »

Bouville reparut devant son visiteur.

« Vous disiez donc, messer Tolomei ?

— Je vous disais que mon neveu Guccio arrive, pour faire sortir, du couvent où vous avez eu la bonté de leur trouver refuge, sa femme et son enfant. A présent, ils n'ont plus rien à craindre. Guccio est porteur d'une recommandation du Saint-Père, et il s'établira, je crois, en Avignon, du moins pour un temps... J'aurais assez aimé pourtant les garder près de moi. Savez-vous que je n'ai pas encore vu ce petit-neveu qui m'est né ? J'étais sur les chemins, à visiter mes comptoirs, et n'ai su la nouvelle que par une lettre toute joyeuse de la jeune mère. Avant-hier, aussitôt rentré, j'ai voulu l'aller voir ; mais au couvent des Clarisses, je me suis heurté à porte de bois.

— C'est que la règle est fort sévère, aux Clarisses, dit Bouville. Et puis nous avions donné, sur votre demande, consignes étroites.

— Il n'est advenu nulle chose mauvaise ?

— Mais... non, messer ; rien que je sache. Je vous en eusse aussitôt averti, répondit Bouville qui se sentait au gril. Quand donc votre neveu arrive-t-il ?

— Je l'attends sous deux ou trois jours. »

Bouville le regarda d'un œil effaré.

« Je vous prie, une autre fois, de me pardonner, dit-il, mais je me rappelle soudain que la reine m'avait envoyé querir un objet que je ne lui ai pas porté. Je reviens, je reviens. »

Et il s'éclipsa de nouveau.

« C'est dans la tête, à coup sûr, que la maladie le tient, pensa Tolomei. Le plaisir de s'entretenir avec un homme qui à chaque seconde s'enfuit ! Pourvu qu'il ne m'oublie pas ici, à mon tour ! »

Il s'assit sur un coffre, et resta un bon moment à lustrer sa fourrure qui bordait sa manche.

« Me voici, dit Bouville soulevant une tenture. Vous me parliez donc de votre neveu ? Vous savez que je lui suis tout acquis. Le gentil compagnon qu'il fut dans nos voyages à Naples ! Naples... répéta-t-il en s'attendrissant ; si j'avais pu penser !... La pauvre reine, la pauvre reine... »

Il s'était laissé choir, sur le coffre à côté de Tolomei et essuyait de ses gros doigts les larmes du souvenir.

« Allons ! Voilà qu'il me pleure au nez, maintenant ! » pensa le banquier. Et à haute voix :

« Je ne vous ai rien dit de tous ces nouveaux malheurs ; je devine trop combien ils vous ont affligé. J'ai fort pensé à vous...

— Ah ! Tolomei, si vous pouviez savoir !... Ce

fut pire que ce que vous pourriez imaginer ; le démon s'en est mêlé... »

On entendit une petite toux sèche derrière la tapisserie, et Bouville s'arrêta court sur la pente des confidences dangereuses.

« Tiens, on nous écoute », pensa Tolomei qui se hâta de reprendre :

« Enfin, en cette affliction, une consolation au moins nous est donnée ; nous avons un bon roi.

— Certes, certes, nous avons un bon roi, répéta Bouville sans grande chaleur.

— Je craignais, reprit le banquier en s'efforçant d'entraîner son interlocuteur un peu loin de la tapisserie suspecte, je craignais que le nouveau roi ne nous maltraitât, nous autres Lombards. Point du tout. Il paraît même qu'il a confié les recettes d'impôts, en certaines sénéchaussées, à des gens de nos compagnies... Pour mon neveu donc, qui a fort bien travaillé, je dois dire, j'aimerais qu'il fût récompensé de ses peines en trouvant sa belle et son héritier installés en ma demeure. Déjà je fais préparer la chambre de ces gentils époux. On médit des jeunes gens de notre temps. On ne les croit plus capables de sincérité, ni d'amour fidèle. Ces deux-là s'aiment fort, je vous le certifie. Il suffit de lire leurs lettres. Si le mariage n'a point été fait selon toutes les règles, qu'importe ! nous le recommencerons, et je vous demanderai même, si cela ne vous désoblige, d'y paraître en témoin.

— Grand honneur, au contraire, grand honneur, messer, répondit Bouville en regardant la tenture, comme s'il y cherchait une araignée. Mais il y a la famille.

— Quelle famille ?

— Mais oui. La famille de la nourrice.

— La nourrice ? » répéta Tolomei qui ne comprenait plus rien.

Pour la seconde fois, la petite toux s'éleva derrière la tapisserie. Bouville changea de visage, bafouilla, bégaya.

« C'est que, messer... Oui, je voulais dire... oui, je voulais vous l'apprendre tout de suite, mais... à être dérangé sans cesse, je l'avais omis. Ah ! oui, maintenant il faut que je vous le dise... Votre... la femme de votre neveu, puisqu'ils sont mariés m'assurez-vous... nous lui avons demandé... Voilà, nous étions en peine de nourrice, et de bonne grâce, de très bonne grâce, sur la prière de ma femme, elle a nourri le petit roi... le peu de temps, hélas ! qu'il a vécu.

— Elle est donc venue ici ; vous l'avez fait sortir du couvent ?

— Et nous l'y avons ramenée ! J'avais gêne à vous l'avouer... Mais voyez-vous le temps pressait. Et tout s'est passé si vite !

— Mais, messire, n'en soyez pas honteux. Vous avez fort bien agi. Cette belle Marie ! Elle a donc nourri le pauvre petit roi ? Que voilà une surprenante nouvelle, et combien honorable ! C'est pitié seulement qu'elle n'ait pas eu à donner son lait plus longtemps, dit Tolomei qui regrettait déjà tous les avantages qu'il aurait pu tirer d'une telle situation. Alors il vous est aisé de la faire sortir à nouveau ?

— Eh non ! Pour la faire sortir tout à fait, il faut le consentement de la famille. Avez-vous revu sa famille ?

— Jamais. Ses frères, qui avaient mené si grand tapage, ont semblé bien aise de s'en débarrasser et n'ont jamais reparu.

— Où vivent-ils ?

— Chez eux, à Cressay.

— Cressay... Où cela se trouve-t-il donc ?

— Mais près de Neauphle, où j'ai un comptoir.

— Cressay... Neauphle... fort bien.

— En vérité, vous êtes étrange homme, Monseigneur, si j'ose vous le dire ! s'écria Tolomei. Je vous confie une fille, je vous conte tout à son propos ; vous l'allez chercher pour nourrir l'enfant de la reine, elle vit ici huit jours, dix jours...

— Cinq, précisa Bouville.

— Cinq jours, reprit Tolomei, et vous ne savez pas d'où elle vient ni presque comment elle se nomme !

— Si, je sais, je savais bien, dit Bouville en rougissant. Mais par moments la tête me fuit. »

Il ne pouvait pas, une troisième fois, courir vers sa femme. Que ne venait-elle le secourir, au lieu de demeurer cachée derrière la tapisserie, pour le tancer tout à l'heure s'il commettait une sottise ! Elle avait ses raisons, sans doute.

« Ce Tolomei est le seul homme que je redoute en cette affaire, avait-elle dit à Bouville. Un nez de Lombard vaut trente chiens de meute. S'il te voit seul, niais comme tu l'es, il se défiera moins, et je pourrai mieux mener le jeu ensuite. »

« Niais comme tu l'es... Elle a raison, je suis devenu niais, se disait Bouville. Pourtant, j'ai su parler à des rois naguère, et traiter de leurs affaires. J'ai négocié le mariage de Madame Clémence. J'ai dû m'occuper du conclave et ruser avec Duèze... » Ce fut cette pensée qui le sauva.

« Votre neveu, me disiez-vous, est muni d'une lettre d'ordre du Saint-Père ? reprit-il. Eh bien ! voilà qui arrange tout. C'est à Guccio d'aller chercher sa femme, en montrant cette lettre. Ainsi nous serons tous couverts et ne pourrons avoir ni reproches ni procès. Le Saint-Père ! que veut-on de plus... Dans deux ou trois jours, n'est-ce pas ? Souhaitons donc que tout se passe au mieux. Et grand merci de ce beau drap ; ma bonne épouse, je suis sûr, l'appréciera fort. A vous revoir, messer, et toujours votre serviteur. »

Il se sentait plus épuisé que s'il avait chargé en bataille.

Tolomei, en quittant Vincennes, pensait : « Ou bien il me ment pour quelque raison que j'ignore, ou bien il retourne en âge d'enfance. Enfin, attendons Guccio. »

Mme de Bouville, elle, n'attendit pas. Elle fit atteler sa litière et courut au faubourg Saint-Marcel. Là, elle s'enferma avec Marie de Cressay. Après avoir causé la mort de son enfant, elle venait, à présent, exiger de Marie qu'elle renonçât à son amour.

« Vous avez juré le secret sur les Evangiles, disait Mme de Bouville. Mais serez-vous capable de le tenir devant cet homme ? Aurez-vous le front de vivre avec votre époux... »

Maintenant, elle consentait à parer Guccio de cette qualité.

« ... en lui laissant croire qu'il est le père d'un enfant qui ne lui appartient pas ? C'est péché que cacher si grave chose à son conjoint ! Et quand nous pourrons faire triompher la vérité et qu'on viendra chercher le roi pour le mettre au trône, que direz-vous alors ? Vous êtes trop honnête fille, et trop noble de sang, pour consentir à pareille vilenie. »

Toutes ces questions, Marie se les était posées cent et cent fois, en chaque heure de sa solitude. Elle ne pensait à rien d'autre ; elle en devenait folle. Et elle savait bien la réponse ! Elle savait que, dès qu'elle se retrouverait dans les bras de Guccio, la feinte et le silence lui seraient impossibles, non point « parce que c'était péché » comme disait Mme de Bouville, mais parce que l'amour lui interdisait l'atrocité d'un tel mensonge.

« Guccio me comprendra, Guccio m'absoudra. Il saura que cela s'est passé sans ma volonté ; il m'aidera à supporter ce fardeau. Guccio ne dira rien, madame, je puis en jurer pour lui comme pour moi !

— On ne peut jurer que pour soi-même, mon enfant. Et un Lombard, en plus ; vous pensez comme il irait se taire ! Il en tirera usure.

— Madame, vous l'insultez !

— Mais non, je ne l'insulte pas, ma bonne, je connais le monde. Vous avez juré de ne pas parler, même en confession. C'est le roi de France que vous avez en garde ; et vous ne serez relevée de votre serment que quand le temps sera venu.

— De grâce, madame, reprenez le roi et délivrez-moi.

— Ce n'est point moi qui vous l'ai remis, c'est la volonté de Dieu. C'est dépôt sacré que vous avez là ! Auriez-vous trahi Notre-Seigneur le Christ s'il vous avait été donné à garder pendant le massacre des Innocents ?... Cet enfant doit vivre. Il faut que mon époux vous ait tous deux sous sa surveillance, et qu'on puisse à tout instant vous joindre, et non que vous partiez en Avignon comme il en est question.

— J'obtiendrai donc de Guccio que nous demeurions où vous voudrez ; je vous assure qu'il ne parlera pas.

— Il ne parlera pas parce que vous ne le reverrez point ! »

La lutte, coupée par la tétée du petit roi, dura l'après-midi entier. Les deux femmes se battaient comme deux bêtes au fond d'un piège. Mais la petite Mme de Bouville avait les dents et les griffes plus dures.

« Et qu'allez-vous faire de moi, alors ? Allez-vous m'enfermer ici pour la vie ? » gémissait Marie.

« Je le voudrais bien, pensait Mme de Bouville. Mais l'autre va arriver avec sa lettre du pape... »

« Et si votre famille consentait à vous reprendre ? proposa-t-elle. Messire Hugues, je crois, pourrait parvenir à décider vos frères. »

Rentrer à Cressay, entre des parents hostiles, accompagnée d'un enfant qui serait considéré comme celui du péché, alors que, de tous les enfants de France, il était le plus digne d'honneur... Renoncer à tout, se taire, vieillir, en n'ayant plus rien à faire qu'à contempler la monstrueuse fatalité, le désespérant gâchis d'un amour que rien n'aurait dû altérer. Tant de rêves écroulés !

Marie se cabra ; elle retrouva la force qui l'avait poussée, contre les lois et contre sa famille, à se donner à l'homme qu'elle avait choisi. Brusquement elle refusa.

« Je reverrai Guccio, je lui appartiendrai, je vivrai avec lui ! » s'écria-t-elle.

Mme de Bouville frappa à petits coups, lentement, le bras de son siège.

« Vous ne reverrez point ce Guccio, répondit-elle, parce que s'il approchait de ce couvent, ou de tout autre mieux clos où nous pourrions vous enfermer, et que vous lui parliez une minute, ce serait pour lui la dernière. Mon époux, vous le savez, est un homme énergique et redoutable s'il s'agit de la sauvegarde du roi. Si vous tenez trop à revoir cet homme, vous pourrez le contempler, mais avec une miséricorde entre les deux épaules. »

Marie s'affaissa un peu sur elle-même.

« C'est assez de l'enfant, murmura-t-elle, pour ne point aussi tuer le père.

— Il ne tient qu'à vous, dit Mme de Bouville.

— Je ne pensais pas qu'à la cour de France on fût si peu marchand de la mort des gens. Voilà la belle cour que le royaume respecte. Il me faut bien vous dire, Madame, que je vous hais.

— Vous êtes injuste, Marie. Ma tâche est lourde et je vous défends contre vous-même. Vous allez écrire ce que je vous dicterai. »

Vaincue, désemparée, les tempes en feu et le regard obscurci par les pleurs, Marie traça péniblement des phrases qu'elle n'aurait jamais cru pouvoir écrire. La lettre devait être portée chez Tolomei, afin qu'il la remît à son neveu.

Marie déclarait éprouver grande honte et horreur pour le péché qu'elle avait commis ; elle voulait se consacrer à l'enfant qui en était le fruit, ne plus retomber dans les errements de la chair, et mépriser celui qui l'y avait poussée. Elle faisait interdiction à Guccio de jamais chercher à la revoir, où qu'elle se trouvât.

Elle voulut au moins mettre en terminant : « Je vous jure de n'avoir jamais d'autre homme en ma vie que vous, ni d'engager à quiconque ma foi. » Mme de Bouville refusa.

« Il ne doit point supposer que vous l'aimez encore. Allons, signez et donnez-moi cette lettre. »

Marie ne vit même pas la petite femme partir.

« Il me haïra, il me méprisera, et il ne saura jamais que c'était pour le sauver ! » pensa-t-elle en entendant battre la porte du couvent.

VIII

DEPARTS

L'ARRIVÉE au manoir de Cressay, le lendemain matin, d'un chevaucheur portant fleur de lis à la manche gauche et les armes royales brodées au col, produisit grand effet. On lui donna du « Monseigneur » et les frères Cressay, sur la foi du bref billet qui les mandait d'urgence à Vincennes, se crurent appelés à quelque commandement de capitainerie ou déjà nommés sénéchaux.

« Cela n'est point étonnant, dit dame Eliabel ; on se sera enfin souvenu de nos mérites et des services que nous avons rendus au royaume depuis deux cents ans. Ce nouveau roi m'a l'air de comprendre où il lui faut trouver des hommes valeureux ! Allez, mes fils ; parez-vous de votre mieux et hâtez-vous de trotter. Il y a décidément un peu de justice au Ciel, et cela nous consolera des hontes que nous a faites votre sœur. »

Elle était mal remise de sa maladie de l'été.

Elle s'alourdissait, avait perdu sa belle activité d'antan, et ne montrait plus guère son autorité qu'en tracassant sa servante. Elle avait abandonné à ses fils la direction du petit domaine, qui n'en allait guère mieux.

Les deux frères se mirent donc en route, la tête pleine d'espérances ambitieuses. Le cheval de Pierre cornait si fort, en arrivant à Vincennes, qu'on pouvait bien penser que ce serait son dernier voyage.

« J'ai à vous entretenir de choses graves, mes jeunes sires », leur dit Bouville en les accueillant.

Et il leur offrit du vin aux épices et des dragées.

Les deux garçons se tenaient sur le bord de leur siège, comme des nigauds de campagne, et osaient à peine approcher de leurs lèvres les hanaps d'argent.

« Ah ! Voici la reine qui passe, dit Bouville. Elle profite de l'éclaircie pour prendre un peu l'air. »

Les deux frères, le cœur battant, tendirent le cou pour apercevoir, à travers les vitres verdâtres, une forme blanche, en grand manteau, qui allait à pas lents, escortée de quelques serviteurs. Puis ils se regardèrent en hochant la tête. Ils avaient vu la reine !

« C'est de votre jeune sœur que je veux vous parler, reprit Bouville. Seriez-vous disposés à la reprendre ? Il vous faut d'abord savoir qu'elle a nourri l'enfant de la reine. »

Et il leur expliqua, dans le moins de mots possible, ce qu'il était indispensable de leur apprendre.

« Ah ! J'ai une bonne nouvelle aussi à vous faire connaître, continua-t-il... Cet Italien qui l'a mise grosse... elle ne veut point le revoir, jamais. Elle a compris sa faute, et qu'une fille de noble sang ne peut s'abaisser à être femme d'un Lombard, si bien tourné qu'il soit. Car il est plaisant damoiseau, il faut le reconnaître, et vif d'esprit...

— Mais enfin, ce n'est qu'un Lombard, coupa Mme de Bouville qui, cette fois, assistait à l'entretien ; un homme sans aveu ni foi, il l'a bien montré. »

Bouville baissa la tête.

« Et voilà ! Toi aussi il me faut te trahir, mon ami Guccio, mon gentil compagnon de voyage ! Ne dois-je donc finir mes jours qu'en reniant tous ceux qui m'ont marqué de l'amitié ? » pensait-il. Il se tut, laissant à sa femme le soin de conduire l'opération.

Les frères étaient un peu dépités, l'aîné surtout. Ils s'étaient attendus à merveilles, et il ne s'agissait que de leur sœur. Aucun événement dans leur vie n'arriverait donc jamais que par elle ? Ils la jalousaient presque. Nourrice du roi ! Et de si hauts personnages qu'un grand chambellan s'intéressant à son sort ! Qui aurait pu imaginer cela ?

Le caquet de Mme de Bouville ne leur laissait guère le temps de réfléchir.

« Le devoir du chrétien, disait Mme de Bouville, est d'aider le pécheur en son repentir. Conduisez-vous en bons gentilshommes. Qui sait si ce n'était point l'effet de la volonté divine que votre sœur se trouvât accouchée au moment qu'il fallait, sans grand bien, hélas ! puisque le petit roi est mort ; mais enfin, elle lui a porté secours. »

La reine Clémence, pour témoigner sa reconnaissance, ferait inscrire l'enfant de la nourrice pour un revenu de cinquante livres à prendre chaque année sur son douaire. En outre, un don de trois cents livres en or serait remis dès à présent. La somme était là, dans une grosse bougette brodée.

Les deux frères Cressay cachèrent mal leur émoi. C'était la fortune qui leur tombait des cieux, le moyen de faire relever le mur d'enceinte de leur manoir ébréché, la certitude d'une table fournie toute l'année, la perspective de s'acheter enfin des armures et d'équiper quelques-uns de leurs serfs en valets d'armes, afin de pouvoir paraître avec avantage aux levées de bannières ! On parlerait d'eux sur les champs de bataille.

« Entendez-moi bien, précisa Mme de Bouville ; c'est à l'enfant que ces dons sont faits. S'il était maltraité ou qu'il lui arrivât malheur, le revenu, bien sûr, serait supprimé. Car d'être le frère de lait du roi lui confère une distinction que vous devez respecter.

— Certes, certes, j'approuve... Puisque Marie se repent, dit le frère barbu, mettant de l'emphase à son empressement, et puisque son pardon nous est présenté par si hautes personnes que vous, messire, madame... nous lui devons ouvrir les bras. La protection de la reine efface son péché. Et que nul désormais, noble ou vilain, ne s'avise d'en rire devant moi ; je le tranche.

— Et notre mère ? demanda le cadet.

— Je me fais fort de la convaincre, répondit

Jean. Je suis le chef de famille depuis la mort de notre père ; il ne faut pas l'oublier.

— Vous allez, reprit Mme de Bouville, jurer sur les Evangiles de ne rien écouter ni répéter de ce que votre sœur pourrait vous dire avoir vu pendant qu'elle fut ici, car ce sont des choses de couronne qui doivent rester secrètes. D'ailleurs, elle n'a rien vu, elle a nourri et voilà tout ! Mais votre sœur a un peu d'extravagance dans la tête et se plaît à conter des fables ; elle vous l'a bien prouvé... Hugues ! Va querir les Evangiles. »

Le livre saint d'un côté, le sac d'or de l'autre, et la reine qui passait dans le jardin... Les frères Cressay jurèrent de taire toutes choses concernant la mort du roi Jean Ier, de veiller, nourrir et protéger l'enfant qui appartenait à leur sœur, ainsi que d'interdire leur porte à l'homme qui l'avait séduite.

« Ah ! nous le jurons de grand cœur ! Qu'il ne reparaisse jamais, celui-là ! » s'écria l'aîné.

Le cadet montrait moins de conviction dans l'ingratitude. Il ne pouvait s'empêcher de penser : « Tout de même, sans Guccio... »

« Nous nous informerons d'ailleurs, pour savoir si vous êtes attentifs à votre serment », dit Mme de Bouville.

Elle offrit aux deux frères de les accompagner sur-le-champ au couvent des Clarisses.

« C'est trop de peine vous donner, madame, dit Jean de Cressay ; nous irons bien nous-mêmes.

— Non, non, il faut que j'y vienne. Sans mon ordre, la mère abbesse ne laisserait point sortir Marie. »

Le visage du barbu se rembrunit. Il réfléchissait.

« Qu'avez-vous ? demanda Mme de Bouville. Voyez-vous quelque difficulté ?

— C'est que... je voudrais auparavant acheter une mule pour y faire monter notre sœur. »

Alors que Marie était enceinte, il l'avait fait voyager en croupe de Neauphle à Paris ; mais maintenant qu'elle les enrichissait, il tenait à ce que son retour s'effectuât avec dignité. Et puis la mule qui servait à dame Eliabel était crevée depuis le mois précédent.

« Qu'à cela ne tienne, dit Mme de Bouville ; nous allons vous en donner une. Hugues ! commande donc qu'on selle une de nos mules. »

Bouville accompagna, jusqu'au pont-levis, sa femme et les deux frères Cressay.

« Je voudrais être mort, pour cesser enfin de mentir et de craindre », pensait le malheureux homme, amaigri, frissonnant, en regardant la forêt décharnée.

« Paris !... enfin Paris ! » se disait Guccio Baglioni en passant la porte Saint-Jacques.

Paris était morose et froid ; le mouvement de la vie, comme toujours après les fêtes de l'an neuf, semblait s'y être arrêté, et ce janvier-là plus encore que de coutume par suite du départ de la cour.

Mais le jeune voyageur, qui rentrait après six mois d'absence, ne voyait pas les pans de brume accrochés aux toits, ni les rares passants transis ; pour lui, la ville avait visage de soleil et d'espérance, car cet « enfin Paris ! » qu'il se répétait comme la plus heureuse chanson du monde voulait dire : « Enfin, je vais retrouver Marie ! »

Guccio portait pelisson fourré et cape de pluie en laine de chameau ; à sa ceinture, il sentait peser une bourse à cul-de-vilain [23] emplie de bonnes livres marquées au coin du pape ; il était coiffé d'un galant chapeau de feutre rouge retroussé en arrière et formant longue pointe au-dessus du front. On ne pouvait être mieux vêtu pour plaire. On ne pouvait non plus éprouver plus grand plaisir de vivre qu'il n'en ressentait.

Il sauta de selle, dans la cour de la rue des Lombards, et, lançant en avant sa jambe toujours un peu raide depuis l'accident de Marseille, courut se jeter dans les bras de Tolomei.

« Mon cher oncle, mon bon oncle ! Avez-vous vu mon fils ? Comment est-il ? Et Marie, comment a-t-elle supporté ? Que vous a-t-elle dit ? Quand m'attend-elle ? »

Tolomei, sans un mot, lui tendit la lettre de Marie de Cressay. Guccio la lut deux fois, trois fois. Sur les mots : « Sachez que j'ai pris grande aversion pour mon péché et ne veux plus revoir jamais celui qui est cause de ma honte. Je me veux racheter de ce déshonneur... » il s'écria :

« Ce n'est pas vrai, ce n'est pas possible ! Ce n'est pas elle qui a pu écrire cela !

— Ce n'est point son écriture ? demanda Tolomei.

— Si. »

Le banquier posa la main sur l'épaule de son neveu.

« Je t'aurais prévenu à temps, si je l'avais pu, dit-il. Mais je n'ai reçu cette lettre que le jour d'avant-hier, après être allé voir Bouville... »

Guccio, le regard ardent et fixe, les dents serrées, ne l'écoutait pas. Il demanda l'adresse du couvent.

« Le faubourg Saint-Marcel ? J'y vais », dit-il.

Il réclama son cheval, qu'on avait à peine fini de bouchonner, retraversa la ville sans plus rien en voir, et alla sonner à la porte des Clarisses. Là, il lui fut répondu que la demoiselle de Cressay était partie de la veille, emmenée par deux gentilshommes dont l'un portait une barbe. Il eut beau brandir le sceau du pape, tempêter, faire scandale, il ne put rien obtenir de plus.

« L'abbesse ! Je veux voir la mère abbesse ! criait-il.

— Les hommes ne peuvent point pénétrer dans la clôture. »

On finit par le menacer d'aller chercher les sergents du guet.

Hors de souffle, le teint gris, les traits changés, Guccio revint rue des Lombards.

« Ce sont ses frères, ses gueux de frères, qui l'ont reprise ! annonça-t-il à Tolomei. Ah ! j'ai été trop longtemps parti. La belle foi qu'elle m'avait jurée là, et qui n'a pas tenu six mois ! Les dames de noblesse, à ce qu'on nous prétend dans les romans, attendent dix ans leur chevalier qui est à la croisade. Mais un Lombard, cela ne s'attend point ! Car c'est cela, mon oncle, et rien d'autre. Relisez les termes de sa lettre ! Ce ne sont qu'insultes et mépris. On pouvait l'obliger à ne point me revoir, mais non à me gifler de la sorte au visage... Enfin, mon oncle ! Nous sommes riches de dizaines de milliers de florins ; les plus hauts barons viennent nous implorer de payer leurs dettes, le pape lui-même m'a pris pour conseil et confident pendant tout le conclave, et voilà ces crottés de campagne qui me crachent au front du haut de leur château fort qu'on jetterait bas d'une poussée d'épaule. Il suffit qu'ils paraissent, ces deux galeux, pour que leur sœur me renie. Comme on se trompe, quand on croit d'une fille qu'elle n'est pas de même sorte que ses parents ! »

Le chagrin, chez Guccio, se tournait vite en colère et les ressentiments de l'orgueil l'aidaient à se défendre du désespoir. Il avait fini d'aimer, mais non point de souffrir.

« Je ne comprends point, disait Tolomei désolé. Elle paraissait si aimante, si heureuse d'être à toi... Jamais je n'aurais pensé... Je vois maintenant pourquoi Bouville semblait si gêné l'autre jour. Il savait quelque chose, sûrement. Et pourtant les lettres que j'avais reçues d'elle... Je ne comprends point. Veux-tu que j'aille revoir Bouville ?

— Je ne veux rien, je ne veux plus rien ! cria Guccio. Je n'ai que trop importuné les grands de la terre du soin de cette garce trompeuse. Jusqu'au pape lui-même, à qui j'ai demandé protection pour elle... Aimante, dis-tu ? Elle t'a fait cajoleries quand elle se croyait repoussée par les siens et qu'elle ne voyait que nous pour recours. Nous étions bien mariés pourtant ! Car l'impatience ne lui manquait pas de se donner, mais non sans bénédiction de prêtre. Tu me disais qu'elle a passé cinq jours auprès de la reine Clémence, à servir de nourice ! La tête a dû lui tourner de remplir un office qu'une quelconque chambrière eût pu tenir à sa place. Moi aussi j'ai été près de la reine, et je l'ai autrement aidée ! Au milieu de la tempête, je l'ai sauvée... »

Il ne reliait plus ses idées, divaguait de fureur et, à marcher dans la pièce en lançant la jambe, avait bien parcouru un quart de lieue.

« Peut-être si tu allais prier la reine...

— Ni la reine ni personne ! Que Marie retourne à son hameau fangeux, où l'on enfonce dans le purin jusqu'aux chevilles. On lui aura sans doute trouvé un mari, un bon mari à la semblance de ses crottés de frères, quelque chevalier poilu et sentant fort, et qui lui fera d'autres enfants... Elle viendrait maintenant se traîner à mes pieds que je n'en voudrais plus, tu entends, je n'en voudrais plus !

— Je crois bien que si elle entrait, tu parlerais autrement », dit doucement Tolomei.

Guccio pâlit, et se cacha les paupières dans le fond de sa paume. « Ma belle Marie... » Il la revoyait dans la chambre de Neauphle ; il la revoyait de tout près ; il apercevait les points d'or de ses yeux bleu sombre. Comment une pareille trahison avait-elle pu se dissimuler dans ces yeux-là !

« Je vais partir, mon oncle.

— Où cela ? Tu retournes en Avignon ?

— La belle figure que j'y ferais ! J'ai annoncé à tout un chacun que j'allais revenir avec mon épouse ; je l'ai parée de toutes les vertus. Le Saint-Père lui-même sera le premier à m'en demander des nouvelles...

— Boccace me disait l'autre jour que les

Peruzzi vont sans doute affermer la recette des tailles dans la sénéchaussée de Carcassonne...

— Non ! ni Carcassonne, ni Avignon.

— Ni Paris, bien sûr... » dit tristement Tolomei.

Il vient à chaque homme, si égoïste qu'il ait été, un moment, vers le soir de la vie, où il se sent las de ne travailler que pour lui-même. Le banquier, après avoir attendu la présence d'une jolie nièce et d'une famille heureuse en sa demeure, voyait soudain ses propres espoirs s'effacer, et se dessiner à la place la perspective d'une longue vieillesse solitaire.

« Non, je veux partir, dit Guccio. Je ne veux plus rien en cette France qui s'engraisse de nous et nous méprise parce que nous sommes Italiens. Qu'ai-je gagné en France, je te le demande ? Une jambe raide, quatre mois d'Hôtel-Dieu, six semaines dans une église, et pour finir... ça ! J'aurais dû savoir que ce pays ne me vaudrait rien. Rappelle-toi ! Le lendemain de mon arrivée, j'ai manqué renverser dans la rue le roi Philippe le Bel. Ce n'était pas un bon présage ! Sans parler de mes traversées de mer, où j'ai failli deux fois périr, et de tout le temps passé à compter du billon aux vilains du bourg de Neauphle, parce que je m'y croyais amoureux.

— Tu t'es fait quand même quelques bons souvenirs, dit Tolomei.

— Bah ! On n'a pas besoin de souvenirs à mon âge. Je veux rentrer en ma ville de Sienne où il ne manque pas de belles filles, les plus belles du monde à ce qu'on m'affirme chaque fois que je dis que je suis Siennois. Moins gueuses, en tout cas, que celles d'ici ! Mon père m'avait envoyé auprès de toi pour apprendre ; je crois que j'ai assez appris. »

Tolomei ouvrit son œil gauche ; il y avait un peu de brume sous cette paupière-là.

« Tu as peut-être raison, dit-il. Le chagrin te passera plus vite quand tu seras loin. Mais ne regrette rien, Guccio. Ce n'est point un mauvais apprentissage que celui que tu as fait. Tu as vécu, couru les routes, connu les misères du petit peuple et découvert les faiblesses des grands. Tu as approché les quatre cours qui dominent l'Europe, celles de Paris, de Londres, de Naples et d'Avignon. Il n'est pas arrivé à beaucoup de gens de se trouver enfermés dans un conclave ! Tu t'es rompu aux affaires. Je te remettrai ta part ; la somme en est plaisante. L'amour t'a fait commettre quelques sottises. Tu laisses un bâtard en chemin comme chacun qui a beaucoup voyagé... Et tu n'as que vingt ans. Quand souhaites-tu partir ?

— Demain, oncle Spinello, demain si vous voulez bien.... Mais je reviendrai ! ajouta Guccio d'un ton rageur.

— Eh ! je l'espère bien, mon garçon ! J'espère que tu ne vas pas laisser mourir ton vieil oncle sans le revoir !

— Je reviendrai un jour, et j'enlèverai mon enfant. Car il est à moi, après tout, autant qu'aux Cressay ! Pourquoi le leur laisserais-je ? Pour qu'ils l'élèvent dans leur écurie, comme un chien de mauvaise race ! Je l'enlèverai, tu entends, et ce sera le châtiment de Marie. Tu sais ce qu'on dit en notre pays : vengeance de Toscan... »

Un grand vacarme, venu du rez-de-chaussée, lui coupa la parole. La maison aux poutres de bois tremblait sur ses fondations comme si douze fardiers fussent entrés dans la cour. Les portes claquaient.

L'oncle et le neveu se portèrent vers l'escalier à vis qu'emplissait déjà un bruit de charge. Une voix tonna.

« Banquier ! Où es-tu, banquier ? Il me faut de l'argent. »

Et Mgr Robert d'Artois apparut en haut des marches.

« Regarde-moi bien, banquier mon ami, je sors de prison dans l'instant ! s'écria-t-il. Le croirais-tu ? Mon doux, mon mielleux, mon borgne cousin... le roi veux-je dire, puisqu'il semble qu'il le soit... s'est enfin rappelé que je croupissais en geôle où il m'avait jeté, et il me rend à l'air libre, l'aimable garçon !

— Soyez le bienvenu, Monseigneur », dit Tolomei sans enthousiasme.

Et il se pencha au-dessus de l'escalier, doutant encore qu'un tel passage d'ouragan pût être l'œuvre d'un seul homme.

Baissant la tête pour ne pas se heurter au linteau de la porte, d'Artois pénétra dans le cabinet du banquier et marcha droit vers un miroir.

« Holà ! Mais j'ai un visage de mort ! dit-il en se prenant les joues à pleines mains. Il faut avouer qu'on dépérirait à moins. Sept semaines, imagine-toi, à ne voir le jour que par une lucarne croisée de fers gros comme un dard d'âne ! Deux fois le jour un brouet qui ressemblait déjà à une colique avant même d'être mangé. Par bonheur, mon Lormet me faisait passer des plats de sa façon, sinon je ne vivrais plus à l'heure qu'il est.

Le coucher n'était pas meilleur que la pitance. Par égard à mon sang royal, on m'avait gratifié d'un lit. J'ai dû en casser le bois pour pouvoir m'allonger les jambes ! Patience ; tout cela lui sera compté, au cher cousin. »

En vérité, Robert n'avait pas maigri d'une once et la réclusion avait peu mordu sur sa solide nature. Si sa carnation était moins vive, en revanche ses yeux gris, couleur de silex, brillaient plus méchamment que naguère.

« Belle liberté dont on me gratifie ! « Vous « êtes libre, Monseigneur, continua le géant imi- « tant le capitaine du Châtelet. Mais... mais vous « ne pouvez vous écarter de plus de vingt lieues « de Paris ; mais la sergenterie du roi doit con- « naître votre demeure ; mais la capitainerie « d'Evreux, si vous poussez vers vos terres, doit « en être avertie. » Autrement dit : « Reste ici, « Robert, à battre les rues sous l'œil du guet, ou « bien va-t'en moisir à Conches. Mais pas un pied « vers l'Artois, et pas un pied vers Reims ! On « ne veut pas de toi au sacre, surtout pas ! Tu « pourrais bien y chanter quelque psaume qui ne « plairait pas à toutes les oreilles ! » Et l'on a bien choisi le jour pour me relâcher. Point trop tôt, point trop tard. Toute la cour est partie ; personne au Palais, personne chez Valois... Il m'a bien abandonné, ce cousin-là ! Et me voici dans une ville morte, sans seulement un liard en bourse pour souper ce soir et trouver quelque fille sur laquelle employer mon humeur amoureuse ! Car sept semaines, vois-tu, banquier... non, tu ne peux comprendre ; cette chose-là ne doit plus guère te taquiner. Remarque, remarque, j'ai assez ribaudé en Artois pour me tenir calme quelque temps ; et il doit se préparer là-bas bon nombre de petits valets qui ne sauront jamais qu'ils descendent de Philippe Auguste. Mais j'ai constaté une chose étrange, que les docteurs et philosophes, ces rats, devraient méditer. Pourquoi est-il un membre chez l'homme qui, plus on lui fournit de besogne, plus il en réclame ? »

Il eut un grand rire, fit craquer une cathèdre de chêne en s'y asseyant, et soudain parut remarquer la présence de Guccio.

« Et vous, mon gentillet, comment vont vos amours ? demanda-t-il, ce qui signifiait, dans sa bouche, rien de plus que « bonjour ».

— Mes amours ! Parlons-en, Monseigneur ! » répondit Guccio mécontent de cette violence plus bruyante qui interrompait la sienne.

Tolomei, d'une grimace, fit signe au comte d'Artois que le sujet n'était guère d'à-propos.

« Eh quoi ! s'écria d'Artois avec sa délicatesse coutumière ; une belle vous a quitté ? Donnez-moi vite son adresse, j'y cours ! Allons, ne prenez point cette triste face ; toutes les femmes sont des catins.

— Ah ! certes, Monseigneur ; toutes !

— Alors !... Ebattons-nous au moins avec des catins franches ! Banquier, il me faut de l'argent. Cent livres. Et j'emmène ton neveu souper avec moi, pour lui tirer de la tête ses idées noires. Cent livres !.... Oui, je sais, je sais, je vous dois déjà beaucoup et vous vous dites que je ne vous paierai jamais ; vous avez tort. Avant peu vous verrez Robert d'Artois plus puissant que jamais. Le Philippe peut bien se faire enfoncer la couronne jusqu'au nez ; je ne tarderai pas à le décoiffer. Car je vais t'apprendre une chose, qui vaut plus de cent livres, et qui va te servir fort pour prendre garde à qui tu prêtes... Comment punit-on le régicide ? Pendaison, décollation, écartèlement ? Vous assisterez bientôt à un plaisant spectacle : ma grosse tante Mahaut, nue comme ribaude, étirée par quatre chevaux et ses vilaines tripes déroulées dans la poussière. Et son blaireau de gendre lui tiendra compagnie ! Le dommage sera qu'on ne puisse les supplicier deux fois. Car ils en ont tué deux, les scélérats. Je n'ai rien dit tant que j'étais au Châtelet, pour qu'on ne vienne pas une belle nuit me saigner comme un porc. Mais j'ai pu me faire tenir au courant. Lormet... toujours mon Lormet ; ah ! le brave homme !... Ecoutez-moi. »

Après sept semaines de mutisme forcé, le terrible bavard se rattrapait et ne reprenait son souffle que pour parler davantage.

« Ecoutez-moi bien, poursuivit-il. Un : le roi Louis confisque à Mahaut ses possessions d'Artois, où mes partisans s'échauffent ; aussitôt Mahaut le fait empoisonner. Deux : Mahaut, pour se couvrir, pousse Philippe à la régence contre Valois qui, lui, est prêt à soutenir mon droit. Trois : Philippe fait accepter son règlement de succession qui exclut les femmes de la couronne de France, mais non de l'héritage des fiefs, vous pensez bien ! Quatre : étant confirmé régent, Philippe peut lever l'ost pour me déloger de l'Artois que je suis sur le point de regagner entièrement. Pas fol, je viens me rendre seul. Mais la reine Clémence va accoucher ; on veut avoir les mains libres ; on m'incarcère. Cinq : la reine met au monde un fils. Peccadille ! On ferme Vincennes, on cache l'enfant aux barons, on raconte qu'il n'est pas né viable, on s'acoquine avec quelque ventrière ou nourrice qu'on effraie ou qu'on soudoie, et l'on tue un deuxième roi. Après quoi, on va se faire sacrer à Reims. Voilà, mes amis, comment s'obtient une couronne. Tout cela pour ne pas me rendre mon comté. »

Au mot de « nourrice », Tolomei et Guccio avaient échangé un bref regard d'inquiétude.

« Ce sont choses que tout un chacun pense, acheva d'Artois, mais que nul n'ose proclamer faute de preuves. Seulement j'ai la preuve, moi ! Je vais maintenant produire une certaine dame qui a fourni le poison. Et puis après il faudra faire un peu chanter, dans des brodequins de bois, la Béatrice d'Hirson qui a servi de maquerelle du diable en ce beau jeu. Il est temps d'y mettre fin, sinon nous allons tous y passer.

— Cinquante livres, Monseigneur ; je puis vous remettre cinquante livres.

— Avare !

— C'est tout ce que je puis.

— Soit. Tu m'en devras donc cinquante autres. Mahaut te paiera tout cela, avec les intérêts.

— Guccio, dit Tolomei, viens donc m'aider à compter cinquante livres pour Monseigneur. »

Et il se retira, avec son neveu, dans la pièce voisine.

« Mon oncle, murmura Guccio, croyez-vous qu'il y ait du vrai dans ce qu'il vient de dire ?

— Je ne sais, mon garçon, je ne sais ; mais je crois que tu as raison assurément de partir. Il n'est point bon d'être trop mêlé à cette affaire qui a mauvaise odeur. Les étranges manières de Bouville, la soudaine fuite de Marie... Sans doute on ne peut prendre au comptant toutes les agitations de ce furieux ; mais j'ai souvent remarqué qu'il ne passait pas loin de la vérité lorsqu'il s'agissait de méfaits ; il y est maître et les respire de loin. Rappelle-toi l'adultère des princesses ; c'est bien lui qui l'a fait découvrir, et il nous l'avait annoncé. Ta Marie... dit le banquier en balançant sa main grasse d'un geste de doute. Elle est peut-être moins naïve et moins franche qu'elle semblait. Il y a certainement un mystère.

— Après sa lettre de trahison, on peut tout croire, dit Guccio dont la pensée s'égarait dans vingt directions.

— Ne crois rien, ne cherche rien ; pars. C'est un bon conseil. »

Quand Mgr d'Artois fut en possession des cinquante livres, il n'eut de cesse que Guccio partageât la petite fête qu'il comptait s'offrir pour célébrer sa libération. Il lui fallait un compagnon, et il se fût soûlé avec son cheval plutôt que de rester seul.

Il y mettait tant d'insistance que Tolomei finit par souffler à son neveu :

« Va, sinon nous allons le blesser. Mais tiens ta langue. »

Guccio termina donc sa désespérante journée dans une taverne dont le tenancier payait tribut aux officiers du guet pour qu'on le laissât faire un peu de trafic bordelier. Toutes les paroles qui se prononçaient là étaient d'ailleurs répétées à la sergenterie.

Mgr d'Artois s'y montra dans son meilleur, insatiable au pichet, prodigieux d'appétit, braillard, ordurier, débordant de tendresse envers son jeune compagnon, et retroussant les jupes des filles pour faire reconnaître à chacun le vrai visage de sa tante Mahaut.

Guccio, pris d'émulation, ne résista guère au vin. L'œil brillant, les cheveux en désordre et le geste mal assuré, il criait :

« Moi aussi je sais des choses... Ah ! si je voulais parler...

— Parle, parle donc ! »

Il restait à Guccio, dans le fond de son ivresse, une lueur de prudence.

« Le pape... dit-il. Ah ! j'en sais long sur le pape. »

Soudain il se mit à pleurer comme une rivière dans les cheveux d'une ribaude qu'il gifla ensuite parce qu'il voyait en elle l'image de toute la trahison féminine.

« Mais je reviendrai... et je l'enlèverai !

— Qui donc ? le pape ?

— Non, son enfant ! »

La soirée tournait à la confusion, les regards étaient vacillants, et les filles fournies par le bordelier n'avaient plus guère de vêtements sur la peau, quand Lormet s'approcha de Robert d'Artois pour lui dire à l'oreille :

« Il y a dehors un homme qui nous épie.

— Tue-le ! répondit négligemment le géant.

— Bien, Monseigneur. »

Ainsi Mme de Bouville perdit un de ses valets qu'elle avait attaché aux pas du jeune Italien.

Jamais Guccio ne saurait que Marie, par son sacrifice, lui avait probablement épargné de finir le ventre en l'air sur les flots de la Seine.

Vautré, dans une couche douteuse, sur les seins de la fille qu'il avait giflée et qui se montrait compréhensive aux chagrins de l'homme, Guccio continuait d'insulter Marie et imaginait se venger d'elle en pétrissant une chair mercenaire.

« Tu as raison ! Moi non plus, je n'aime pas les femmes ; c'est toutes des trompeuses », disait la ribaude dont Guccio ne se rappellerait jamais les traits.

Le lendemain, le chapeau enfoncé jusqu'aux yeux, les membres las, l'âme et le corps également écœurés, Guccio prenait la route d'Italie. Il emportait une coquette fortune sous forme d'une lettre de change signée de son oncle et qui représentait sa part de bénéfices sur les affaires qu'il avait traitées depuis deux ans.

Le même jour, le roi Philippe V, sa femme Jeanne et la comtesse Mahaut, avec tout leur train de maison, arrivaient à Reims.

Les portes du manoir de Cressay s'étaient déjà refermées sur la belle Marie qui y vivrait, inconsolable, un perpétuel hiver.

Le vrai roi de France allait grandir là, comme un petit bâtard. Il ferait ses premiers pas dans la cour boueuse, parmi les canards, il irait rouler dans la prairie aux iris jaunes, le long de la Mauldre, dans cette prairie, où Marie, chaque fois qu'elle y marcherait, revivrait ses brèves et tragiques amours. Elle tiendrait son serment, tous ses serments, envers Guccio comme envers le royaume, garderait son secret, tous ses secrets, jusqu'à son lit de mort. Sa confession, un jour, troublerait l'Europe.

IX

LA VEILLE DU SACRE

Les portes de Reims, surmontées des armoiries royales, avaient été repeintes à neuf. Les rues étaient encourtinées de draperies éclatantes, de tapis et de soieries, les mêmes qui avaient servi dix-huit mois auparavant, pour le sacre de Louis X. Auprès du palais archiépiscopal, trois grandes salles de charpenterie venaient d'être édifiées à la hâte : l'une pour la table du roi, l'autre pour la table de la reine, la troisième pour les grands officiers, afin de donner festin à toute la cour.

Les bourgeois de Reims, qui étaient astreints aux dépenses du sacre, trouvaient la charge un peu lourde.

« Si l'on se met à mourir si vite au trône, disaient-ils, nous ne ferons bientôt plus qu'un seul repas l'an, pour lequel il nous faudra vendre nos chemises ! Clovis nous coûte gros de s'être fait administrer le baptême chez nous et Hugues Capet d'avoir choisi d'y recevoir la couronne ! Si quelque autre ville du royaume veut nous acheter la sainte ampoule, nous conclurions bien le marché. »

Aux gênes de trésorerie s'ajoutait la difficulté de réunir, en plein hiver, le ravitaillement somptuaire nécessaire à tant de bouches. Et les bourgeois rémois d'énumérer quatre-vingt-deux bœufs, deux cent quarante moutons, quatre cent vingt-cinq veaux, soixante-dix-huit porcs, huit cents lapins et lièvres, huit cents chapons, mille huit cent vingt oies, plus de dix mille poules et quarante mille œufs, sans parler des barils d'esturgeons qu'on avait dû faire venir de Malines, des quatre mille écrevisses pêchées en eau froide, des saumons, brochets, tanches, brèmes, perches et carpes, des trois mille cinq cents anguilles destinées à la fabrication de cinq cents pâtés. On disposait de deux mille fromages, et l'on espérait que trois cents tonneaux de vin, celui-ci heureusement produit par le pays, suffiraient à abreuver tant de gueules assoiffées qui allaient banqueter là pendant trois jours ou plus.

Les chambellans, arrivés à l'avance pour régler l'ordonnance des fêtes, montraient de singulières exigences. N'avaient-ils pas décidé qu'on présenterait, à un seul service, trois cents hérons rôtis ? Ces officiers ressemblaient bien à leur maître, à ce roi pressé qui commandait son sacre d'une semaine sur l'autre, pour ainsi dire, comme s'il s'agissait d'une messe de deux liards à l'intention d'une jambe cassée !

Depuis des jours, les pâtissiers montaient leurs châteaux forts en pâte d'amandes peints aux couleurs de France.

Et la moutarde ! On n'avait pas reçu la moutarde ! Il en fallait trente et un setiers. Et puis les convives n'allaient pas manger dans le creux de la main. On avait eu bien tort de vendre à vil prix les cinquante mille écuelles de bois du sacre précédent ; il eût été plus profitable de les laver et de les garder. Pour les quatre mille cruches, elles avaient été cassées ou volées. Les lingères ourlaient à la hâte deux mille six cents aunes de nappes, et l'on pouvait compter que la dépense totale s'élèverait à près de dix mille livres.

A vrai dire, les Rémois y trouveraient tout de même leur compte, car le sacre avait attiré force marchands lombards et juifs qui payaient taxe sur leurs ventes.

Le couronnement, comme toutes les cérémonies royales, se déroulait dans une ambiance de kermesse. C'était un spectacle ininterrompu qu'on offrait au peuple en ces journées-là, et qu'on venait voir de loin. Les femmes se voulaient parées de robes neuves ; les galants ne rechignaient pas à la joaillerie ; la broderie, les beaux draps, les fourrures, se vendaient sans peine. La fortune était aux habiles, et les boutiquiers qui montraient un peu de hâte à servir la pratique pouvaient, en une semaine, se faire leur aisance pour cinq ans.

Le nouveau roi logeait au palais archiépiscopal devant lequel la foule stationnait en permanence pour voir apparaître les souverains ou pour s'ébahir devant le char de la reine, un char tendu d'écarlate vermeille.

La reine Jeanne, environnée de ses dames de parage, présidait, avec une agitation de femme comblée, au déballage des douze malles, des quatre bahuts, du coffre à chaussures, du coffre à épices. Sa garde-robe était à coup sûr la plus belle qu'ait jamais eue dame de France. Un vêtement particulier avait été prévu pour chaque jour et presque chaque heure de ce voyage triomphal.

Sous une chape de drap d'or fourrée d'hermine, la reine avait fait son entrée solennelle en la ville, tandis que le long des rues on offrait aux époux royaux des représentations, mystères et divertissements. Au souper de veille du sacre, qui aurait lieu tout à l'heure, la reine paraîtrait dans une robe de velours violet bordée de menu-vair. Pour le matin du couronnement elle avait une robe de drap d'or de Turquie, un manteau d'écarlate et une cotte vermeille ; pour le dîner, une robe brodée aux armes de France ; pour le souper, une robe de drap d'or, et deux manteaux d'hermine différents.

Le lendemain elle porterait une robe de velours vert, et ensuite une autre de camocas azuré avec pèlerine de petit-gris. Jamais elle ne se produirait en public dans la même parure, ni sous les mêmes joyaux [24].

Ces merveilles s'étalaient dans une chambre dont la décoration avait été également apportée de Paris : tentures de soie blanche brodées de treize cent vingt et un perroquets d'or, avec au centre les grandes armes des comtes de Bourgogne où passait un lion de gueules ; ciel de lit, courtepointe et coussins étaient ornés de sept mille trèfles d'argent. Sur le sol avaient été jetés des tapis aux armes de France et de Bourgogne-Comté.

A plusieurs reprises Jeanne était entrée dans l'appartement de Philippe afin de faire admirer à celui-ci la beauté d'une étoffe, la perfection d'un travail.

« Mon cher Sire, mon bien-aimé, s'écriait-elle, que vous me faites heureuse ! »

Si peu encline qu'elle fût aux démonstrations vives, elle ne pouvait s'empêcher d'avoir les yeux humides. Son propre sort l'éblouissait, surtout lorsqu'elle se rappelait le temps récent où elle se trouvait en prison, à Dourdan. Quel prodigieux retour de fortune, en moins d'un an et demi ! Elle songeait à Marguerite la morte, elle songeait à sa sœur Blanche de Bourgogne toujours enfermée à Château-Gaillard... « Pauvre Blanche, qui aimait tant les parures ! » pensait-elle en essayant une ceinture d'or incrustée de rubis et d'émeraudes.

Philippe était soucieux, et les enthousiasmes de sa femme l'assombrissaient plutôt ; il examinait les comptes avec son grand argentier.

« Je suis fort aise, ma bonne mie, que tout ceci vous complaise, finit-il par répondre. Voyez-vous, j'agis selon l'exemple de mon père qui, comme vous l'avez connu, était fort mesuré en sa dépense personnelle mais ne lésinait point lorsqu'il s'agissait de la majesté royale. Montrez bien ces beaux habits, car ils sont pour le peuple qui vous les donne sur son labeur, tout autant que pour vous ; et prenez-en grand soin, car vous ne pourrez de sitôt en avoir de pareils. Après le sacre, il faudra nous restreindre.

— Philippe, demanda Jeanne, ne ferez-vous rien en ce jour pour ma sœur Blanche ?

— J'ai fait, j'ai fait. Elle est à nouveau traitée en princesse, sous la réserve qu'elle ne sorte pas des murailles où elle est. Il faut qu'il y ait une différence entre elle qui a péché et vous, Jeanne, qui fûtes toujours pure et qu'on a faussement accusée. »

Il avait prononcé ces dernières paroles en portant sur sa femme un regard où se lisait davantage le souci de l'honneur royal que la certitude de l'amour.

« Et puis, ajouta-t-il, son mari ne me cause guère de joie, en ce moment. C'est un bien mauvais frère que j'ai là ! »

Jeanne comprit qu'il serait vain d'insister et qu'elle aurait avantage à ne pas revenir sur le sujet. Elle se retira, et Philippe se remit à l'étude des longues feuilles chargées de chiffres que lui présentait Geoffroy de Fleury.

Les frais ne se limitaient pas aux seuls vêtements du roi et de la reine. Certes Philippe avait reçu quelques présents ; ainsi Mahaut avait offert le drap marbré pour les robes des petites princesses et du jeune Louis-Philippe.

Mais le roi était tenu d'habiller de neuf ses cinquante-quatre sergents d'armes et leur chef, Pierre de Galard, maître des arbalétriers. Adam Héron, Robert de Gamaches, Guillaume de Seriz, les chambellans, avaient reçu chacun dix aunes de rayé de Douai pour se faire des cottes hardies. Henry de Meudon, Furant de la Fouaillie, Jeannot

Malgeneste, les veneurs, avaient touché un nouvel équipement, ainsi que tous les archers. Et comme on armerait vingt chevaliers après le sacre, c'était encore vingt robes à donner ! Ces présents de vêtements constituaient les gratifications d'usage ; et l'usage voulait aussi que le roi fît ajouter à la châsse de Saint-Denis une fleur de lis en or constellée d'émeraudes et de rubis.

« Au total ? demanda Philippe.

— Huit mille cinq cent quarante-huit livres, treize sols et onze deniers, Sire, répondit l'argentier. Peut-être pourriez-vous demander une contribution de joyeux avènement ?

— Mon avènement sera plus joyeux si je n'impose pas de nouvelles taxes. Nous ferons face autrement », dit le roi.

Ce fut à ce moment qu'on annonça le comte de Valois. Philippe éleva les mains vers le plafond :

« Voilà ce que nous avions oublié en nos additions. Vous allez voir, Geoffroy, vous allez voir ! Cet oncle-là va me coûter plus cher à lui seul que dix sacres ! Il vient me mettre marché en main. Laissez-moi seul avec lui. »

Ah ! Qu'il était splendide, Mgr de Valois ! Brodé, chamarré, doublé de volume par d'épaisses fourrures qui s'ouvraient sur une robe cousue de pierres précieuses ! Si les habitants de Reims n'avaient pas su que le nouveau souverain était jeune et maigre, on eût pris ce seigneur-là pour le roi lui-même.

« Mon cher neveu, commença-t-il, vous me voyez bien en peine... bien en peine pour vous. Votre beau-frère d'Angleterre ne vient pas.

— Il y a longtemps, mon oncle, que les rois

d'outre-Manche n'assistent plus à nos sacres, répondit Philippe.

— Certes, mais ils y sont représentés par quelque parent ou grand seigneur de leur cour, pour occuper leur place de duc de Guyenne. Or Edouard n'a envoyé quiconque ; c'est confirmer ainsi qu'il ne vous reconnaît pas. Le comte de Flandre, que vous pensiez avoir amadoué par votre traité de septembre, n'est pas là non plus, ni le duc de Bretagne.

— Je sais, mon oncle, je sais.

— Quant au duc de Bourgogne, n'en parlons point ; nous étions sûrs qu'il vous ferait défaut. Mais en revanche sa mère, notre tante Agnès, vient d'entrer en la ville tout à l'heure, et je ne pense pas que ce soit précisément pour vous apporter son soutien.

— Je sais, mon oncle, je sais », répéta Philippe.

Cette arrivée imprévue de la dernière fille de saint Louis inquiétait Philippe plus qu'il ne le laissait paraître. Il avait d'abord pensé que la duchesse Agnès venait négocier. Mais elle ne montrait guère de hâte à se manifester, et lui-même était décidé à ne pas faire la première démarche. « Si le peuple, qui m'acclame quand je parais, savait de quelles hostilités et menaces je suis entouré ! » se disait-il.

« Si bien que des pairs laïcs qui doivent demain soutenir votre couronne, reprit Valois, vous n'en avez présentement aucun [25].

— Mais si, mon oncle ; vous oubliez la comtesse d'Artois... et vous-même. »

Valois eut un violent mouvement d'épaules.

« La comtesse d'Artois ! s'écria-t-il. Une femme

pour tenir la couronne, alors que vous-même, Philippe, vous-même n'avez tiré vos droits que de l'exclusion des femmes !

— Soutenir la couronne n'est point la ceindre, dit Philippe.

— Faut-il que Mahaut ait aidé à votre accession pour que vous la grandissiez de la sorte ! Vous allez donner crédit davantage à tous les mensonges qui circulent. Ne revenons point sur le passé, mais enfin, Philippe, n'est-ce pas Robert qui devrait figurer pour l'Artois ? »

Philippe feignit de ne pas porter attention aux dernières paroles de son oncle.

« De toute façon les pairs ecclésiastiques sont là, dit-il.

— Ils sont là, ils sont là... dit Valois en agitant ses bagues. Déjà ils ne sont que cinq sur six. Et que croyez-vous qu'ils vont faire, ces pairs d'Eglise, quand ils verront que du côté du royaume une seule main, et laquelle ! va se lever pour vous couronner ?

— Mais, mon oncle, vous comptez-vous donc pour rien ? »

Ce fut le tour de Valois de ne pas relever la question.

« Votre frère lui-même vous boude, dit-il.

— C'est que Charles, sans doute, répondit Philippe doucement, ne sait point assez, mon cher oncle, comme nous sommes bien accordés, et qu'il croit peut-être vous servir en me desservant... Mais rassurez-vous ; il est annoncé et sera là demain.

— Que ne lui conférez-vous aussitôt la pairie ? Votre père l'a fait pour moi, et votre frère Louis pour vous. Ainsi je me sentirais moins seul à vous soutenir. »

« Ou moins seul à me trahir » pensa Philippe, qui reprit :

« Est-ce pour Robert, ou pour Charles, que vous venez plaider, ou bien désirez-vous me parler de vous-même ? »

Valois prit un temps, se carra dans son siège, regarda le diamant qui brillait à son index.

« Cinquante... ou cent mille, se demandait Philippe. Les autres je m'en moque. Mais lui m'est nécessaire, et il le sait. S'il refuse et fait esclandre, je risque d'avoir à remettre mon sacre. »

« Mon neveu, dit enfin Valois, vous voyez bien que je n'ai pas rechigné et que j'ai même fait grands frais de costume et de suite pour vous honorer. Mais à constater que les autres pairs sont absents, je crois que je vais devoir aussi me retirer. Que ne dirait-on pas, si l'on me voyait seul à votre côté ? Que vous m'avez acheté, tout bonnement.

— Je le déplorerais fort, mon oncle, je le déplorerais fort. Mais, que voulez-vous, je ne puis vous obliger à ce qui vous déplaît. Peut-être le temps est-il arrivé de renoncer à cette coutume qui veut que les pairs lèvent la main auprès de la couronne...

— Mon neveu ! mon neveu ! s'écria Valois.

— ... et s'il faut consentement d'élection, enchaîna Philippe, de le demander non plus à six grands barons, mais au peuple, mon oncle, qui fournit en hommes les armées et en subsides le Trésor. Ce sera le rôle des Etats que je vais réunir. »

Valois ne put se contenir et, sautant de son siège, se mit à crier :

« Vous blasphémez, Philippe, ou vous égarez tout à fait ! A-t-on jamais vu monarque élu par ses sujets ? Belle novelleté que vos Etats ! Cela vient tout droit des idées de Marigny, qui était né dans le commun et qui fut si nuisible à votre père. Je vous dis bien que si l'on commence ainsi, avant cinquante ans le peuple se passera de nous, et choisira pour roi quelque bourgeois, docteur de parlement ou même quelque chaircuitier enrichi dans le vol. Non, mon neveu, non ; cette fois j'y suis bien décidé ; je ne soutiendrai point la couronne d'un roi qui ne l'est que de son chef, et qui veut de surcroît faire en sorte que cette couronne, bientôt, soit la pâture des manants ! »

Tout empourpré, il déambulait à grands pas.

« Cinquante mille... ou cent mille ? continuait de se demander Philippe. De quel chiffre faut-il l'estoquer ? »

« Soit, mon oncle ne soutenez rien, dit-il. Mais souffrez alors que j'appelle aussitôt mon grand argentier.

— Pourquoi donc ?

— Pour lui enjoindre de modifier la liste des donations que je devais sceller demain, en signe de joyeux avènement, et sur laquelle vous vous trouviez le premier... pour cent mille livres. »

L'estoc avait porté. Valois restait pantois, les bras écartés.

Philippe comprit qu'il avait gagné et, si cher que lui coûtât cette victoire, il dut faire effort pour ne pas sourire devant le visage que lui présentait son oncle. Celui-ci, d'ailleurs, ne mit pas longtemps à se tirer d'embarras. Il avait été arrêté dans un mouvement de colère ; il le reprit. La colère était chez lui un moyen pour tenter de brouiller le raisonnement d'autrui, lorsque le sien devenait trop faible.

« D'abord, tout le mal vient d'Eudes, lança-t-il. Je le réprouve beaucoup et le lui écrirai ! Et qu'avaient besoin le comte de Flandre et le duc de Bretagne de prendre son parti, et de récuser votre convocation ? Quand le roi vous mande pour soutenir sa couronne, on vient ! Ne suis-je pas là, moi ? Ces barons, en vérité, outrepassent leurs droits. C'est ainsi, en effet, que l'autorité risque de passer aux petits vassaux et aux bourgeois. Quant à Edouard d'Angleterre, quelle foi peut-on faire à un homme qui se conduit en femme ? Je serai donc à vos côtés, pour leur faire leçon. Et ce que vous avez décidé de me donner, je l'accepte, mon neveu, par souci de justice. Car il est juste que ceux qui sont fidèles au roi soient traités autrement que ceux qui le trahissent. Vous gouvernez bien. Ce... ce don qui me marque votre estime, quand allez-vous le signer ?

— A présent, mon oncle, si vous le souhaitez... mais daté de demain », répondit le roi Philippe V.

Pour la troisième fois, et toujours par moyens d'argent, il avait muselé Valois.

« Il était temps que je sois couronné, dit Philippe à son argentier quand Valois fut parti, car s'il m'avait fallu discuter encore, je crois que la prochaine fois j'aurais dû vendre le royaume. »

Et comme Fleury s'étonnait de l'énormité de la somme promise :

« Rassurez-vous, rassurez-vous, Geoffroy, ajouta-t-il ; je n'ai point encore marqué quand cette donation serait versée. Il ne la touchera que par petites fractions... Mais il pourra emprunter dessus... Maintenant allons à souper. »

Le cérémonial voulait qu'après le repas du soir, le roi, entouré de ses officiers et du chapitre, se rendît à la cathédrale pour s'y recueillir et faire oraison. L'église était déjà toute prête, avec les tapisseries pendues, les centaines de cierges en place, et la grande estrade élevée dans le chœur. Les prières de Philippe furent courtes, mais il passa néanmoins un temps considérable à se faire instruire une dernière fois du déroulement des rites et des gestes qu'il aurait lui-même à accomplir. Il alla vérifier la fermeture des portes latérales, s'assura des dispositions de sécurité, et s'enquit de la place de chacun.

« Les pairs laïcs, les membres de la famille royale et les grands officiers sont sur l'estrade, lui expliqua-t-on. Le connétable reste à côté de vous. Le chancelier se tient à côté de la reine. Ce trône, en face du vôtre, est celui de l'archevêque de Reims, et les sièges disposés autour du maître-autel sont pour les pairs ecclésiastiques. »

Philippe parcourait l'estrade à pas lents, aplatissait, du bout de son pied, le coin soulevé d'un tapis.

« Comme c'est étrange, se disait-il. J'étais ici, à cette même place, l'autre année, pour le sacre de mon frère... Je n'avais point porté attention à tous ces détails. »

Il s'assit un moment, mais non sur le trône royal ; une crainte superstitieuse lui défendait de l'occuper déjà. « Demain... demain je serai vraiment roi. » Il pensait à son père, à la lignée d'aïeux qui l'avaient précédé en cette église ; il pensait à son frère, supprimé par un crime dont il était innocent mais dont tout le profit maintenant lui revenait ; il pensait à l'autre crime, celui commis sur l'enfant, qu'il n'avait pas ordonné non plus mais dont il était le complice muet... Il pensait à la mort, à sa propre mort, et aux millions d'hommes ses sujets, aux millions de pères, de fils, de frères, qu'il gouvernerait jusque-là.

« Sont-ils tous à ma semblance, criminels s'ils en avaient l'occasion, innocents seulement d'apparence, et prêts à se servir du mal pour accomplir leur ambition ? Pourtant, lorsque j'étais à Lyon, je n'avais que des vœux de justice. Est-ce bien sûr ?... La nature humaine est-elle si détestable, ou bien est-ce la royauté qui nous rend ainsi ? Est-ce le tribut que l'on paye à régner, que de se découvrir à tel point impur et souillé ?... Pourquoi Dieu nous a-t-il faits mortels, puisque c'est la mort qui nous rend détestables, par la peur que nous en avons comme par l'usage que nous en faisons ?... On va peut-être tenter de me tuer cette nuit. »

Il regardait de hautes ombres vaciller sur les murs, entre les piliers. Il n'éprouvait pas de repentance, mais seulement un manque de bonheur.

« Voilà sans doute ce qu'on appelle faire oraison, et pourquoi l'on nous conseille, la nuit avant le sacre, cette station en l'église. »

Il se jugeait lucidement, tel qu'il était : un mauvais homme, avec les dons d'un très grand roi.

Il n'avait pas sommeil, il fût resté volontiers là, longtemps encore, à méditer sur lui-même, sur l'humaine destinée, sur l'origine de nos actes, et à se poser les vraies grandes questions du monde, celles qui ne peuvent jamais être résolues.

« Combien de temps durera la cérémonie ? demanda-t-il.

— Deux pleines heures, Sire.

— Allons ! Il faut nous forcer à dormir. Nous devons être dispos demain. »

Mais lorsqu'il eut regagné le palais archiépiscopal, il entra chez la reine et s'assit au bord du lit. Il entretint sa femme de choses sans intérêt évident ; il parlait des places dans la cathédrale ; il se souciait du vêtement de ses filles...

Jeanne était déjà à demi endormie. Elle luttait pour rester attentive ; elle discernait chez son mari une tension des nerfs et une sorte d'angoisse montante contre laquelle il cherchait protection.

« Mon ami, demanda-t-elle, voulez-vous dormir auprès de moi ? »

Il parut hésiter.

« Je ne puis ; le chambellan n'est pas prévenu, répondit-il.

— Vous êtes roi, Philippe, dit Jeanne en souriant ; vous pouvez donner à votre chambellan les ordres qu'il vous plaît. »

Il mit un temps à se décider. Ce jeune homme qui savait, par les armes ou l'argent, mater ses plus puissants vassaux, éprouvait de la gêne à informer ses serviteurs qu'il allait, par désir imprévu, partager le lit de sa femme.

Enfin il appela une des chambrières qui dormaient dans la pièce attenante et l'envoya prévenir Adam Héron qu'il n'eût pas à l'attendre ni à coucher cette nuit en travers de sa porte.

Puis, entre les tentures à perroquets, sous les trèfles d'argent du ciel de lit, il se dévêtit et se glissa dans les draps. Et cette grande angoisse, dont ne pouvaient le défendre toutes les troupes du connétable, car c'était angoisse d'homme et non angoisse de roi, s'apaisa au contact de ce corps de femme, contre ces jambes fermes et hautes, ce ventre docile et cette poitrine chaude.

« Ma mie, murmura Philippe dans les cheveux de Jeanne, ma mie, réponds-moi, m'as-tu trompé ? Réponds sans crainte, car même si tu m'as trahi naguère, sache-toi pardonnée. »

Jeanne étreignit les longs flancs, secs et robustes, où l'ossature était sensible sous ses doigts.

« Jamais, Philippe, je te le jure, répondit-elle. J'ai été tentée de le faire, je te le confesse, mais je n'ai point cédé.

— Merci, ma mie, chuchota Philippe. Rien ne manque donc à ma royauté. »

Il ne manquait plus rien à sa royauté, parce qu'il était, en vérité, pareil à tous les hommes de son royaume ; il lui fallait une femme, et qu'elle fût bien à lui.

X

LES CLOCHES DE REIMS

QUELQUES heures plus tard, allongé sur un lit de parade décoré des armes de France, Philippe, dans une longue robe de velours vermeil et les mains jointes à hauteur de la poitrine, attendait les évêques qui devaient le conduire à la cathédrale.

Le premier chambellan, Adam Héron, lui aussi somptueusement habillé, se tenait debout auprès du lit. Le pâle matin de janvier répandait dans la chambre une lueur laiteuse.

On frappa à la porte.

« Qui demandez-vous ? dit le chambellan.

— Je demande le roi.

— Qui le veut ?

— Son frère. »

Philippe et Adam Héron se regardèrent, surpris et mécontents.

« Bon. Qu'il entre, dit Philippe en se redressant légèrement.

— Vous disposez de bien peu de temps, Sire... », fit remarquer le chambellan.

Le roi l'assura que l'entretien ne durerait guère.

Le beau Charles de La Marche portait une tenue de voyage. Il venait d'arriver à Reims et ne s'était arrêté qu'un instant au logis du comte de Valois. Il y avait du courroux sur son visage et dans son pas.

Tout irrité qu'il fût, la vision de son frère, revêtu de pourpre et ainsi étendu dans une pose hiératique, lui en imposa ; il marqua un temps d'arrêt, les yeux arrondis.

« Comme il voudrait être à ma place ! » pensa Philippe. Puis, à haute voix :

« Vous voici donc, mon bon frère. Je vous sais gré d'avoir accompli votre devoir et de faire mentir les méchantes langues qui prétendaient que vous ne seriez pas à mon sacre. Je vous sais gré. Maintenant, courez à vous vêtir, car vous ne pouvez paraître ainsi. Vous allez être en retard.

— Mon frère, répondit La Marche, il me faut d'abord vous entretenir de choses importantes.

— De choses importantes, ou de choses qui vous importent ? L'important, pour l'heure, est de ne point faire attendre le clergé. Dans un instant les évêques vont venir me prendre.

— Eh bien, ils patienteront ! s'écria Charles. Chacun, à tour de rôle, trouve votre oreille pour l'écouter et en tirer profit. Il n'est que moi dont vous semblez ne point vouloir tenir compte ; cette fois vous m'entendrez !

— Alors causons, Charles, dit Philippe en s'asseyant au bord du lit. Mais je vous avertis que nous aurons à être brefs. »

La Marche eut un mouvement qui voulait dire : « Nous verrons, nous verrons » ; et il prit un siège, s'efforçant de se gonfler et de tenir le menton haut.

« Ce pauvre Charles ! pensa Philippe. Voilà qu'il veut jouer les manières de notre oncle Valois ; il n'en a pas l'épaisseur. »

« Philippe, reprit La Marche, je vous ai, à maintes reprises, demandé de me conférer la pairie, et d'accroître mon apanage ainsi que mon revenu. Vous l'ai-je demandé, oui ou non ?

— Avide famille... murmura Philippe.

— Et vous m'avez toujours opposé tête sourde. A présent, je vous le dis pour l'ultime fois ; je suis venu à Reims, mais je n'assisterai tout à l'heure à votre sacre que si j'y ai siège de pair. Sinon, je m'en repars. »

Philippe le regarda un moment sans rien dire, et sous ce regard, Charles se sentit diminuer, fondre, perdre toute sûreté de soi et toute importance.

En face de leur père Philippe le Bel, le jeune prince, naguère, éprouvait la même sensation de sa propre insignifiance.

« Un instant, mon frère, dit Philippe qui se leva et alla parler à Adam Héron, retiré dans un angle de la pièce.

— Adam, demanda-t-il à voix basse, les barons qui ont été querir la sainte ampoule à l'abbaye de Saint-Rémy sont-ils de retour ?

— Oui, Sire, ils sont déjà à la cathédrale, avec le clergé de l'abbaye.

— Bien. Alors les portes de la ville... comme à Lyon. »

Et de la main il fit trois gestes à peine perceptibles, qui signifiaient : les herses, les barres, les clefs.

« Le jour du sacre, Sire ? » murmura Héron stupéfait.

« Justement, le jour du sacre. Et faites diligence. »

Le chambellan sorti, Philippe revint vers le lit.

« Alors, mon frère, que me demandiez-vous ?

— La pairie, Philippe.

— Ah ! oui... la pairie. Eh bien, mon frère, je vous l'accorderai, je vous l'accorderai volontiers ; mais pas sur-le-champ, car vous avez trop clamé vos désirs. Si je vous cédais ainsi, on dirait que j'agis non par volonté mais par contrainte, et chacun se croirait autorisé à se comporter comme vous. Sachez donc qu'il n'y aura plus d'apanages créés ou accrus avant que n'ait été rendue l'ordonnance qui déclarera inaliénable aucune partie du domaine royal [26].

— Mais enfin, vous n'avez plus besoin de la pairie de Poitiers ! Que ne me la donnez-vous ? Convenez que ma part est insuffisante !

— Insuffisante ? s'écria Philippe que la colère commençait à gagner. Vous êtes né fils de roi, vous êtes frère de roi ; croyez-vous maintenant que la part soit insuffisante pour un homme de votre cervelle et pour les mérites que vous avez ?

— Mes mérites ? dit Charles.

— Oui, vos mérites, qui sont petits. Car il faut bien finir par vous le dire en face, Charles : vous êtes un benêt. Vous l'avez toujours été et vous ne vous améliorez point avec l'âge. Déjà, quand vous n'étiez qu'enfant, vous sembliez si niais à tous, et si peu développé d'esprit, que notre mère elle-même en avait mépris, la sainte femme ! et vous appelait « l'oison ». Rappelez-vous, Charles : « l'oison ». Vous l'étiez et vous l'êtes resté. Notre père vous appela maintes fois à son Conseil ; qu'y avez-vous appris ? Vous bayiez aux mouches, pendant qu'on débattait les affaires du royaume et je ne me rappelle pas qu'on ait jamais entendu de vous une parole qui n'ait fait hausser les épaules à notre père ou à messire Enguerrand. Croyez-vous donc que je tienne tant à vous rendre plus puissant, pour le beau secours que vous m'iriez porter, alors que depuis six mois vous ne cessez de jouer contre moi ? Vous aviez tout à obtenir par un autre chemin. Vous vous pensez de forte nature, et comptez qu'on va ployer devant vous ? Nul n'a oublié la piteuse figure que vous montrâtes à Maubuisson, quand vous étiez à bêler : « Blanche, Blanche ! » et à pleurer votre outrage devant toute la cour.

— Philippe ! Est-ce à vous de me dire cela ? s'écria La Marche en se dressant, le visage décomposé. Est-ce à vous dont la femme...

— Pas un mot contre Jeanne, pas un mot contre la reine ! coupa Philippe la main levée. Je sais que pour me nuire, ou pour vous sentir moins seul dans votre infortune, vous continuez à clabauder vos mensonges.

— Vous avez innocenté Jeanne parce que vous vouliez garder la Bourgogne, parce que vous avez fait passer, comme toujours, vos intérêts avant votre honneur. Mais, à moi non plus, mon épouse infidèle n'a peut-être pas fini de servir.

— Que voulez-vous dire ?

— Je veux dire ce que je dis ! répliqua Charles de La Marche. Et je vous déclare derechef que si vous voulez me voir tout à l'heure au sacre, j'y veux être assis sur un siège de pair. Autrement, je m'en repars ! »

Adam Héron rentra dans la chambre et avertit le roi, d'une inclinaison de tête, que ses ordres avaient été transmis. Philippe le remercia de la même manière.

« Allez-vous-en donc, mon frère, dit-il. Une seule personne aujourd'hui m'est nécessaire : l'archevêque de Reims. Vous n'êtes point archevêque ? Alors partez, partez si cela vous plaît.

— Mais pourquoi, s'écria Charles, pourquoi notre oncle Valois obtient-il toujours ce qu'il veut, et moi jamais ? »

Par la porte entrouverte, on entendait les chants de la procession qui approchait.

« Quand vous aurez nui au royaume d'aussi ce sot deviendrait régent ! » se disait Philippe. Il posa la main sur l'épaule de son frère.

« Quand vous aurez nui au royaume d'aussi longues années que l'a fait notre oncle, vous pourrez exiger d'être payé le même prix. Mais, grâces à Dieu, vous êtes moins diligent dans la sottise. »

Des yeux, il lui désigna la porte, et le comte de La Marche sortit, livide, labouré de rage impuissante, pour se heurter à un grand afflux de clergé.

Philippe regagna le lit et y reprit la position étendue, mains croisées, paupières closes.

Des coups furent frappés contre la porte ; cette

fois, c'étaient les évêques qui cognaient de leurs crosses.

« Qui demandez-vous ? dit Adam Héron.

— Nous demandons le roi, répondit une voix grave.

— Qui le veut ?

— Les pairs évêques. »

Les vantaux furent ouverts et les évêques de Langres et de Beauvais entrèrent, mitre en tête et reliquaire au col. Ils s'approchèrent du lit, aidèrent le roi à se lever, lui présentèrent l'eau bénite, et tandis qu'il s'agenouillait sur un carreau de soie, dirent l'oraison.

Puis Adam Héron posa sur les épaules de Philippe un manteau de velours écarlate semblable à celui de sa robe. Et soudain éclata une querelle de préséance. Normalement, le duc-archevêque de Laon devait prendre place à droite du roi. Or, le siège de Laon, à l'époque, était sans titulaire. L'évêque de Langres, Guillaume de Durfort, était censé remplacer cet absent. Mais Philippe désigna l'évêque de Beauvais pour tenir la droite. Il avait deux raisons à cela : d'une part l'évêque de Langres avait accueilli un peu trop facilement les anciens Templiers dans son diocèse, en leur donnant des places de clercs ; d'autre part, l'évêque de Beauvais était un Marigny, le troisième frère, très habile prélat toujours disposé à servir le pouvoir à condition d'en retirer honneur et profit. Ne l'avait-il pas prouvé moins de deux ans auparavant en siégeant au tribunal chargé de condamner son aîné Enguerrand ? Philippe ne l'estimait pas, mais savait qu'il lui fallait se le concilier.

« Je suis évêque-duc ; c'est à moi de tenir la dextre, disait Guillaume de Durfort.

— Le siège de Beauvais est plus antique que celui de Langres », répondait Marigny.

Leurs visages commençaient à rougir sous les mitres.

« Messeigneurs, le roi décide », dit Philippe.

Et Durfort dut se ranger à gauche.

« Un mécontent de plus », pensa Philippe.

Ils descendirent ainsi, parmi les croix, les cierges et les fumées d'encens, jusqu'à la rue où toute la cour, la reine en tête, était déjà formée en cortège. On gagna la cathédrale.

D'immenses clameurs s'élevaient sur le passage du roi. Philippe était assez pâle et plissait ses yeux myopes. La terre de Reims lui paraissait devenue soudain étrangement dure au pas ; il avait l'impression de marcher sur du marbre.

Au portail de la cathédrale, il y eut un arrêt pour de nouvelles oraisons ; puis, dans le fracas des orgues, Philippe avança dans la nef vers l'autel, vers la grande estrade, vers le trône où, enfin, il s'assit. Son premier geste fut pour désigner à la reine le siège préparé à la droite du sien.

L'église était comble. Philippe n'apercevait qu'une mer de couronnes, d'épaules brodées, de joyaux, de chasubles étincelant sous les cierges. Un firmament humain s'étendait à ses pieds.

Il ramena son regard vers de plus proches parages, et tourna la tête, à droite et à gauche, pour distinguer les présences sur l'estrade. Charles de Valois était là, et Mahaut d'Artois, monumentale, ruisselante de brocarts et de velours ;

elle lui sourit. Louis d'Evreux se tenait un peu plus loin. Mais Philippe n'apercevait pas Charles de La Marche, ni non plus Philippe de Valois que son père semblait également chercher des yeux.

L'archevêque de Reims, Robert de Courtenay, alourdi par les ornements sacerdotaux, se leva de son trône qui faisait face au siège royal. Philippe l'imita et vint se prosterner devant l'autel.

Tout le temps que dura le *Te Deum,* Philippe se demanda : « Les portes ont-elles été bien fermées ? Mes ordres ont-ils été fidèlement suivis ? Mon frère n'est pas homme à rester au fond d'une chambre pendant qu'on me couronne. Et pourquoi Philippe de Valois est-il absent ? Que me préparent-ils ? J'aurais dû laisser Galard dehors, pour qu'il soit mieux à même de commander ses arbalétriers. »

Or, tandis que le roi s'inquiétait ainsi, son frère cadet pataugeait dans un marais.

En sortant, furieux, de la chambre royale, Charles de La Marche s'était précipité au logement des Valois. Il n'avait pas trouvé son oncle, déjà parti pour la cathédrale, mais seulement Philippe de Valois qui achevait de se préparer et auquel il avait conté, hors d'haleine, ce qu'il appelait « la félonie » de son frère.

Fort liés, parce que fort proches par leurs goûts et leurs natures, les deux cousins s'entendaient bien à se monter réciproquement la tête.

« S'il en est ainsi, je n'assisterai pas non plus au sacre, je pars avec toi », avait déclaré Philippe de Valois, avec la satisfaction d'affirmer une indépendance à l'égard du roi, de la cour et de son propre père.

Là-dessus, de rassembler leurs escortes et de se diriger fièrement vers une porte de la ville. Leur superbe avait dû s'incliner devant les sergents d'armes.

« Nul n'entre ni ne sort. Ordre du roi.

— Même les princes de France ?

— Même les princes ; ordre du roi.

— Ah ! Il veut nous contraindre ! s'était écrié Philippe de Valois qui, maintenant, prenait l'affaire à son compte. Eh bien, nous sortirons quand même !

— Comment veux-tu, puisque les portes sont closes ?

— Feignons de rentrer à mon logis, et laisse-moi agir. »

La suite ressemblait à une équipée de gamins. Les écuyers du jeune comte de Valois avaient été dépêchés à chercher des échelles, vite dressées dans le fond d'une impasse, en un endroit où les murs ne semblaient pas gardés. Et voici les deux cousins, fesses en l'air, partis à l'escalade, sans se douter que de l'autre côté s'étendaient les marécages de la Vesle. Par cordes, ils descendirent dans le fossé. Charles de La Marche perdit pied au milieu de l'eau boueuse et glacée ; il s'y fût noyé si son cousin, qui avait six pieds de haut et les muscles solides, ne l'eût à temps repêché. Puis ils s'engagèrent, comme des aveugles, dans les marais. Il n'était plus question pour eux de renoncer. Avancer ou reculer revenait au même. Ils jouaient leur vie et en auraient pour trois grandes heures à se tirer de ce bourbier. Les quelques écuyers qui les avaient suivis, barbotaient autour d'eux et ne se gênaient pas pour les maudire à haute voix.

« Si jamais nous sortons de là, criait La Marche, pour soutenir son courage, je sais bien où j'irai, je sais bien. A Château-Gaillard ! »

Philippe de Valois, ruisselant de sueur malgré le froid, montra une tête stupéfaite au-dessus des roseaux pourrissants.

« Tu tiens donc encore à Blanche ? demanda-t-il.

— Je n'y tiens point, mais j'ai des choses à savoir d'elle. Elle est la seule, elle est la dernière à pouvoir nous dire si la fille de Louis est bâtarde, et si mon frère Philippe a été cocu comme moi ! Avec son témoignage, je pourrai honnir mon frère, à mon tour, et faire donner la couronne à la fille de Louis. »

Le son des cloches de Reims, battant à toute volée, parvenait jusqu'à eux.

« Quand je pense, quand je pense que c'est pour lui qu'on sonne ! » disait Charles de La Marche, la moitié du corps dans la boue et la main tendue vers la ville...

... Dans la cathédrale, les chambellans venaient de dévêtir le roi. Philippe le Long, debout devant l'autel, n'avait plus sur le corps que deux chemises superposées, l'une de fine toile, et l'autre de soie blanche, et largement ouvertes sur la poitrine et sous les aisselles. Le roi, avant d'être investi des signes de la majesté, se présentait à l'assemblée de ses sujets comme un homme presque nu, et qui frissonnait.

Tous les attributs du sacre étaient déposés

sur l'autel, à la garde de l'abbé de Saint-Denis qui les avait apportés. Adam Héron prit des mains de l'abbé les chausses, longs caleçons de soie brodés de fleurs de lis, et aida le roi à les passer, ainsi que les chaussures, également d'étoffe brodée. Puis Anseau de Joinville, en l'absence du duc de Bourgogne, noua les éperons d'or aux pieds du roi, et les enleva aussitôt. L'archevêque bénit la grande épée, qu'on prétendait être celle de Charlemagne, et la soulevant par le baudrier la pendit au flanc du roi en récitant :

« *Accipe hunc gladium cum Dei benedictione...*

— Messire connétable, approchez », dit le roi.

Gaucher de Châtillon s'avança et Philippe, se défaisant du baudrier, lui remit l'épée.

Jamais connétable, dans toute l'histoire des sacres, n'avait mieux mérité de tenir, pour son souverain, l'insigne de la puissance militaire. Ce geste entre eux était plus que l'accomplissement d'un rite ; ils échangèrent un long regard. Le symbole se confondait avec la réalité.

De la pointe d'une aiguille d'or, l'archevêque prit, dans la sainte ampoule que lui tendait l'abbé de Saint-Remy, une parcelle de cette huile qu'on disait envoyée du ciel, et la mêla de son doigt avec le chrême préparé sur une patène. Puis l'archevêque oignit Philippe en le touchant au sommet de la tête, à la poitrine, entre les épaules et aux aisselles. Adam Héron rattacha les annelets et les agrappins qui fermaient les tuniques. La chemise du roi serait plus tard brûlée, parce qu'elle avait été effleurée de la sainte onction.

Le roi fut alors revêtu des vêtements pris sur

l'autel : d'abord la cotte de satin vermeil brodée de fils d'argent, puis la tunique de satin bleu bordée de perles et semée de fleurs de lis d'or, et, par-dessus, la dalmatique de semblable tissu, et, par-dessus encore, le soq, grand manteau carré agrafé sur l'épaule droite par une fibule d'or. Philippe sentait progressivement ses épaules s'appesantir. L'archevêque accomplit l'onction des mains, glissa au doigt de Philippe l'anneau royal, lui mit le lourd sceptre d'or en la main droite, la main de justice en la main gauche. Après une génuflexion devant le tabernacle, le prélat enfin souleva la couronne, tandis que le grand chambellan commençait l'appel des pairs présents.

« Magnifique et puissant seigneur, le comte... »

A cet instant précis, une voix haute, impérieuse s'éleva dans la nef :

« Arrête, archevêque ! Ne couronne point cet usurpateur ; c'est la fille de saint Louis qui te le commande. »

Un vaste remous parcourut l'assistance. Toutes les têtes se tournèrent vers le point d'où l'on avait crié. Sur l'estrade et parmi les officiants, s'échangeaient des regards anxieux. Les rangs de la foule s'écartèrent.

Entourée de quelques seigneurs, une femme de grande taille, belle encore de visage, le menton ferme, les yeux clairs et coléreux, l'étroit diadème et le voile des veuves posés sur une masse de cheveux presque blancs, marchait vers le chœur.

Sur son passage on chuchotait :

« C'est la duchesse Agnès ; c'est elle ! »

On tendait le cou pour la voir. On s'étonnait qu'elle eût gardé si belle prestance et pas si ferme. Parce qu'elle était la fille de saint Louis, l'image qu'on se faisait d'elle appartenait au lointain des âges ; on la croyait une ancêtre, une ombre toute cassée dans un château de Bourgogne. Soudain elle surgissait telle qu'elle était, réellement, une femme de cinquante ans, encore pleine de vie et d'autorité.

« Arrête, archevêque, répéta-t-elle quand elle ne fut plus qu'à quelques pas de l'autel. Et vous tous écoutez... Lisez, Mello ! » ajouta-t-elle pour son conseiller qui l'accompagnait.

Guillaume de Mello déplia un parchemin et lut :

« Nous, très noble dame Agnès de France,
« duchesse de Bourgogne, fille de notre Sire le roi
« Louis le saint, en notre nom et celui de notre
« fils, très noble et puissant duc Eudes, nous
« adressons à vous, barons et seigneurs ici pré-
« sents ou dehors dans le royaume, pour faire
« défense que l'on reconnaisse roi le comte de
« Poitiers qui n'est point héritier légitime de la
« couronne, et protester qu'on diffère le sacre
« jusqu'à tant qu'aient été reconnus les droits
« de Mme Jeanne de France et de Navarre, fille
« et héritière du défunt roi et de notre fille. »

L'angoisse augmentait sur l'estrade, et l'on commençait à distinguer de mauvais murmures dans le fond de l'église. La foule se tassait

L'archevêque semblait embarrassé de la couronne, ne sachant s'il devait la reposer sur l'autel ou poursuivre.

Philippe restait immobile, tête nue, impuissant, alourdi de quarante livres d'or et de brocarts, et les mains encombrées de la Puissance et de la Justice. Jamais il ne s'était senti aussi démuni, aussi menacé, aussi seul. Un gantelet de fer l'étreignait au creux de la poitrine. Son calme était effrayant. Accomplir un seul geste, ouvrir la bouche en cet instant, entamer une controverse, c'était courir au tumulte, et sans doute à l'échec. Il demeura figé dans la gangue de ses ornements, comme si la bataille se passait au-dessous de lui.

Il entendait les pairs ecclésiastiques chuchoter :

« Que devons-nous faire ? »

Le prélat de Langres, qui n'oubliait pas la vexation essuyée au lever, était d'avis d'arrêter la cérémonie.

« Retirons-nous et débattons, proposait un autre.

— Nous ne pouvons, le roi est déjà l'oint du Seigneur, il est roi ; couronnez-le », répliquait l'évêque de Beauvais.

La comtesse Mahaut se penchait vers sa fille Jeanne et lui murmurait :

« La gueuse ! Elle mérite d'en crever. »

De ses paupières de tortue, le connétable fit signe à Adam Héron de reprendre l'appel.

« Magnifique et puissant seigneur, le comte de Valois, pair du roi », prononça le chambellan.

Toute l'attention, alors, reflua vers l'oncle du roi. S'il répondait à l'appel, Philippe avait gagné, car c'était la caution des pairs laïcs, du pouvoir réel, que Valois apportait. S'il refusait, Philippe avait perdu.

Valois ne montrait guère d'empressement, et l'archevêque attendait visiblement sa décision.

Philippe, alors, esquissa quand même un mouvement ; il tourna la tête vers son oncle ; le regard qu'il lui adressa valait cent mille livres. La Bourgogne ne paierait jamais autant.

L'ex-empereur de Constantinople se leva, le visage crispé, et vint se placer derrière son neveu.

« Comme j'ai bien fait de ne pas lésiner avec lui ! » pensa Philippe.

« Noble et puissante Dame Mahaut, comtesse d'Artois, pair du roi », appela Adam Héron.

L'archevêque éleva le lourd cercle d'or surmonté d'une croix à la partie frontale, en prononçant enfin :

« *Coronet te Deus.* »

L'un des pairs laïcs devait aussitôt prendre la couronne pour la maintenir au-dessus de la tête du souverain, et les autres pairs y poser seulement un doigt symbolique. Déjà Valois avançait les mains ; mais Philippe, d'un mouvement de son sceptre, l'arrêta.

« Vous, ma mère, tenez la couronne, dit-il à Mahaut.

— Merci, mon fils », murmura la géante.

Elle recevait, par cette désignation spectaculaire, le remerciement de son double régicide. Elle prenait la place de premier pair du royaume, et la possession du comté d'Artois lui était, avec éclat, confirmée.

« Bourgogne ne s'incline point ! » s'écria la duchesse Agnès.

Et, rassemblant sa suite, elle marcha vers la sortie tandis que, lentement, Mahaut et Valois reconduisaient Philippe à son trône.

Quand il s'y fut assis, les pieds reposant sur un coussin de soie, l'archevêque déposa sa mitre et vint baiser le roi sur la bouche en disant :

« *Vivat rex in æternum.* »

Les autres pairs ecclésiastiques et laïcs imitèrent son geste en répétant :

« *Vivat rex in æternum.* »

Philippe se sentait las. Il venait de gagner sa dernière bataille, après sept mois de luttes incessantes pour parvenir à ce pouvoir suprême que nul, maintenant, ne pouvait plus lui disputer.

Les cloches fracassaient l'air pour sonner son triomphe ; dehors, le peuple hurlait, lui souhaitant gloire et longue vie ; tous ses adversaires étaient matés. Il avait un fils pour assurer sa descendance, une épouse heureuse pour partager ses peines et ses joies. Le royaume de France lui appartenait.

« Comme je suis las, tellement las ! » pensait Philippe.

A ce roi de vingt-cinq ans qui s'était imposé par volonté tenace, qui avait accepté les bénéfices du crime et qui possédait tous les caractères d'un grand monarque, rien, en vérité, ne paraissait manquer.

Le temps des châtiments allait commencer.

NOTES HISTORIQUES
ET
RÉPERTOIRE BIOGRAPHIQUE

NOTES HISTORIQUES

1. C'est vers l'âge de soixante-quinze ans que le sénéchal de Joinville entreprit son *Histoire de saint Louis,* à la demande de la reine Jeanne de Navarre, femme de Philippe le Bel, qui voulait avoir un livre des « saintes paroles et des bons faits » du roi croisé.

La rédaction prit à Joinville une dizaine d'années. La reine Jeanne étant morte dans l'intervalle, ce fut à son fils, Louis de Navarre, futur Louis X Hutin, que l'auteur fit la dédicace de son ouvrage « A son bon seigneur Loois, fis du roy de France », et le lui présenta, comme en fait foi une miniature du temps.

2. Elu pape dans les étranges circonstances que l'on verra décrites au cours de ce volume — et que nous avons romancées mais non point inventées — Jacques Duèze (Jean XXII) devait, vers le milieu de son pontificat, soutenir en divers sermons et études sa thèse sur la vision béatifique.

3. Les principales étoffes de soie utilisées dans le vêtement étaient : le *samit,* qui se rapprochait de notre satin, le *sandal* et le *camocas,* assez semblables aux taffetas, et les draps d'or ou d'argent, lourds brocarts à trame de soie.

Parmi les étoffes de laine, on employait beaucoup les *marbrés*, draps tissés de diverses couleurs, les *rayés*, le *camelin*, c'est-à-dire le tissu de poil de chameau ou ses imitations, et surtout les *écarlates*. Ces derniers étaient les draps les plus riches et les plus estimés dont on se parait dans les occasions solennelles. Les meilleurs étaient fabriqués en Flandre et en Angleterre. La matière colorante était fournie par le kermès, petit insecte qu'on trouvait dans le Languedoc et qui se vendait desséché. Il y avait plusieurs nuances d'*écarlate* : vermeille, rosée, violette, sanguine.

4. La plupart des auteurs donnent le chiffre de vingt-trois cardinaux pour le conclave de 1314-1316. Nous en avons relevé vingt-quatre.

Le parti des « romains » comptait six Italiens : Jacques Colonna, Pierre Colonna, Napoléon Orsini, François Caëtani, Jacques Stefaneschi-Caëtani, Nicolas Alberti (ou Albertini) de Prato ; un Angevin de Naples, Guillaume de Longis, et enfin un Espagnol, Lucas de Flisco (appelé parfois Fieschi), consanguin du roi d'Aragon. Ces cardinaux étaient de créations antérieures au pontificat de Clément V et à l'installation de la papauté en Avignon ; le chapeau leur avait été conféré entre 1278 et 1303, pendant les règnes de Nicolas III, Nicolas IV, Célestin V, Boniface VIII et Benoît XI.

Tous les autres cardinaux avaient été créés par Clément V. Le parti dit « provençal » comprenait : Guillaume de Mandagout, Bérenger Frédol l'aîné, Bérenger Frédol le cadet, le Cadurcien Jacques Duèze et les Normands Nicolas de Fréauville et Michel du Bec.

Enfin les Gascons, au nombre de dix, étaient Arnaud de Pélagrue, Arnaud de Fougères, Arnaud Nouvel, Arnaud d'Auch, Raymond-Guillaume de Farges, Bernard de Garves, Guillaume-Pierre Godin, Raymond de Goth, Vital du Four et Guillaume Teste.

5. Jusqu'au milieu du XIIe siècle, la ville de Lyon était au pouvoir des comtes de Forez et de Roannez, sous la souveraineté purement nominale de l'empereur d'Allemagne.

A partir de 1173, l'empereur ayant reconnu à l'archevêque de Lyon, primat des Gaules, des droits souverains, le Lyonnais fut séparé du Forez, et le pouvoir ecclésiastique gouverna la ville, avec droit de justice, de battre monnaie et de lever des troupes.

Ce régime déplut à la puissante commune de Lyon, uniquement composée de bourgeois et de marchands, lesquels pendant plus d'un siècle luttèrent pour s'émanciper. Après plusieurs révoltes malheureuses, ils firent appel au roi Philippe le Bel qui, en 1292, prit Lyon sous sa protection.

Vingt ans plus tard, le 10 avril 1312, un traité, conclu entre la commune, l'archevêché et le roi, réunit définitivement Lyon au royaume de France.

En dépit des revendications de Jean de Marigny, archevêque de Sens et qui contrôlait le diocèce de Paris, l'archevêque de Lyon parvint à garder le primatiat des Gaules, seule prérogative qui lui fût maintenue.

A la fin du Moyen Age, Lyon comptait 24 taverniers, 32 barbiers, 48 tisserands, 56 couturiers, 44 poissonniers, 36 bouchers, épiciers et charcutiers, 57 escoffiers (chausseurs), 36 panetiers et boulangers, 25 albergeurs, 15 orfèvres ou doriers, 20 drapiers, et 87 « notaires ».

La ville était administrée par la « commune », constituée des bourgeois commerçants qui nommaient, chaque 21 décembre, douze consuls, toujours notables et choisis parmi les familles riches ; ce corps consulaire s'appelait le « syndical ».

L'une des plus anciennes familles consulaires était celle des Varay, drapiers et changeurs. Trente et un de ses membres portèrent le titre de consul ; certains furent souvent réélus, et l'un d'eux jusqu'à dix fois. On comptait huit Varay parmi les cinquante citoyens que les Lyonnais se donnèrent pour chefs, en 1285, afin de mener la lutte contre l'archevêque et d'obtenir l'annexion à la France.

6. L'Eglise romaine n'a jamais, comme ses adversaires l'ont souvent prétendu, vendu d'absolution. Mais elle a, ce qui est tout différent, fait payer aux coupables le prix des bulles qui leur étaient délivrées pour attester qu'ils avaient reçu l'absolution de leur faute.

Ces bulles étaient nécessaires lorsque, le délit ou le crime ayant été publics, il fallait fournir preuve d'avoir été absous pour être de nouveau admis aux sacrements.

Le même principe était appliqué en droit civil pour les lettres de grâce et de rémission accordées par le roi et dont l'inscription aux registres donnait lieu à la perception d'une taxe. La coutume en remontait aux Francs, avant même leur conversion au christianisme.

Jacques Duèze (Jean XXII), par son livre des taxes et par l'institution de la Sainte Pénitencerie, devait codifier et généraliser cet usage pour l'Eglise, dont il restaura de la sorte les finances.

Les membres du clergé n'étaient pas seuls astreints à ces bulles ; des taxes étaient également prévues pour les laïcs. Les tarifs étaient calculés en « gros », monnaie qui valait environ six livres.

Ainsi le parricide, le fratricide ou le meurtre d'un parent entre laïcs, étaient taxés entre cinq et sept gros, de même que l'inceste, le viol d'une vierge, ou le vol d'objets sacrés. Le mari qui avait battu sa femme ou l'avait fait avorter était astreint à verser six gros, et sept si l'épouse avait eu les cheveux arrachés. La plus forte amende, soit vingt-sept gros, frappait la falsification des lettres apostoliques, c'est-à-dire de la signature du pape.

Les taux montèrent avec le temps, parallèlement à la dévaluation de la monnaie.

Mais encore une fois, il ne s'agissait pas de l'achat de l'absolution ; il s'agissait d'un droit d'enregistrement pour la fourniture de preuves authentiques.

Les innombrables pamphlets consacrés à cette question et qui circulèrent à partir de la Réforme, pour discréditer l'Eglise romaine, se sont tous appuyés sur cette confusion volontaire.

7. Les *Frères Prêcheurs,* ou *Dominicains,* étaient également appelés *Jacobins,* à cause de l'église de Saint-Jacques qu'on leur avait donnée, à Paris, et autour de laquelle ils avaient installé leur communauté.

Le couvent de Lyon, où se tint le conclave de 1316, avait été édifié en 1236 sur des terrains situés derrière la maison des Templiers. L'ensemble du monastère s'étendait de l'actuelle place des Jacobins jusqu'à la place Bellecour.

8. On oublie généralement le caractère primitivement électif de la monarchie capétienne qui précéda son caractère héréditaire, ou tout au moins coexista avec lui.

A la mort accidentelle du dernier carolingien, Louis V le Fainéant, disparu à vingt ans après un règne de quelques mois, Hugues Capet, duc de France et fils de Hugues le Grand, fut désigné par élection.

Hugues Capet associa immédiatement au trône son fils Robert II en le faisant élire comme son successeur et sacrer dans l'année même de son propre sacre. Il en fut ainsi pendant les règnes suivants. Aussitôt le fils aîné du roi désigné comme héritier présomptif, les pairs avaient à ratifier ce choix, et

le nouvel élu était sacré du vivant de son père.
Ce fut Philippe Auguste qui le premier renonça à la tradition de l'élection préalable. Il montrait peu d'estime pour les aptitudes de son fils, et sans doute n'était-il guère désireux de l'associer au gouvernement. Louis VIII recueillit la couronne de France à la mort de Philippe Auguste, le 14 juillet 1223, exactement comme il eût recueilli l'héritage d'un fief. Ce fut ce 14 juillet-là que la monarchie française devint véritablement héréditaire.

9. Les généalogies donnent souvent le prénom de Louis au fils de Philippe V, né en juillet 1316. Or, dans les comptes de Geoffroy de Fleury, argentier de Philippe le Long et qui commença la rédaction de ses livres cette année-là en prenant ses fonctions le 12 juillet, l'enfant est désigné sous le nom de Philippe.

D'autres généalogistes mentionnent deux fils dont l'un serait né en 1315, et donc aurait été conçu pendant que Jeanne de Bourgogne était prisonnière à Dourdan ; ceci paraît bien incroyable quand on sait les efforts que Mahaut déploya pour réconcilier sa fille et son gendre. L'enfant qui fut le fruit de cette réconciliation reçut probablement, et comme il était d'usage, au moins deux des prénoms habituellement portés dans la famille.

10. La prise du pouvoir par Blanche de Castille n'alla pas d'ailleurs sans difficultés. Bien que désignée par un acte du roi Louis VIII, son époux, comme tutrice et régente, Blanche se heurta à une hostilité violente des grands vassaux.

> « *Bien est France abâtardie,*
> *Seigneurs barons entendez,*
> *Quand à femme on l'a baillie* »,

écrivit Hugues de la Ferté.

Mais Blanche de Castille était d'une autre trempe que Clémence de Hongrie. En outre, elle était reine depuis dix ans et avait donné le jour à douze enfants. Elle triompha des barons grâce à l'appui du comte Thibaud de Champagne qu'on lui prêta pour amant.

11. On constate une frappante similitude entre la folie de Robert de Clermont et celle de Charles VI, deux fois son arrière-neveu, à la cinquième génération par les hommes et à la quatrième par les femmes.

Dans les deux cas, la démence débute par un choc d'armes, avec traumatisme crânien chez Clermont, sans traumatisme chez Charles VI, mais qui déclenche une manie furieuse chez l'un comme chez l'autre : mêmes périodes de crises frénétiques suivies de longues rémissions où le sujet reprenait un comportement en apparence normal ; même goût obsessionnel des tournois qu'on ne pouvait les empêcher d'organiser et auxquels ils paraissaient, bien que parfois en état de délire. Clermont, tout dément et dangereux qu'il fut, avait autorisation de chasser dans l'ensemble du domaine royal. Il se présenta même à l'ost de Philippe le Bel, pendant l'une des campagnes de Flandre, tout ainsi que Charles VI, fou depuis vingt ans, assista au siège de Bourges et aux combats contre le duc de Berry.

12. Cris réglementaires qui marquaient le début du tournoi.

13. Les jouets et jeux d'enfants n'ont pratiquement pas varié depuis le Moyen Age jusqu'à nos jours. C'étaient déjà balles et ballons faits de cuir ou d'étoffe, cerceaux, toupies, poupées, chevaux de bois et palets. On jouait à colin-maillard, aux barres, à la courte-paille, à chat perché, à la main chaude,

à cache-cache et à saute-mouton, ainsi qu'aux marionnettes. Les petits garçons, dans les familles riches, possédaient aussi des imitations d'armements faits à leurs mesures : heaumes de fer léger, robes de mailles, épées sans tranchant, ancêtres des modernes panoplies de général ou de cow-boy.

14. La dernière fille d'Agnès de Bourgogne, Jeanne, mariée à Philippe de Valois, futur Philippe VI, était boiteuse tout comme son cousin germain Louis Ier de Bourbon, fils de Robert de Clermont.

La boiterie existait également dans la branche collatérale des Anjou, puisque le roi Charles II, grand-père de Clémence de Hongrie, avait le surnom de *Boiteux*. Une tradition, reprise d'ailleurs par Mistral dans les *Iles d'or,* veut que, lorsque l'ambassadeur du roi de France, donc le comte de Bouville, vint demander Clémence en mariage pour son maître, il exigea que la princesse se dévêtît devant lui afin de s'assurer qu'elle avait les jambes droites.

15. La *broigne* était un vêtement de peau, de toile ou de velours, sur lequel étaient cousus des maillons de fer, et qui avait remplacé la cotte de mailles proprement dite. Par-dessus cette broigne, et pour la renforcer, commençaient d'apparaître des éléments dits « plates » — d'où le nom d'armure de plates — qui étaient des parties de métal plein, forgées à la forme du corps et articulées à la façon des queues d'écrevisses.

16. Mahaut dressa un état minutieux des vols et dégâts commis en son château de Hesdin, état qui ne comprenait pas moins de cent vingt-neuf articles. Elle intenta un procès devant le parlement de Paris pour obtenir remboursement, ce qui lui fut partiellement accordé par arrêt du 9 mai 1321.

17. On disait « borgne » pour « myope ». Philippe V fut appelé le Long, le Grand ou le Borgne.

18. Il était d'usage alors, dans les familles royales ou princières, de donner aux enfants plusieurs parrains et marraines, parfois jusqu'à huit. Ainsi Charles de Valois et Gaucher de Châtillon se trouvaient tous deux parrains de Charles de La Marche, le troisième fils de Philippe le Bel. Mahaut était marraine de ce prince, comme elle l'était de nombreux autres enfants de la famille. Sa désignation pour porter sur les fonts l'enfant posthume de Louis X n'avait donc rien qui pût surprendre : ne pas la choisir eût paru, au contraire, une disgrâce.

19. Le baptême, à cette époque, était toujours donné le lendemain de la naissance.

L'ablution par immersion totale en eau froide fut pratiquée jusqu'au début du XIVe siècle. Un synode, tenu à Ravenne en 1313, décida pour la première fois que le baptême pouvait être également donné par aspersion, s'il y avait pénurie d'eau bénite ou si l'on craignait que l'immersion complète ne compromît la santé de l'enfant. Mais ce ne fut vraiment qu'au XVe siècle que la pratique de l'immersion disparut.

20. Lorsqu'un nouveau-né présentait des signes de maladie, ce n'était pas à lui qu'on faisait absorber les remèdes mais à la nourrice.

21. Les *chevaliers poursuivants,* création de Philippe V au début de son règne, étaient nommés par le roi pour l'accompagner et le conseiller ; ils devaient être auprès de lui en tous ses déplacements, mais non pas tous ensemble.

On trouve parmi eux de proches parents du roi comme le comte de Valois, le comte d'Evreux, le comte de La Marche, le comte de Clermont, de grands seigneurs comme les comtes de Forez, de Boulogne, de Savoie, de Saint-Pol, de Sully, d'Harcourt et de Comminges ; de grands officiers de la couronne tels que le connétable, les maréchaux, le maître des arbalétriers, ainsi que d'autres personnages, membres du Conseil secret ou du « conseil qui gouverne », légistes, administrateurs du Trésor, bourgeois anoblis et amis personnels du roi. On y relève les noms de Miles de Noyers, Giraud Guette, Guy Florent, Guillaume Flotte, Guillaume Courteheuse, Martin des Essarts, Anseau de Joinville.

Ces chevaliers furent une préfiguration des *gentilshommes de la Chambre* institués par Henri III et qui subsistèrent jusque sous Charles X.

22. La soudaine prodigalité de la reine Clémence après son tragique accouchement, et qui semble le signe d'une altération mentale, devait aller s'accentuant. Le pape Jean XXII, qui avait toujours protégé Clémence puisqu'elle était princesse d'Anjou, était forcé, dès le mois de mai suivant, de sermonner par lettre la jeune veuve, l'engageant à vivre dans l'effacement, la chasteté, l'humilité, d'être sobre en sa table, modeste en ses paroles comme en ses vêtements, et à ne pas se montrer seulement en compagnie de jeunes gens. En même temps, il intervenait auprès de Philippe V pour la fixation du douaire de Clémence, ce qui n'alla pas sans difficulté.

Le pape, à plusieurs reprises, écrivit encore à Clémence pour l'exhorter à réduire ses dépenses excessives et la prier fermement de régler ses dettes, en particulier aux Bardi de Florence. Finalement, en 1318, elle dut faire retraite pour quelques années au couvent de Sainte-Marie de Nazareth, près d'Aix-en-Provence. Mais, avant d'y entrer, elle fut obligée, pour satisfaire aux exigences de ses créanciers, de déposer tous ses bijoux en gage.

23. On appelait *bourses à cul-de-vilain* les bourses

à panses rondes et étroites du col. Il en était de fort décorées et les seigneurs y portaient souvent leur sceau en même temps que leur monnaie.

24. On entendait par *robe,* en terme de trousseau, un habillement complet, composé de plusieurs pièces appelées « garnements » et toutes de même tissu. La robe de parade comprenait : deux surcots, l'un clos et l'autre ouvert, une housse, une garnache, un chaperon et un manteau à parer.

25. Après l'élection de Hugues Capet, les six plus grands seigneurs du royaume, trois ducs et trois comtes, désignés pour remettre la couronne à l'élu lors de son sacre, avaient été : le duc de Bourgogne, le duc de Normandie, le duc de Guyenne, le comte de Champagne, le comte de Flandre, le comte de Toulouse. Ils étaient considérés comme les pairs du roi, c'est-à-dire ses égaux. Il y avait à côté d'eux six pairs ecclésiastiques dont trois ducs-archevêques et trois comtes-évêques.

26. Cinq siècles plus tard, dans son discours du 21 mars 1817 devant la Chambre des Pairs, et relatif à une loi de finances, Chateaubriand tira argument de cette ordonnance de Philippe le Long, promulguée en 1318, par laquelle le domaine de la couronne avait été déclaré inaliénable.

RÉPERTOIRE BIOGRAPHIQUE

ARTOIS (Mahaut, comtesse de Bourgogne, puis d') (?-27 novembre 1329).

Fille de Robert II d'Artois. Epousa (1291) le comte palatin de Bourgogne, Othon IV (mort en 1303). Comtesse-pair d'Artois par jugement royal (1309). Mère de Jeanne de Bourgogne, épouse de Philippe de Poitiers, futur Philippe V, et de Blanche de Bourgogne, épouse de Charles de la Marche, futur Charles IV.

ARTOIS (Robert III d') (1287-1342).

Fils de Philippe d'Artois et petit-fils de Robert II d'Artois. Comte de Beaumont-le-Roger et seigneur de Conches (1309). Epousa Jeanne de Valois, fille de Charles de Valois et de Catherine de Courtenay (1318). Pair du royaume par son comté de Beaumont-le-Roger (1328). Banni du royaume (1332), se réfugia à la cour d'Edouard III d'Angleterre. Blessé mortellement à Vannes. Enterré à Saint-Paul de Londres.

AUCH (Arnaud d') (?-1320).

Evêque de Poitiers (1306). Créé cardinal-évêque d'Albano par Clément V le 24 décembre 1312. Mort en Avignon.

AUNAY (Philippe d') (?-1314).

Fils de Gautier d'Aunay, seigneur de Moucy-le-Neuf, du Mesnil et de Grand-Moulin. Ecuyer du comte de Valois. Convaincu d'adultère (affaire de la tour de Nesle) avec Marguerite de Bourgogne, épouse de Louis de Navarre, futur Louis X Hutin, il fut exécuté à Pontoise, en même temps que son frère Gautier, amant de Blanche de Bourgogne.

Baglioni (Guccio) (vers 1295-1340).

Banquier siennois apparenté à la famille des Tolomei. Tenait (1315) comptoir de banque à Neauphle-le-Vieux. Epousa secrètement Marie de Cressay. Eut un fils, Giannino (1316), échangé au berceau avec Jean Ier le Posthume. Mort en Campanie.

Béatrice de Hongrie (vers 1294- ?).

Fille de Charles-Martel d'Anjou. Sœur de Charobert, roi de Hongrie, et de Clémence, reine de France. Epouse du dauphin de Viennois, Jean II de La Tour du Pin, et mère de Guigues VIII et Humbert II, derniers dauphins de Viennois.

Beaumont (Jean de) dit le Déramé, seigneur de Clichy et de Courcelles-la-Garenne (?-1318).

Succéda en 1315 à Miles de Noyers dans la charge de maréchal de France.

Bec-Crespin (Michel du) (?-1318).

Dizenier de Saint-Quentin en Vermandois. Créé cardinal par Clément V le 24 décembre 1312.

Boccacio da Chellino ou Boccace.

Banquier florentin, voyageur de la compagnie des Bardi. Eut d'une maîtresse française un fils aldutérin (1313) qui fut l'illustre poète Boccace, auteur du *Décaméron*.

Boniface VIII (Benoît Caëtani), pape (vers 1215-11 octobre 1303).

D'abord chanoine de Todi, avocat consistorial et notaire apostolique. Cardinal en 1281. Fut élu pape le 24 décembre 1294, après l'abdication de Célestin V. Victime de l'« attentat » d'Anagni, il mourut à Rome un mois plus tard.

Bourbon (Louis, sire, puis duc de) (vers 1275-1342).

Fils aîné de Robert, comte de Clermont (1256-1318), et de Béatrix, fille de Jean, sire de Bourbon. Petit-fils de saint Louis. Grand chambrier de France à partir de 1312. Comte de La Marche (1327). Duc et pair en septembre 1327.

BOURGOGNE (Agnès de France, duchesse de) (vers 1268-1325).

Dernière des onze enfants de saint Louis. Mariée en 1273 à Robert II de Bourgogne (mort en 1306). Mère de Hugues V et d'Eudes IV, ducs de Bourgogne ; de Marguerite, épouse de Louis X Hutin, et de Jeanne, dite la Boiteuse, épouse de Phillipe VI de Valois.

BOURGOGNE (Blanche de) (vers 1296-1326).

Fille cadette d'Othon IV, comte palatin de Bourgogne, et de Mahaut d'Artois. Mariée en 1307 à Charles de France, troisième fils de Philippe le Bel. Convaincue d'adultère (1314), en même temps que Marguerite de Bourgogne, fut enfermée à Château-Gaillard puis au château de Gournay, près de Coutances. Après l'annulation de son mariage (1322), elle prit le voile à l'abbaye de Maubuisson.

BOURGOGNE (Eudes IV, duc de) (vers 1294-1350).

Fils de Robert II, duc de Bourgogne, et d'Agnès de France, fille de saint Louis. Succède, en mai 1315, à son frère Hugues V. Frère de Marguerite, épouse de Louis X Hutin, de Jeanne, épouse de Philippe de Valois, futur Philippe VI, de Marie, épouse du comte de Bar, et de Blanche, épouse du comte Edouard de Savoie. Marié le 18 juin 1318 à Jeanne, fille aînée de Philippe V (morte en 1347).

BOUVILLE (Hugues, comte de) (?-1331).

Fils de Hugues II de Bouville et de Marie de Chambly. Chambellan de Philippe le Bel. Epousa (1291) Marguerite des Barres dont il eut un fils, Charles, qui fut chambellan de Charles V et gouverneur du Dauphiné.

CAETANI (Francesco) (?-mars 1317).

Neveu de Boniface VIII et créé cardinal par lui en 1295. Impliqué dans une tentative d'envoûtement du roi de France (1316). Mort en Avignon.

CHARLES de France, comte de La Marche, puis CHARLES IV, roi de France (1294-1er février 1328).

Troisième fils de Philippe IV le Bel et de Jeanne de Champagne. Comte apanagiste de La Marche (1315). Succéda sous le nom de Charles IV à son frère Philippe V (1322). Marié successivement à Blanche de Bourgogne (1307), Marie de Luxembourg (1322) et Jeanne d'Evreux (1325). Mourut à Vincennes, sans héritier mâle, dernier roi de la lignée des Capétiens directs.

CHATILLON (Gaucher V de), comte de Porcien (vers 1250-1329).

Connétable de Champagne (1284), puis de France après Courtrai (1302). Fils de Gaucher IV et d'Isabeau de Villehardouin, dite de Lizines. Assura la victoire de Mons-en-Pévèle. Fit couronner Louis Hutin roi de Navarre à Pampelune (1307). Successivement exécuteur testamentaire de Louis X, Philippe V et Charles IV. Participa à la bataille de Cassel (1328) et mourut l'année suivante, ayant occupé la charge de connétable de France sous cinq rois. Il avait épousé Isabelle de Dreux, puis Mélisinde de Vergy, puis Isabeau de Rumigny.

CLÉMENCE de Hongrie, reine de France (vers 1293-12 octobre 1326).

Fille de Charles-Martel d'Anjou, roi titulaire de Hongrie, et de Clémence de Habsbourg. Nièce de Charles de Valois par sa première épouse, Marguerite d'Anjou-Sicile. Sœur de Charles-Robert, ou Charobert, roi de Hongrie, et de Béatrice, épouse du dauphin Jean II. Epousa Louis X Hutin, roi de France et de Navarre, le 13 août 1315, et fut couronnée avec lui à Reims. Veuve en juin 1316, elle mit au monde, en novembre 1316, un fils, Jean Ier. Mourut au Temple.

CLÉMENT V (Bertrand de Got ou Goth), pape (?-20 avril 1314).

Né à Villandraut (Gironde). Fils du chevalier Arnaud-Garsias de Got. Archevêque de Bordeaux (1300). Elu pape (1305) pour succéder à Benoît XI. Couronné à Lyon. Il fut le premier des papes d'Avignon.

CLERMONT (Robert, comte de) (1256-1318).

Dernier fils de saint Louis et de Marguerite de Provence. Marié, vers 1279, avec Béatrix, fille unique et héritière de Jean, sire de Bourbon. Reconnu sire de Bourbon en 1283.

COLONNA (Jacques) (?-14 août 1318).

Membre de la célèbre famille romaine des Colonna. Créé cardinal par Nicolas III le 12 mars 1278. Principal conseiller de la cour romaine sous Nicolas IV. Excommunié par Boniface VIII en 1297 et rétabli dans sa dignité de cardinal en 1306.

COLONNA (Pierre) (?-1326).

Neveu du précédent. Créé cardinal par Nicolas IV le 16 mai 1288. Excommunié par Boniface VIII en 1297 et rétabli dans sa dignité de cardinal en 1306. Mort en Avignon.

CORBEIL (Jean de) dit de Grez (?-1318).

Seigneur de Grez en Brie et de Jalemain. Maréchal de France à partir de 1308.

COURTENAY (Robert de) (?-1324).

Archevêque de Reims de 1299 à sa mort.

CRESSAY (dame Eliabel de).

Châtelaine de Cressay, près Neauphle-le-Vieux, dans la prévôté de Montfort-l'Amaury. Veuve du sire Jean de Cressay, chevalier. Mère de Jean, Pierre et Marie de Cressay.

CRESSAY (Jean de) et CRESSAY (Pierre de).

Fils de la précédente. Furent tous deux armés chevaliers par Philippe VI de Valois lors de la bataille de Crécy (1346).

CRESSAY (Marie de) (vers 1298-1345).

Fille de dame Eliabel et du sire Jean de Cressay, chevalier. Secrètement mariée à Guccio Baglioni, et mère (1316) d'un enfant échangé au berceau avec Jean Ier le Posthume dont elle était la nourrice. Fut enterrée au couvent des Augustins, près de Cressay.

DUÈZE (Jacques), voir JEAN XXII, pape.

DURFORT-DURAS (Guillaume de) (?-1330).

Evêque de Langres (1306), puis de Rouen (1319), jusqu'à sa mort.

EDOUARD II Plantagenêt, roi d'Angleterre (1284-21 septembre 1327).

Né à Carnarvon. Fils d'Edouard Ier et d'Eléonore de Castille. Premier prince de Galles. Duc d'Aquitaine et comte de Ponthieu (1303). Armé chevalier à Westminster (1306). Roi en 1307. Epousa à Boulogne-sur-Mer, le 22 janvier 1308, Isabelle de France, fille de Philippe le Bel. Couronné à Westminster le 25 février 1308. Détrôné (1326) par une révolte baronniale conduite par sa femme, fut emprisonné et mourut assassiné au château de Berkeley.

EVRARD.

Ancien Templier. Clerc de Bar-sur-Aube. Impliqué dans une affaire de sorcellerie (1316) ; complice du cardinal Caëtani dans une tentative d'envoûtement du roi de France.

EVREUX (Louis de France, comte d') (1276-mai 1319).

Fils de Philippe III le Hardi et de Marie de Brabant. Demi-frère de Philippe le Bel et de Charles de Valois. Comte d'Evreux (1298). Epousa Marguerite d'Artois, sœur de Robert III, dont il eut : Jeanne, troisième épouse de Charles IV le Bel, et Philippe, époux de Jeanne, reine de Navarre.

EVREUX (Philippe d').

Fils du précédent. Epousa (1318) Jeanne de France, fille de Louis X Hutin et de Marguerite de Bourgogne, héritière de la Navarre, morte en 1349. Père de Charles le Mauvais, roi de Navarre, et de Blanche, seconde épouse de Philippe VI de Valois, roi de France.

FÉRIENNES (Isabelle de) (?-1317).

Magicienne. Témoigna contre Mahaut lors du procès intenté à cette dernière après la mort de Louis X. Fut brûlée vive ainsi que son fils après l'acquittement de Mahaut, le 9 octobre 1317.

FIENNES (Jean, baron de Ringry, seigneur de Ruminghen, châtelain de Bourbourg, baron de).

Elu chef de la noblesse rebelle d'Artois et l'un des derniers à se soumettre (1320). Il avait épousé Isabelle, sixième fille de Guy de Dampierre, comte de Flandre, dont il eut un fils, Robert, connétable de France en 1356.

FLANDRE (Robert, dit de Béthune, comte de Nevers et de) (?-1322).

Fils de Guy de Dampierre, comte de Flandre (mort en 1305)

et d'Isabelle de Luxembourg. Epousa Yolande de Bourgogne, comtesse de Nevers. Père de Louis de Nevers.

FLEURY (Geoffroy de).

Entré en fonctions le 12 juillet 1316, fut le premier officier de l'hôtel à porter le titre d'argentier du roi. Anobli par Philippe V en 1320.

FLISCO (Luca de) (?-1336).

Consanguin du roi Jacques II d'Aragon. Créé cardinal par Boniface VIII le 2 mars 1300.

FOREZ (Jean Ier d'Albon, comte de) (?-avant 1333).

Ambassadeur de Philippe le Bel et de Louis X à la cour papale. Gardien du conclave de 1316. Marié (1296) à Alix de Viennois, fille d'Humbert de La Tour du Pin.

FOUGÈRES (Arnaud de) (?-1317).

Archevêque d'Arles (1308). Créé cardinal par Clément V le 19 décembre 1310.

FRÉAUVILLE (Nicolas de) (?-1323).

Dominicain. Confesseur de Philippe le Bel. Créé cardinal par Clément V le 15 décembre 1305.

FRÉDOL (Bérenger), dit l'Aîné, ou l'Ancien (vers 1250-juin 1323).

Evêque de Béziers (1294). Créé cardinal par Clément V le 15 décembre 1305.

FRÉDOL (Bérenger), dit le Jeune (?-1323).

Neveu du précédent. Evêque de Béziers (1309). Créé cardinal par Clément V le 24 décembre 1312.

GALARD (Pierre de).

Grand maître des arbalétriers de France à partir de 1310. Gouverneur de Flandre (1319).

GUIGUES, dauphiniet de Viennois, futur dauphin GUIGUES VIII (1310-1333).

Fils de Jean II de La Tour du Pin, dauphin de Viennois, et de Béatrix de Hongrie. Neveu de la reine Clémence. Fiancé en juin 1316 à Isabelle de France, troisième fille de Philippe V, et marié en mai 1323. Mort sans héritier ; son frère lui succéda.

HÉRON (Adam).

Bachelier, puis chambellan de Philippe, comte de Poitiers, futur Philippe V.

HIRSON (ou HIREÇON) (Béatrice de).

Demoiselle de parage de la comtesse Mahaut d'Artois ; nièce de son chancelier, Thierry d'Hirson.

ISABELLE de France, reine d'Angleterre (1292-23 août 1358).

Fille de Philippe IV le Bel et de Jeanne de Champagne. Sœur des rois Louis X, Philippe V et Charles IV. Epousa Edouard II d'Angleterre (1308). Prit la tête (1325), avec Roger Mortimer, de la révolte des barons anglais qui amena la déposition de son mari. Surnommée « la louve de France », gouverna de 1326 à 1328 au nom de son fils Edouard III. Exilée de la cour (1330). Morte au château de Hertford.

ISABELLE de France (vers 1311-après 1345).

Fille cadette de Philippe V et de Jeanne de Bourgogne. Fiancée en juin 1316 à Guigues, dauphiniet de Viennois, futur Guigues VIII ; mariée le 17 mai 1323.

JEAN XXII (Jacques Duèze), pape (1244-décembre 1334).

Fils d'un bourgeois de Cahors. Fit ses études à Cahors et Montpellier. Archiprêtre de Saint-André de Cahors. Chanoine de Saint-Front de Périgueux et d'Albi. Archiprêtre de Sarlat. En 1289, il partit pour Naples où il devint rapidement familier du roi Charles II d'Anjou qui en fit le secrétaire des conseils secrets, puis son chancelier. Evêque de Fréjus (1300), puis d'Avignon (1310). Secrétaire du concile de Vienne (1311). Cardinal évêque de Porto (1312). Elu pape en août 1316. Couronné à Lyon en septembre 1316. Mort en Avignon.

JEAN II de LA TOUR DU PIN, dauphin de Viennois (vers 1280-1319).

Fils d'Humbert Ier de La Tour du Pin, dauphin de Viennois,

auquel il succède en 1307. Epousa Béatrix de Hongrie dont il eut deux fils Guigues et Humbert, derniers dauphins de Viennois.

JEANNE de Bourgogne, comtesse de Poitiers, puis reine de France (vers 1293-21 janvier 1330).

Fille aînée d'Othon IV, comte palatin de Bourgogne, et de Mahaut d'Artois. Sœur de Blanche, épouse de Charles de France, futur Charles IV. Mariée en 1307 à Philippe de Poitiers, second fils de Philippe le Bel. Convaincue de complicité dans les adultères de sa sœur et de sa belle-sœur (1314), elle fut enfermée à Dourdan, puis libérée en 1315. Mère de trois filles, Jeanne, Marguerite et Isabelle, qui épousèrent respectivement le duc de Bourgogne, le comte de Flandre, et le dauphin de Viennois.

JEANNE de France, duchesse de Bourgogne (1308-1347).

Fille aînée de Philippe V et de Jeanne de Bourgogne. Fiancée en juillet 1316 à Eudes IV, duc de Bourgogne ; mariée en juin 1318.

JEANNE de France, reine de Navarre (vers 1311-8 octobre 1349).

Fille de Louis de Navarre, futur Louis X Hutin, et de Marguerite de Bourgogne. Présumée bâtarde. Ecartée de la succession au trône de France, elle hérita de la Navarre. Mariée (1318) à Philippe, comte d'Evreux. Mère de Charles le Mauvais, roi de Navarre, et de Blanche, seconde épouse de Philippe VI de Valois, roi de France.

JOINVILLE (Jean, sire de) (1224-24 décembre 1317).

Sénéchal héréditaire de Champagne. Accompagna Louis IX à la septième croisade et partagea sa captivité. Rédigea à quatre-vingts ans son *Histoire de saint Louis* pour laquelle il demeure parmi les grands chroniqueurs.

JOINVILLE (Anseau ou Ansel de).

Fils aîné du précédent. Sénéchal héréditaire de Champagne. Membre du Grand Conseil de Philippe V, et maréchal de France.

La Madelaine (Guillaume de).
Prévôt de Paris du 31 mars 1316 à fin août 1316.

Longis (Guillaume de), dit de Pergame (?-avril 1319).
Chancelier du roi Charles II de Sicile. Créé cardinal par Célestin V le 18 septembre 1294. Mort en Avignon.

Louis X, dit Hutin, roi de France et de Navarre (octobre 1289-5 juin 1316).
Fils de Philippe IV le Bel et de Jeanne de Champagne. Frère des rois Philippe V et Charles IV, et d'Isabelle, reine d'Angleterre. Roi de Navarre (1307). Roi de France (1314). Epousa (1305) Marguerite de Bourgogne dont il eut une fille, Jeanne, née vers 1311. Après le scandale de la tour de Nesle et la mort de Marguerite, se remaria (août 1315) à Clémence de Hongrie. Couronné à Reims (août 1315). Mort à Vincennes. Son fils, Jean Ier le Posthume, naquit cinq mois plus tard (novembre 1316).

Mandagout (Guillaume de) (?-septembre 1321).
Evêque d'Embrun (1295), puis d'Aix (1311). Créé cardinal-évêque de Palestrina par Clément V le 24 décembre 1312.

Marguerite de Bourgogne, reine de Navarre (vers 1293-1315).
Fille de Robert II, duc de Bourgogne, et d'Agnès de France. Mariée (1305) à Louis, roi de Navarre, fils aîné de Philippe le Bel, futur Louis X, dont elle eut une fille, Jeanne. Convaincue d'adultère (affaire de la tour de Nesle, 1314), elle fut enfermée à Château-Gaillard où elle mourut assassinée.

Marigny (Enguerrand le Portier de) (vers 1265-30 avril 1315).
Né à Lyons-la-Forêt. Marié en premières noces à Jeanne de Saint-Martin, en secondes noces à Alips de Mons. D'abord écuyer du comte de Bouville, puis attaché à la maison de la reine Jeanne, épouse de Philippe le Bel, et successivement garde du château d'Issoudun (1298), chambellan (1304) ; fait chevalier et comte de Longueville, intendant des Finances et des Bâtiments, capitaine du Louvre, coadjuteur au gouvernement et recteur du royaume pendant la dernière partie du règne de Philippe le Bel. Après la mort de ce dernier, il fut accusé de détournements, condamné et pendu à Montfaucon.

Réhabilité en 1317 par Philippe V et enterré dans l'église des Chartreux puis transféré à la collégiale d'Ecouis qu'il avait fondée.

MARIGNY (Jean de) (?-1350).

Cadet des trois frères Marigny. Chanoine de Notre-Dame, puis évêque de Beauvais (1312). Chancelier (1329). Lieutenant du roi en Gascogne (1342). Archevêque de Rouen (1347).

MELLO (Guillaume de) (?-vers 1328).

Seigneur d'Epoisses et de Givry. Conseiller du duc de Bourgogne.

NOUVEL (Arnaud) (?-août 1317).

Abbé de l'abbaye cistercienne de Fontfroide (Aude). Créé cardinal par Clément en 1310. Légat du pape en Angleterre.

NOYERS (Miles IV de), seigneur de Vandœuvre (?-1350).

Maréchal de France (1303-1315). Successivement conseiller de Philippe V, Charles IV et Philippe VI, joua un rôle d'exceptionnelle importance sous ces trois règnes. Grand bouteiller de France (1336).

ORSINI (Napoléon), dit des URSINS (?-mars 1342).

Créé cardinal par Nicolas IV le 16 mai 1288.

PELAGRUE (Arnaud de) (?-août 1331).

Archidiacre de Chartres. Créé cardinal par Clément V le 15 décembre 1305.

PHILIPPE IV, dit le Bel, roi de France (1268-29 novembre 1314).

Né à Fontainebleau. Fils de Philippe III le Hardi et d'Isabelle d'Aragon. Epousa (1284) Jeanne de Champagne, reine de Navarre. Père des rois Louis X, Philippe V et Charles IV, et d'Isabelle de France, reine d'Angleterre. Reconnu roi à Perpignan (1285) et couronné à Reims (6 février 1286). Mort à Fontainebleau et enterré à Saint-Denis.

PHILIPPE, comte de Poitiers, puis PHILIPPE V, dit le Long, roi de France (1291-3 janvier 1322).

Fils de Philippe IV le Bel. Frère des rois Louis X, et Charles IV, et d'Isabelle, reine d'Angleterre. Comte palatin de Bourgogne, sire de Salins, par son mariage avec Jeanne de Bourgogne (1307). Comte apanagiste de Poitiers (1311). Pair de France (1315). Régent à la mort de Louis X, puis roi à la mort du fils posthume de celui-ci (novembre 1316). Mort à Longchamp, sans héritier mâle. Enterré à Saint-Denis.

PHILIPPE, comte de Valois, puis PHILIPPE VI, roi de France (1293-22 août 1350).

Fils aîné de Charles de Valois et de sa première épouse Marguerite d'Anjou-Sicile. Neveu de Philippe IV le Bel et cousin germain des rois Louis X, Philippe V et Charles IV. Devint régent du royaume à la mort de Charles IV le Bel, puis roi à la naissance de la fille posthume de ce dernier (avril 1328). Sacré à Reims le 29 mai 1328. Son accession au trône, contestée par l'Angleterre, fut l'origine de la seconde guerre de Cent Ans. Epousa en premières noces (1313) Jeanne de Bourgogne, dite la Boiteuse, sœur de Marguerite, et qui mourut en 1348 ; en secondes noces (1349), Blanche de Navarre, petite-fille de Louis X et de Marguerite.

PRATO (Nicolas ALBERTI de) (?-avril 1321).

Evêque de Spolète, puis d'Ostie (1303). Créé cardinal par Benoît XI le 18 décembre 1303. Mort en Avignon.

PRESLES (Raoul Ier de), ou de PRAYÈRES (?-1331).

Seigneur de Lizy-sur-Ourcq. Avocat. Secrétaire de Philippe le Bel (1311). Emprisonné à la mort de ce dernier, mais rentré en grâce dès la fin du règne de Louis X. Gardien du conclave de Lyon en 1316. Anobli par Philippe V, chevalier poursuivant de ce roi, et membre de son Conseil.

SAINT-POL (Guy de CHATILLON, comte de) (?-avril 1317).

Fils de Guy IV et de Mahaut de Brabant. Epousa Marie de Bretagne (1292), fille du duc Jean II et de Béatrix d'Angleterre. Grand bouteiller (1296). Exécuteur testamentaire de

Louis X et membre du conseil de régence. Père de Mahaut, troisième épouse de Charles de Valois.

SAVOIE (Amédée V, dit le Grand, comte de) (1249-octobre 1323).

Deuxième fils de Thomas II de Savoie, comte de Maurienne (mort en 1259) et de sa deuxième épouse Béatrix de Fiesque. Succède en 1283 à son oncle Philippe. Epouse en premières noces Sibylle de Baugé (morte en 1294) ; en secondes noces Marie de Brabant (1304). En 1307, son fils Edouard épouse Blanche de Bourgogne, sœur de Marguerite et d'Eudes IV.

SAVOIE (Pierre de) (?-1332).

Archevêque de Lyon (1308). Entré en lutte avec Philippe le Bel et emmené en captivité par celui-ci en 1310. Consentit à la réunion du Lyonnais à la couronne en 1312, et retrouva son siège archiépiscopal.

STEFANESCHI (Jacques CAETANI de) (?-juin 1341).

Créé cardinal par Boniface VIII le 17 décembre 1295.

SULLY (Henri de) (?-vers 1336).

Fils d'Henri III, sire de Sully (mort en 1285) et de Marguerite de Beaumetz. Epoux de Jeanne de Vendôme. Grand bouteiller de France à partir de 1317.

TOLOMEI (Spinello).

Chef en France de la compagnie siennoise des Tolomei, fondée au XIIe siècle par Tolomeo Tolomei et rapidement enrichie par le commerce international et le contrôle des mines d'argent en Toscane. Il existe toujours à Sienne un palais Tolomei.

TRYE (Mathieu de).

Seigneur de Fontenay et de Plainville-en-Vexin. Grand panetier (1298) puis chambellan de Louis X.

VALOIS (Charles de) (12 mars 1270-décembre 1325).

Fils de Philippe III le Hardi et de sa première épouse, Isabelle d'Aragon. Frère de Philippe IV le Bel. Armé chevalier à quatorze ans. Investi du royaume d'Aragon par le légat du pape, la même année, il n'en put jamais occuper le trône et renonça au titre en 1295. Comte apanagiste d'Anjou, du Maine et du Perche (mars 1290) par son premier mariage avec Marguerite d'Anjou-Sicile ; empereur titulaire de Constantinople par son second mariage (janvier 1301) avec Catherine de Courtenay ; fut créé comte de Romagne par le pape Boniface VIII ? Epousa en troisièmes noces (1308) Mahaut de Châtillon-Saint-Pol. De ses trois mariages, il eut de très nombreux enfants ; son fils aîné fut Philippe VI, premier roi de la lignée Valois. Il mena campagne en Italie pour le compte du pape en 1301, commanda deux expéditions en Aquitaine (1297 et 1324) et fut candidat à l'empire d'Allemagne. Mort à Nogent-le-Roi et enterré à l'église des Jacobins de Paris.

ŒUVRES DE MAURICE DRUON

A la Librairie Plon :

LES GRANDES FAMILLES

I. — Les Grandes Familles.
II. — La Chute des corps.
III. — Rendez-vous aux enfers.

La Volupté d'être.

LES ROIS MAUDITS

I. — Le Roi de Fer.
II. — La Reine étranglée.
III. — Les Poisons de la Couronne.
IV. — La Loi des Males.
V. — La Louve de France.
VI. — Le Lis et le Lion.
VII. — Quand un roi perd la France.

LES MÉMOIRES DE ZEUS

I. — L'Aube des dieux.
II. — Les Jours des hommes.

Alexandre le Grand.

Le Bonheur des uns...
Tistou les pouces verts.
La Dernière Brigade.

L'Avenir en désarroi (essai).
Discours de réception a l'Académie française.
Lettres d'un Européen (essai).
Une Église qui se trompe de siècle.
La Parole et le Pouvoir (essai).

IMPRIMÉ EN FRANCE PAR BRODARD ET TAUPIN
7, bd Romain-Rolland - Montrouge - Usine de La Flèche.
LE LIVRE DE POCHE -

ISBN : 2 - 253 - 00405 - 7

30/2889/